UNE MERVEILLEUSE OBSESSION

DISTRIBUTION:

• Pour le Canada:
AGENCE DE DISTRIBUTION POPULAIRE INC.
955, rue Amherst, Montréal H2L 3K4
(Tél.: (514) 523-1182)

• Pour l'Europe
VANDER, S.A.
Avenue des Volontaires 321, B-1150 BRUXELLES,
Belgique
(Tél.: 02-762-0662)

Cet ouvrage a été publié en langue anglaise sous le titre:
MAGNIFICENT OBSESSION
Copyright ©, 1929 by Houghton Mifflin Company
2 Park Street, Boston, Massachusetts 02107
Copyright ©, 1957 by Betty Douglas Herman and
Virginia Douglas Dawson

Copyright ©, 1984:
Les Éditions «Un Monde Différent» Ltée
Pour l'édition en langue française
Dépôts légaux 2e trimestre 1984
Bibliothèque nationale du Québec
Bibliothèque nationale du Canada

Conception graphique de la couverture:
MICHEL BÉRARD

Version française:
Le bureau de traduction TRANS-ADAPT inc.

ISBN: 2-89225-012-9

Lloyd C. Douglas

UNE MERVEILLEUSE OBSESSION

Les éditions Un monde différent ltée
3400 boul. Losch, local 8
St-Hubert
(QC) J3Y 5T6

À
Betty et Virginia

I

À l'hôpital Brightwood de Détroit — mieux connu à trois cents lieues à la ronde sous le nom de Clinique Hudson — personne n'ignorait plus que le grand patron était presque mort d'épuisement. La nouvelle s'était répandue comme une traînée de poudre.

Partout, du solarium au dernier étage jusqu'aux cuisines du sous-sol, papotages et commérages allaient bon train. Ici et là, de petits groupes se formaient : convalescents en fauteuil roulant, infirmières portant les plateaux-repas attendus par les malades, maigres internes en chaussures confortables, aides infirmiers aux tempes grises traînant un balai humide; on échangeait quelques mots, en chuchotant, puis chacun poursuivait son chemin, pressé de répandre la mauvaise nouvelle : le docteur Hudson était sur le point de craquer.

Sur le point... hum ! Ne commençait-on pas à raconter qu'il s'était même évanoui au cours d'une opération — de caractère très délicat, de surcroît — et que Watson, son assistant, avait dû la terminer seul ? Et, chose encore plus grave, Hudson avait repris le collier dès le lendemain, comme si de rien n'était.

Une histoire en l'air de ce genre, malgré tout l'esprit de loyauté avec lequel on en discutait à Brightwood, risquait fort de porter un dur coup à l'institution si jamais elle s'ébruitait hors des murs épais de l'hôpital. Et il devenait particulièrement difficile d'étouffer cette rumeur, car, malheureusement, elle était bel et bien vraie.

De toute évidence, les grands moyens s'imposaient.

Reconnaissable à sa tignasse hirsute et à ses sourcils en bataille, le docteur Malcom Pyle était le second en ancienneté après le patron et le grand spécialiste de la chirurgie abdominale, désigné avec admiration par ses confrères comme « le meilleur homme pour le ventre » à l'ouest des monts Alleghanys. Il souffla quelques mots à l'oreille de Jennings (sang et peau), un célibataire cynique d'âge mûr que plus d'une fois on aurait volontiers mis à la porte à cause de ses outrances et de son ironie grinçante, n'eût été de sa haute compétence de bactériologiste.

Jennings passa rapidement le mot à Carter (médecine interne) qui croisa McDermott (yeux, nez, gorge, oreilles) quelques instants plus tard et lui transmit le message à son tour.

« Oui, oui, je viendrai, dit McDermott un peu mal à l'aise, mais... l'idée d'une rencontre du personnel à l'insu du patron ne me sourit guère. Ça sent la trahison. »

« C'est pour son propre bien », expliqua Carter.

« Sans doute, mais lui-même a toujours joué tellement franc-jeu. »

« Chargez-vous d'Aldrich et de Watson. Je m'occupe de Gram et de Harper. Ça me répugne autant qu'à vous, Mac, mais enfin, on ne peut tout de même pas laisser le patron glisser vers sa perte. »

* * *

La rencontre avait lieu la veille de Noël un samedi, tard dans l'après-midi, de sorte que lorsque Pyle, en retard, les rejoignit dans le bureau de la directrice, chacun des huit, ayant laissé tomber l'espèce d'arrogance hautaine qui lui tenait lieu d'attitude professionnelle auprès des malades, était manifestement impatient d'en finir avec cette sale besogne et de quitter les lieux au plus tôt.

Quand il arriva enfin, en coup de vent, essayant sans grand succès d'arborer la mine penaude des retardataires, Pyle les trouva moroses et nerveux. Carter aiguisait rageusement les vestiges d'un malheureux bout de crayon, Aldrich feuilletait son agenda, McDermott chassait méticuleusement d'invisibles grains de poussière de sa manche, Watson affectait de secouer sa montre à son oreille, Gram pianotait fébrilement sur le bureau de Nancy Ashford, tandis que les autres faisaient les cent pas, tels des ours en cage.

« Eh bien, dit Pyle en leur faisant signe de s'asseoir d'un geste large, je suppose que vous savez tous pour quelle raison nous sommes ici. »

« Cer-tai-ne-ment, dit Jennings de son accent traînant. Il faut servir un avertissement au vieux. »

« Et sans tarder », ajouta Gram.

« Ah ! pour ça, oui », grommela McDermott.

« Et toi, Pyle, tu es la personne toute désignée pour le faire. » Prévoyant une réplique assez cinglante à ses paroles, Jennings s'empressa de se défendre contre la tempête qui allait s'abattre sur lui en secouant bruyamment sa pipe sur les bords de la corbeille à papiers en métal de madame Ashford, geste que celle-ci surveillait du coin de l'oeil avec un certain agacement.

« Pourquoi parles-tu de 'vieux', Jennings ? » demanda Pyle en toisant son collègue facétieux d'un regard myope et méchant. « Il n'est guère plus âgé que toi. »

Sur ce, Watson fit basculer sa chaise sur les pattes arrière, tourna doucement sa tête rousse vers Carter, son voisin, et ferma un oeil lentement. La conversation prenait un tour intéressant.

« Le docteur Hudson a eu quarante-six ans en mai dernier », déclara doucement la directrice sans lever la tête.

« Si quelqu'un le sait, c'est bien vous », concéda Jennings sèchement.

Madame Ashford accusa l'insinuation sans broncher.

« Le vingt-cinq, plus précisément » ajouta-t-elle.

« Je vous remercie. Voilà un point de réglé. Mais ça n'empêche pas que lorsqu'il est sorti de la salle d'opération ce matin, en se traînant presque, blême et tout tremblant, on lui en aurait bien donné cent de plus. »

« C'est que... ça commence à se savoir », ajouta Carter d'un ton plaintif.

McDermott tenta d'amadouer Pyle. « Pourquoi ne lui en parlez-vous pas, docteur ? Dites-lui que nous sommes tous d'avis qu'il a besoin de vacances — de longues vacances. »

Pyle ricana dédaigneusement et fronça ses sourcils touffus en se tournant vers lui.

« Ah ! Elle est bien bonne celle-là. 'Dites-lui que nous sommes d'avis.' Rien que ça ! Sachez que Hudson se soucie autant de notre avis que de sa première chemise. Vous est-il déjà arrivé... » ce disant, Pyle pointa un doigt osseux en direction de McDermott en sueurs, « vous est-il déjà arrivé d'être tenté d'offrir quelques suggestions amicales au docteur Wayne Hudson sur la façon de conduire ses affaires personnelles ? »

« Non », admit McDermott en rougissant et Pyle enchaîna d'une voix sèche et cassante :

« C'est bien ce que je pensais ! Et cela explique pourquoi vous êtes aussi à l'aise pour conseiller à quelqu'un d'autre de le faire. Vous voyez, mon fils » et Pyle, laissant tomber son ton railleur poursuivit, avec un accent de sincérité cette fois, « c'est à un drôle d'oiseau que nous avons affaire. Il est unique en son genre, imprévisible et rempli d'idées saugrenues. Dans une clinique psychiatrique — et c'est ce que cet hôpital va bientôt devenir, avec tout le personnel en camisole de force — on aurait bientôt fait d'interpréter ses charmantes idiosyncrasies comme autant de symptômes évidents de psychose. »

Un silence tendu régnait dans le bureau de madame Ashford. Chacun savait que l'admiration de Pyle pour le patron frôlait l'idolâtrie. Que pouvaient bien signifier ses paroles ? Croyait-il vraiment que Hudson était un peu détraqué ?

« Surtout, n'allez pas vous méprendre sur le sens de ce que je dis, s'empressa-t-il d'ajouter, voyant leur étonnement. Je crois, moi, qu'il peut bien se permettre quelques petites lubies. C'est un génie et quiconque se met en tête d'aimer un génie doit l'accepter en bloc, le meilleur comme le pire, et tout endurer avec une bonne dose de bonté. »

« Pas comme une cloche qui résonne », glissa Jennings d'un ton pieux.

« À propos de cloche, bougonna Pyle, mais... laissons cela. Nous savons tous que le patron est le plus grand spécialiste de la chirurgie du cerveau en Amérique. Mais cette réputation n'est pas le fait du hasard. Il a trimé dur pour en arriver là. Dans une spécialité de ce genre, un homme a nécessairement des hauts et des bas; il s'estime chanceux si le taux de mortalité de ses malades ne dépasse pas cinquante pour cent. Quelle sorte d'attitude auriez-*vous* » (il se tourna vers Jennings qui sourit, toute amabilité) « si vous perdiez la moitié de vos cas ? Je pense que l'on vous retrouverait assez vite dans un grand bassin d'eau chaude, alimenté par le nez au moyen d'une seringue ! »

« Vous avez parlé des psychoses du patron, interrompit McDermott, hésitant à prononcer ce mot dangereux. Le pensez-vous — vraiment ? »

« Oui — vraiment ! Une de ses lubies, non sans rapport avec le présent dilemme, — de loin la plus dangereuse de toutes celles qu'il a, et elles sont légion — concerne son étrange attitude face à la peur. Il ne doit avoir peur de rien. Il doit être au-dessus de la peur, selon sa propre expression. À l'entendre, on pourrait croire qu'il s'agit d'une vieille dame, richissime et névrosée, qui tente de graduer de la théosophie à la foi Baha'i... »

« Qu'est-ce que la foi Baha'i », s'informa Jennings, jouant le naïf.

Pyle fit mine de ne pas avoir entendu et poursuivit. « Hudson croit que si un homme donne libre cours à la peur, aussi bénigne soit-elle, celle-ci imprègne toutes ses pensées, affecte sa personnalité, bref, en fait un être hanté. Pendant des années, il a lui-même vécu si constamment au-dessus de la peur — peur de craquer, peur de payer la rançon du surmenage, peur des conséquences nerveuses de l'insomnie... Vous l'avez sans doute entendu discourir sur les plaisirs de lire au lit jusqu'à une heure avancée de la nuit... peur de ce petit anévrisme dont il connaît l'existence — qu'il s'est lancé à pleine épouvante, malgré les importuns, proclamant partout sa liberté et ce, jusqu'à ce que mort s'ensuive. Mais celui qui lui dira de se ménager se fera vertement tancer pour son impertinence. »

Pyle se tut, ayant épuisé le sujet pour l'instant et chacun se mêla à la discussion. Carter se risqua à suggérer que puisque l'entrevue avec le patron nécessitait un don pour l'impertinence, pourquoi ne pas déléguer Jennings ? Aldrich répliqua que ce n'était pas le moment de plaisanter. McDermott proposa de nouveau Pyle et Gram s'exclama « Bien sûr ! » Ils reculèrent leurs chaises. Pyle fit claquer ses deux fortes mains sur ses genoux avec un bruit retentissant, se leva en rouspétant et promit avec réticence qu'il allait faire un effort.

« Bravo, dit Jennings d'un ton paternaliste. Watson se chargera de vous faire les points de suture après la rencontre. Il a fignolé quelques petits chefs-d'oeuvre avec ses cicatrices récemment; n'est-ce pas, Watty ? »

La pagaille qui entoura la fin de la séance épargna à Watson de voir Jennings mettre à exécution sa menace de raconter les roucoulements de gratitude d'une malade, revenue à l'hôpital le remercier, conversation que Jennings avait surprise une heure plus tôt. Enhardi d'avoir échappé au péril, il déclara froidement à Jennings d'aller au diable, au grand plaisir de celui-ci, et le personnel s'égailla rapidement.

« Allons manger », proposa Pyle.

En tournant le coin du corridor, Jennings prit Pyle par le coude et marmonna : « Vous savez aussi bien que moi ce qui mine le patron. C'est la fille. »

« Vous voulez parler de Joyce ? »

« De qui d'autre ? » Jennings boutonna son pardessus dont il releva le col et poussa de l'épaule la lourde porte d'entrée, et fit entrer la rafale. « Bien sûr que je parle de Joyce. Elle se conduit comme une folle et lui se ronge d'inquiétude à son sujet. »

« Peut-être, » répondit Pyle qui posait les pieds avec précaution sur les marches enneigées, « mais je ne crois pas que ce soit tellement indiqué pour nous de scruter ses histoires de famille. »

« Foutaise ! Il est trop tard pour des considérations de ce genre. Hudson met sa réputation en jeu. Et, soit dit en passant, toute la clinique va écoper le jour où les nouvelles se sauront. Si le patron n'est pas dans son assiette parce qu'il se fait du souci pour sa fille, il est grand temps d'en parler ouvertement. Elle n'est qu'une petite idiote, si vous voulez connaître mon opinion. »

« Soyez tranquille, personne ne vous demandera votre opinion. Et ça ne servirait à rien de l'exprimer de cette façon. Elle est peut-être, comme vous le dites, une petite idiote, rien n'empêche que Hudson l'a placée sur un piédestal. »

Jennings lui fit signe de prendre place dans sa voiture et chercha ses clefs dans ses poches.

« Elle ne se conduisait pas comme une personne sur un piédestal — à moins que ça ne soit Bacchus — la dernière fois que je l'ai vue... »

« Où ça ? »

« Au restaurant Les Tuileries, il y a environ un mois, avec une bande de joyeux fêtards sous la direction générale du jeune Merrick, ce bon à rien — vous savez bien, ce bambochard, le petit-fils du vieux Nick Merrick. Croyez-moi, ils étaient joliment paf. »

« L'avez-vous... vous a-t-elle reconnu ? »

« Je crois bien. Elle s'est même amenée à notre table pour me parler. »

« Hum ! Elle devait être plutôt ivre en effet ! Je croyais qu'elle se tirait bien d'affaire dans un collège de filles à Washington... J'ignorais même qu'elle fut ici. »

Jennings réchauffa le moteur bruyamment et embraya.

« Elle a peut-être été renvoyée. »

Pyle fit entendre quelques gloussements.

« Dommage pour le vieux Merrick... La crème de la crème... on n'en fait plus comme lui. Il a eu plus que sa part d'ennuis. Connaissiez-vous Clif ? »

« Non. Il était déjà mort. Mais j'en ai entendu parler. Un voyou, n'est-ce pas ? »

« Ça le décrit bien; et son orphelin de fils semble prendre la même voie. »

« Orphelin ? Je croyais que sa mère vivait encore — à Paris ou ailleurs. »

« Ah oui, elle vit encore. Mais ça n'empêche pas qu'il soit quand même orphelin. Il est né orphelin. » Pyle résuma brièvement la saga des Merrick.

Ils entraient dans le garage du club lorsque Jennings avança une suggestion.

« S'il est si bien que ça, vous pourriez peut-être tenter une démarche auprès du vieux Merrick pour lui faire savoir que son petit morveux exerce une mauvaise influence sur la fille de Hudson. »

« Tss Tss » fit Pyle en le précédant vers l'ascenseur.

« Eh bien si cette suggestion ne vaut rien, pourquoi ne pas aller la voir, elle, comme un homme ? Dites-lui qu'elle est en train de rendre fou son digne père et qu'il s'agit de jouer franc jeu, en somme. »

« Non, s'objecta Pyle, accrochant ses lunettes de guingois sur son nez pour étudier le menu. Elle n'aurait rien de plus pressé que de protester avec indignation auprès de son père. Et il aime bien que les gens s'occupent de leurs oignons comme vous avez pu vous en rendre compte en deux ou trois occasions. Il est fermé comme une huître et n'apprécie guère qu'on se mêle de ses affaires — même avec les meilleures intentions. Et puis... ce serait peine perdue. Joyce ne peut pas s'empêcher d'être ce qu'elle est. C'est une hérédité qui remonte à son grand-père maternel. Vous ne l'avez pas connu. Il était au sommet de sa carrière de sot quand je suis arrivé dans la ville, frais émoulu de l'université. Cummings était alors le meilleur chirurgien et le buveur le plus endurci de tout l'État du Michigan depuis plus de vingt ans : un de ces phénomènes qui font la cuite pendant trois jours puis ne touchent plus un verre pendant trois semaines. Cette fille a de qui tenir. »

« Vous voulez dire qu'elle est dipsomaniaque ? »

« Hum ! Le terme est un peu fort. Disons plutôt qu'elle a un comportement erratique. Toute petite, elle était déjà un foyer d'agitations. Quand elle s'y met, personne n'est plus charmant. Et puis, tout à coup, elle se déchaîne et ce pauvre Hudson doit aller supplier les profs de bien vouloir la reprendre. Chose certaine, elle a mis du piquant dans sa vie. Et depuis quelque temps, c'est l'alcool ! »

« Hudson est sans doute au courant ? »

« Je le présume. Comment pourrait-il en être autrement ? Elle ne s'en cache pas. On ne peut pas la taxer d'hypocrisie. »

Jennings soupira.

« C'est une vertu dont on pourrait très bien se passer. Mais puisqu'il en est ainsi, elle devra assumer les conséquences de ses actes. Quant à Hudson, il faut le persuader de s'effacer pour quelque temps et de prendre de longues vacances. Il peut même l'amener avec lui. Soyez ferme, Pyle. Pas de quartiers ! Dites-lui que ça nous affecte tous. Cela devrait le convaincre. J'ai rarement vu quelqu'un aussi soucieux du bien-être des autres. Gardez cette carte en réserve : dites-lui que s'il ne se retire pas pour quelque temps, c'en est fait de nous tous. »

* * *

Au cours de la première demi-heure de leur entretien, qui eut lieu dans le bureau du patron le mardi suivant, Pyle ne démordit pas de son idée d'un voyage autour du monde, en compagnie de Joyce. L'idée lui avait même paru si bonne qu'il avait apporté une pile de dépliants touristiques sur les croisières. Il avait mis au point un itinéraire compliqué : Hawaï, Tahiti, des guitares hawaïennes (Pyle était un amoureux inconditionnel de la terre ferme, nourrissant une forte tendance, malheureusement refoulée, à s'allonger au soleil, sous les palmiers exotiques, sérénadé par les chants mélodieux de grands enfants non encore contaminés par la civilisation), les pays méditerranéens, le tout assaisonné d'un séjour de six mois avec les spécialistes du cerveau en Allemagne. Cette dernière étape devait constituer un appât irrésistible : Hudson n'avait-il pas souvent déclaré qu'il rêvait de faire cela un jour ?

Le patron écoutait d'un air préoccupé, essayant de paraître tour à tour reconnaissant et intéressé; mais à mesure que Pyle débitait son baratin, Hudson devint de plus en plus impatient. Il remit de l'encre dans sa plume, rangea ses dossiers en piles bien droites, passa un long moment à chercher une boîte d'allumettes. Puis, il secoua la tête en souriant.

Non, même s'il était très sensible aux préoccupations amicales de Pyle, il n'allait pas s'embarquer pour un tour du monde; pas en ce moment. Il reconnut qu'il en avait trop fait. Il songeait même depuis quelque temps à se faire construire un petit chalet dans un endroit reculé, mais pas trop éloigné. Il y séjournerait du vendredi après-midi au mardi matin, du moins lorsque le temps s'y prêterait, et en profiterait pour flâner, aller à la pêche, faire du jardinage, lire des petits romans, dormir, mener une vie simple, quoi. Il verrait aux plans pour cette maison dès maintenant. Le printemps n'allait pas tarder.

« Et... d'ici là ? », insista Pyle, tripotant l'extrémité de sa barbiche, drôlement rebiquée vers le haut.

Hudson se leva, referma un tiroir d'un bruit sec, fit valser une jambe par-dessus un coin de son bureau, se croisa les bras carrément et fit face à son conseiller avec un sourire mystérieux.

« D'ici là ?... Pyle, j'espère que cette nouvelle ne va pas vous assommer. Je m'en vais à Philadelphie, dans deux semaines, épouser la compagne de ma fille, mademoiselle Helen Brent. »

L'étonnement et la stupéfaction qui se lisaient sur les traits de Pyle étaient d'un effet hautement comique et Hudson ne put réprimer un large sourire.

« Nous partons ensuite tous les trois passer quelques mois en Europe. Je me suis entendu avec Leighton qui viendra de l'université s'occuper des cas de cerveaux trop compliqués pour Watson. Watson est brillant : il a beaucoup d'avenir. C'est bizarre, Pyle, j'allais justement vous inviter à venir discuter de tout cela quand vous m'avez dit que vous vouliez me voir. »

Pyle mordit dans le bout d'un cigare et bafouilla des félicitations mais il n'était pas suffisamment remis de sa surprise pour avoir l'air très enthousiaste.

« Vous croyez sans doute que j'ai perdu la tête, Pyle. »

Hudson arpenta la pièce, histoire de donner à son confrère l'occasion de nier, s'il le voulait. Pyle fumait son cigare, tout en réfléchissant.

« Je suis resté veuf dix-sept ans », murmura Hudson comme pour lui-même. Il s'arrêta dans un coin de la pièce pour redresser une pile de livres.

« Un homme prend beaucoup de mauvais plis en dix-sept ans. » Il retourna s'asseoir à son bureau. « Ça ressemble au mariage des cheveux blonds et des cheveux gris, n'est-ce pas ? »

Si Jennings avait été à la place de Pyle, il aurait répliqué, les yeux brillants : « Des cheveux gris ! Quoi ? Vous ! Allons donc, patron ! Poivre et sel, tout au plus ! »

Pyle eut un sourire triste et fit passer son cigare dans l'autre coin de sa bouche.

« Cette précieuse amitié a commencé au début de l'an dernier lorsque mademoiselle Brent a été nommée conseillère de ma fille Joyce. »

Pyle, se remettant du choc, fit montre d'intérêt à nouveau et quelque chose de sympathique et d'amical dans son attitude incita Hudson à mettre sa réserve de côté et à tout raconter.

« Pour commencer, mademoiselle Brent était orpheline, ses parents étaient bien connus dans l'État de Virginie et, fait intéressant, de par sa mère, elle avait du sang français dans les veines, de ce même sang qui avait coulé sous la guillotine en 1789... Elle est bien française — du moins dans son allure. »

Jennings, s'il avait été là, aurait eu assez d'audace pour dire, tout en ricanant doucement : « Alors dans ce cas, il faut parler de cheveux poudrés et pas de cheveux blonds. » Après quoi il aurait surveillé attentivement l'expression du patron.

Mais Pyle, qui n'avait que faire de la psychanalyse, n'accorda aucune importance au fait que le patron semblait un peu préoccupé par le caractère de la jeune femme.

« Autour de la fête de l'Action de Grâces, disait Hudson, mademoiselle Brent, après une petite grippe, quitta l'école pour aller passer quelques jours chez elle. Elle n'était pas sitôt partie que Joyce fit le mur et se rendit à une soirée en ville. Elle enfreignit le couvre-feu, sécha tous ses cours le lendemain et fit une colère à tout casser lorsqu'on lui fit des remontrances; bref, elle réussit à se faire coller une suspension de cours, malgré le fait que, grâce à l'influence de mademoiselle Brent, elle ait eu un dossier impeccable depuis son examen d'entrée à l'université qui remonte à septembre de l'année dernière. »

Le récit progressait péniblement. Hudson n'avait pas l'habitude des confidences et Pyle écoutait en silence.

« Eh bien... elle est revenue à la maison et a plongé aussitôt dans une série d'aventures farfelues, sortant tous les soirs, passant la journée au lit, ou presque, nerveuse, irritable. Je ne peux pas vous dire, Pyle, à quel point tout cela m'a démoli... Il ne me reste plus qu'elle, vous savez.

« Ne sachant plus à quel saint me vouer, je lui ai suggéré d'inviter mademoiselle Brent à nous rendre visite pour les fêtes de fin d'année. Elle avait déjà passé deux ou trois jours chez nous à quelques reprises et moi-même j'avais eu l'occasion de la rencontrer lorsque j'allais à Washington. Croyez-moi si vous le voulez, cette charmante fille avait à peine mis les pieds dans la maison que Joyce se transforma du tout au tout : elle devint posée, gracieuse, adorable — une vraie dame, quoi ! »

Il fit une pause pour s'orienter avant de poursuivre, se sentant poussé, d'une part, à exposer comment l'enchaînement rapide des circonstances, ce soir-là au repas, expliquait en grande partie sa décision de demander à Helen de l'épouser, mais hésitant par ailleurs à traduire en mots le souvenir qu'il en avait conservé, et cela, même au risque de paraître moins clair. Les choses s'étaient passées le plus naturellement du monde; de façon parfaite, exactement comme cela devait être. Il avait dit — avec un peu plus d'ardeur, peut-être, qu'il n'en avait eu l'intention, mais il se sentait tellement heureux — à quel point la visite de Helen le comblait, ainsi que Joyce. « Je ne sais pas comment nous pourrons vous laisser partir, avait-il dit. Ce à quoi Joyce avait ajouté, avec fougue : « Pourquoi partirait-elle ? Elle est plus heureuse ici que nulle part ailleurs, n'est-ce pas, ma chérie ? »

Pyle recroisa ses jambes et s'éclaircit la voix pour rappeler au patron qu'il était toujours là.

« En fait, mademoiselle Brent est certainement plus heureuse chez nous que dans sa famille. Elle habite, depuis qu'elle est toute petite, avec un oncle, le frère aîné de son père, un vieil avocat sans cause, irascible et presque indigent. Elle est la seule femme de la famille. Et j'ai tout lieu de croire que son cousin Montgomery est un petit peu coureur, même si elle en a fait une idole intouchable. Elle l'appelle 'Frère Monty' et croit que ni son père ni personne d'autre ne le comprend... Elle est comme ça, Pyle... elle épouse la cause des chats errants, des opprimés, des cousins incompris, de ma Joyce, cette tête de linotte... Et maintenant — Dieu merci — elle a promis de joindre ses forces aux *miennes* ! Vous savez, Pyle, pour elle c'est comme une espèce de mission à accomplir. J'aurais volontiers attendu la fin des cours en juin; j'avais même beaucoup de remords à ce sujet. Mais elle n'a rien voulu savoir. Si j'ai besoin d'aide, c'est maintenant, a-t-elle dit. Je souhaite de tout coeur que ça puisse marcher ! »

Pyle répondit qu'il croyait bien que oui, s'avança au bord de sa chaise, consulta sa montre et demanda si c'était un secret.

Hudson se frotta le menton, les yeux détournés.

« Je ne m'oppose pas à ce qu'on le sache... Pour l'instant, contentons-nous de dire que je m'en vais en Europe avec ma fille. » Il s'épongea le front vigoureusement. « Le reste, ils l'apprendront en temps et lieu. Annoncez à Aldrich, Carter et les autres que je pars en vacances. »

« Avez-vous un message spécial pour madame Ashford, patron ? » demanda Pyle, la main sur la poignée de la porte.

Hudson enfonça ses mains dans ses poches et se dirigea vers la fenêtre, regardant au dehors.

« Je le lui dirai moi-même, Pyle » répondit-il sans se retourner.

*　*　*

Le docteur Hudson appela son lieu de retraite Flintridge. C'était un endroit complètement isolé. On avait déboisé à peine un acre, autour du chalet. Avant son départ, Hudson avait fait rapidement quelques croquis qu'il avait remis à son fidèle ami Fred Ferguson, le meilleur architecte de la ville; celui-ci avait vu à la construction et à l'aménagement durant son absence.

Le pays alentour était inhospitalier. Des falaises, plongeant abruptement vers l'eau noire (un long escalier de bois menait au quai et au hangar à bateaux) avaient découragé toute tentative de colonisation semblable à celle qui avait permis le développement de la rive ouest, deux kilomètres plus loin. Tremblant de soif l'été et frissonnant dans leur nudité par les jours d'hiver, des pins tordus s'accrochaient aux rochers.

Dès les premiers jours et faute de téléphone sur place, on n'avait jamais su avec certitude, à Flintridge, quand le maître viendrait passer le week-end. On prévoyait, on faisait des prédictions, on préparait des gâteaux d'une légèreté ineffable, on attrapait des quantités de vairons pour les appâts et on se tenait sur le qui-vive dans l'espoir de voir arriver ce grand homme au teint vif (un rien trop vif, aurait dit un cardiologue) avec ses cheveux grisonnants, ses yeux gris aux pattes d'oies prononcées et ses mains expressives qui trahissaient sa très grande dextérité.

Quand — et si — il venait, il arrivait tard l'après-midi du samedi. Une seule fois, Joyce et Helen l'avaient accompagné — et des étrangers, les croisant, crurent qu'elles étaient ses filles toutes les deux — mais cela n'avait été qu'un compromis à sa promesse de chercher à se retirer. Et c'était maintenant qu'il avait besoin de quelques jours de repos car sa jeune femme était si sociable et recevait avec tant de grâce, que les invitations se multipliaient à la ville.

Avec quelle facilité elle s'était adaptée à ses sautes d'humeur. Comme il était fier d'elle, pas tellement de sa beauté exotique que de son goût exquis et du tact avec lequel elle avait résolu les difficultés de son adaptation — rapide et sans accrocs — à son cercle de connaissances, tous des gens d'âge mûr. Il était ravi de voir qu'elle avait toujours le mot juste, qu'elle portait toujours le vêtement approprié et qu'elle savait, comme par intuition, comment diriger un dîner sans paraître incommodée par les petits incidents se produisant à la cuisine. Oui, l'affaire « marchait bien » — combien de fois il avait utilisé cette expression ! — infiniment mieux qu'il n'avait osé l'espérer.

Même les femmes l'aimaient ! Au début, elles l'avaient mise à l'essai, puis quand il devint évident qu'elle ne se laissait pas impressionner par le fait que leurs maris grisonnants lui tournaient autour en lui adressant ce type de compliments que se permettent les hommes de cinquante ans envers une femme de moitié leur âge, les femmes admirent toutes qu'elle était une perle.

Mais même si Hudson était flatté de la popularité croissante de sa femme, confirmée par le nombre croissant de leurs activités sociales, ses nouvelles obligations ne contribuaient guère à revigorer l'aorte fatiguée qui avait inquiété Pyle.

« Le patron est en meilleure forme — s'pas ? » dit Jennings.

« Temporairement, admit Pyle. Mais ça n'est pas avec des soirées prolongées — trois par semaine — que l'on soigne un anévrisme. Je crains qu'il ne claque, un de ces jours. »

Il n'était pas rare qu'un collègue de passage soit invité à la campagne pour vivre à la dure pendant un jour ou deux. Car non seulement Brightwood attirait maintenant des malades venus de loin mais l'hôpital était aussi devenu un point d'attraction pour les spécialistes ambitieux de se faire un nom dans la chirurgie du cerveau. Ils étaient tous bizarrement semblables, ces bricoleurs de cerveaux des régions lointaines : des hommes maussades, tous, et distraits, dans la quarantaine avancée ou au début de la cinquantaine, pour la plupart, souriant rarement, ne parlant pas inutilement, et portés à être un peu bourrus. Hudson préférait tenir ses entretiens au lac car leur conversation prenait invariablement un tour technique. Et, de toute façon, on ne pouvait s'attendre à ce que des hommes qui côtoyaient la mort tous les jours soient les boute-entrain d'une soirée.

Flintridge avait comme gardiens un couple de jumeaux d'âge mûr, entièrement dévoués à leur tâche. Perry Ruggles souffrait de raideurs dans un genou, avait des poils dans le cou et possédait le caractère d'un brave épagneul. Lorsqu'il ne bricolait pas le moteur du bateau avec des outils couverts de cambouis, il taquinait la perche, quelle que fût la saison, ou bien il retournait un carré de terre ingrate, tentant de lui insuffler assez de sollicitude maternelle pour faire pousser ses iris et ses pétunias. Tous les samedis vers les cinq heures, il endossait son veston propre et, en boitillant, se dirigeait vers le portail donnant accès à l'étroite route de corniche, puis l'ayant ouverte, il trompait son attente en dispersant les cailloux dans l'allée, de son bon pied.

Sa soeur, la grassouillette Martha, occupait son temps à piquer des patchworks compliqués, à dissimuler au taciturne Perry les dégâts d'un faon impertinent ou à s'enticher d'un couple de faisans apprivoisés aussi incapables, malheureusement, de lui rendre son affection que son besoin à elle était fort. Elle rentrait parfois les bras tout égratignés après avoir cueilli des baies précoces dans l'espoir de ce moment béni où sa tarte recevrait l'hommage d'un clin d'oeil d'approbation, geste échappant au savant invité qui, avec son hôte célèbre, discourait sérieusement des secrets de la chirurgie.

Le samedi, autour de quatre heures et demie, Martha s'assurait une dernière fois qu'elle avait bien pensé à disposer le pyjama du médecin sur le lit, puis elle imprimait un demi-tour à droite au vase de roses sur le chiffonnier pour faire davantage ressortir la longue tige d'une fleur, après quoi elle allait se poster devant une fenêtre du solarium. Là, pressant ses jointures contre ses dents, qu'elle avait jolies, elle espérait de tout son coeur voir se soulever un nuage de poussière jaune et scintiller un éclair de nickel dans le tournant de la route, visible à travers la rangée d'épinettes naines.

Au bruit du gravier crissant sous les larges pneus, elle se précipitait vers la porte et l'ouvrait toute grande, espérant toujours — bien que honteuse de ce sentiment — que le médecin serait seul ou, sinon, accompagné d'un autre homme. Lors de la visite de la jeune madame Hudson, elle s'était sentie si gauche, si maladroite. Sa beauté avait fait renaître chez elle le souvenir d'une certaine expédition dans les grands magasins, quelques jours avant Noël, à l'âge de neuf ans... Il y avait une poupée française, si adorable, que l'envie lui en donnait des serrements de coeur. Les yeux pleins de larmes, elle avait tendu la main vers elle, avec hésitation.

« Non, ma chérie, avait prévenu sa mère. Tu peux la regarder, mais pas la toucher. C'est interdit. »

* * *

Sur le vaste manteau de la cheminée, dans la « salle des armes » (on faisait beaucoup de plaisanteries à ce sujet, vu qu'il ne s'y trouvait qu'un seul fusil, à travers tout un assortiment d'articles de sport tels que bâtons de golf, cannes à pêche et autres équipements du même genre), une impressionnante panoplie de coupes en argent témoignait que la dextérité de Wayne Hudson s'étendait autant au jeu qu'au domaine plus sérieux de la chirurgie.

Ses intimes faisaient souvent remarquer que Hudson avait l'incroyable don de projeter la sensibilité aiguë de ses doigts jusqu'à l'extrémité même de tous les instruments qu'il manipulait. On aurait dit qu'il y avait des nerfs dans son bâton de golf, dans sa canne à pêche, dans son scalpel.

« Quel diable de chanceux », disaient les badauds lorsqu'il réussissait un fameux coup roulé sur le terrain de golf.

« Il devine rudement bien », opinaient ses confrères à l'occasion, lorsqu'un pronostic plutôt téméraire — déterminant, par exemple, l'endroit exact d'une tumeur d'après l'arc d'un sourcil, le tremblement d'une lèvre, la position d'une main au repos ou une phrase incongrue glissée au milieu d'une conversation banale — recevait confirmation.

Parmi les trophées sur la cheminée — trophées dont les inscriptions étonnaient toujours les collègues de passage, éblouis par la diversité des talents de leur hôte — se trouvait une coupe ternie, à trois anses, un prix remporté jadis par le docteur Hudson lorsque, jeune interne, il s'était classé premier à l'épreuve du 1500 mètres de natation.

« Vous nagez toujours ? »

« Régulièrement. »

« Ça vous plaît ? »

« Je crois que ça me fait du bien. »

« Ça vous garde mince ? »

« Peut-être ! Mais, de toute façon, ça me fait du bien. »

Invariablement, à un moment ou l'autre de sa visite, il arrivait à un invité de taquiner son hôte sur son excès de prudence, car l'objet le plus visible dans la « salle des armes » était un inhalateur, compliqué, mais pas tellement décoratif, du type dont se servent les gardiens sur les plages encombrées, muni de réservoirs à oxygène en nickel et de toute une série de mécanismes mystérieux.

« Qu'est-ce que c'est que ce machin ? »

Hudson expliquait brièvement, avec une pointe d'impatience.

« À quoi cela peut-il *vous* être utile ? »

« Oh ! quelqu'un pourrait tomber à l'eau. À certains endroits, le lac est très profond, vous savez. »

Si l'invité poussait son interrogatoire un peu plus, il devinait vite que le docteur Hudson n'aimait pas beaucoup parler de natation, ce qui ne laissait pas d'intriguer. Perry Ruggles aurait pu apporter quelques éclaircissements là-dessus, eût-il été disposé à le faire. Le quai étroit de Flintridge avait été témoin, un jour, d'un incident passablement inquiétant. À sa visite suivante, le docteur Hudson avait apporté l'inhalateur et en avait expliqué le mode d'emploi à Perry. Celui-ci, terrifié, en avait conservé une certaine méfiance envers l'appareil. C'était devenu comme un spectre sinistre qui hantait sa vie. Il soupçonnait qu'un jour, il serait forcé de s'en servir. Cette responsabilité pesait sur lui comme une menace constante qui le torturait et l'empêchait de dormir. L'échange de propos avait été plutôt vif entre le chirurgien et le gardien cet après-midi-là. On ne se souvenait pas que quelqu'un ait osé traiter Wayne Hudson d'idiot à sa face. Il accepta cet honneur avec dignité.

« Peut-être suis-je idiot, Perry, répondit-il clairement. Tu ne le saurais probablement pas. Mais, quoi qu'il en soit, ce que tu ne dois pas oublier c'est que cette valve, ici en haut, contrôle le débit d'oxygène et si tu as l'occasion de t'en servir, ne t'énerve pas au point de l'oublier. »

* * *

De nombreuses sommités du monde de la chirurgie, dans diverses villes du globe, se rappelèrent avoir eu une brève et déroutante conversation sur la natation au cours de leur séjour à Flintridge, lorsque parut à la une des journaux un dimanche matin du début d'août, la nouvelle que le docteur Wayne Hudson s'était noyé la veille au lac Saginack non loin de sa résidence d'été.

C'est chez lui à Seattle, à la table du petit déjeuner, que le docteur Herman Bliss apprit la triste nouvelle à sa femme; après que celle-ci eût exprimé ses regrets, il ajouta :

« C'est non seulement très triste, ma chérie, mais aussi, bien étrange. »

Pressé de s'expliquer, il raconta les incidents qui avaient marqué sa visite à son ami au chalet du lac et la gêne qui avait pesé sur leur conversation lorsqu'il avait demandé à son hôte si celui-ci aimait l'eau.

« Crois-tu, supputa madame Bliss, qu'il ait pu avoir quelque idée du sort qui l'attendait ? »

Son mari pinça les lèvres et secoua la tête. « Je ne crois pas beaucoup à ces théories », déclara-t-il avec trop de véhémence pour être vraiment convaincant.

« Mais ne m'as-tu pas déjà dit toi-même que le docteur Hudson avait des 'pressentiments' ? »

« Une simple façon de parler, Grace. Personne n'a de pressentiment. Hudson était extrêmement sensible toutefois, doué de facultés psychiques à un degré hors de l'ordinaire. »

« Mais pourquoi s'entêtait-il à nager, demanda madame Bliss, s'il avait peur de l'eau ? »

« Justement pour cette raison-là, sans doute. J'ai rarement rencontré un homme aussi impatient face aux hésitations des gens normaux, ou si passionnément désireux de se défaire lui-même de la peur. Il n'y a aucun doute que c'était là la chose même qui l'inquiétait et il avait décidé de surmonter ses inquiétudes. »

« Mais avec ce genre de logique, protesta madame Bliss, il aurait pu aussi bien plonger du haut d'un précipice s'il avait découvert que cela lui faisait peur. »

« Pas tout à fait pareil ! Il s'agissait là de quelque chose qu'il avait déjà été capable d'accomplir avec facilité, avec compétence même et en toute sécurité. Et maintenant, pour une raison quelconque, cela lui faisait peur. Une crampe, peut-être... Ça peut survenir à nouveau. La peur avait envahi ses pensées... Lui, si fier de vivre dans une complète liberté d'esprit... Il savait qu'une peur l'habitait maintenant ! Aussi longtemps qu'il nourrirait cette phobie, il ne serait pas maître de lui sur ce point. Alors il décida de faire face à cet adversaire. Je crois bien que c'est là l'explication. »

Le compte rendu des journaux ajoutait encore quelques détails : par une coïncidence bizarre, l'inhalateur que le docteur Hudson gardait en permanence à son chalet était justement utilisé de l'autre côté du petit lac au moment tragique où lui-même en avait eu besoin.

À quelques centaines de mètres de la rive, près de « Windymere », le domaine de son grand-père, le jeune Robert Merrick, seul sur son voilier, était tombé à l'eau, inconscient, assommé par un gui récalcitrant.

« Il devait être ivre, commenta le docteur Bliss avec indignation. Des choses comme ça n'arrivent pas aux gens qui ne boivent pas. »

Apprenant qu'un inhalateur se trouvait au chalet Hudson, des nageurs surexcités avaient dépêché une embarcation à moteur de l'autre côté du lac. Après une heure d'efforts surhumains, ils avaient réussi à ranimer le jeune homme, tant bien que mal. Son rétablissement était presque assuré.

« Il va s'en sortir, lui, c'est certain », grommela Bliss.

D'après le communiqué, si l'inhalateur avait été disponible et qu'on l'eût utilisé immédiatement, le docteur Hudson aurait eu la vie sauve. Perry Ruggles, le gardien, voyant que son patron semblait se débattre dans l'eau, s'était vite rendu près de lui en ramant et, après avoir plongé à sa rescousse, avait réussi à hisser le corps inerte dans la barque.

Puis, son passager toujours inconscient, Ruggles s'était dirigé vers la plage de Windymere, ramant avec l'énergie du désespoir jusqu'à ce que ses forces l'abandonnent. Des petites embarcations, alertées par ses signaux de détresse, se hâtèrent sur les lieux et le trouvèrent pleurant à chaudes larmes, penché sur le corps inanimé du docteur Hudson, pendant que la barque dérivait au milieu du lac.

« J'ai rarement vu un tel dévouement de chien fidèle comme celui du vieux Perry. Il a dû plonger tout habillé, et il avait une mauvaise jambe en plus ! »

Robert Merrick, ajoutait encore le journal, était le fils unique de feu Clifford Merrick et de madame Maxine Merrick qui habitait maintenant à Paris. Il était rentré le jour même d'un séjour prolongé chez sa mère, étant parti à l'étranger dès la fin de sa troisième année à l'université de l'État. On mentionnait encore qu'il était le petit-fils de Nicholas J. Merrick, maintenant à la retraite, fondateur et principal actionnaire de la Société des moteurs Axion, dont il partageait la résidence de Windymere.

« Espérons que ce jeune homme pourra au moins se rendre compte de la valeur de sa vie, maintenant qu'elle lui a été rendue à un tel prix », dit le docteur Bliss en déposant le journal.

Il y avait une autre coïncidence dans cet incident. Le médecin du petit village, pensant que la blessure à la tête du jeune Merrick nécessitait sans doute des soins dépassant sa compétence, avait fait appeler une ambulance pour qu'on le transporte à Brightwood. Il ignorait, à ce moment, que l'homme qui avait fait la réputation de Brightwood pour la chirurgie du cerveau, serait incapable de soigner son jeune malade.

« À ton avis, quelle a été la réaction de ce jeune homme en apprenant à quel prix on lui avait sauvé la vie ? » demanda madame Bliss à son compagnon.

« Eh bien, dit le médecin, d'après ce que je peux savoir d'un jeune homme dont le père est mort, la mère est à Paris et le grand-père un millionnaire à la retraite qui adore son petit-fils; ce jeune homme donc qui est projeté à l'eau en plein jour par le gui de son bateau, je suppose qu'il s'est contenté de gratter une allumette à la tête de son lit en s'exclamant : 'Tu parles d'une affaire !' »

II

Lentement, et avec d'infinies précautions — car il était resté très faible à la suite de sa pneumonie, résultat de l'utilisation prolongée d'un inhalateur entre les mains malhabiles de personnes surexcitées — deux infirmières avaient transporté le jeune Merrick jusqu'au solarium.

« Ça ne lui fera aucun mal, avait déclaré le docteur Watson, et là-haut, il y a au moins un soupçon d'air. »

Garant le fauteuil dans une alcôve un peu à l'écart du groupe des convalescents — la tête enturbannée de blanc pour la plupart — les infirmières silencieuses s'étaient vite retirées, semblant soulagées d'aller s'occuper à des tâches plus agréables.

Leur départ précipité ne fit qu'aviver sa perplexité. La veille, il s'était perdu en conjectures pour tenter d'expliquer la constante morosité des personnes qui le soignaient. C'était à cause du temps lourd et humide de la mi-août. Si les médecins étaient brusques et toujours pressés, les infirmières, cassantes et froides, c'était sans doute parce que les malades étaient agités eux-mêmes... personne n'était dans son assiette... cela allait de soi.

Mais, même là, un baromètre à la baisse ne pouvait, à lui seul, expliquer le malaise profond qui régnait dans l'hôpital. Les sautes d'humeur étaient trop graves pour être mises sur le compte du ciel lourd et menaçant, de l'affreux cri strident des cigales dans les érables poussiéreux ou de la chaleur énervante. Brightwood était en difficulté; et Bobby n'arrivait pas non plus à se défaire de l'idée que lui-même était à la source du problème. Comment, autrement, expliquer cette conspiration du silence autour de lui ? Bon Dieu ! Il aurait aussi bien pu être un voyou sans le sou, sorti du ruisseau et soigné par pur souci humanitaire... Ne savait-on pas qui il était ?... Allons donc ! Son grand-père aurait pu acheter tout l'édifice sans même faire une entorse à sa fortune !

Il devait bien admettre qu'on ne le négligeait pas. Bien au contraire ! On s'affairait constamment autour de lui... Seigneur !...

Quelle horrible expérience il venait de connaître !... Ce brouillard... traversant la route en volutes grisâtres, semblables à des ballons — dense, âcre, suffocant — un nuage humide, pénétrant et tenace qui lui oppressait la poitrine, emmaillotait ses bras, paralysait ses pieds... Ce long voyage au bout de la nuit !... Vivrait-il assez longtemps pour l'oublier !... Cette lassitude indicible !

Par moments, c'était plus qu'il n'en pouvait supporter. Après qu'il eût fait quelques pas, en titubant, cherchant son chemin à tâtons, la Bête se ruait sur lui, le bousculait, dans un grondement semblable à celui d'une énorme vague, et le projetait à des milliers de kilomètres de là, le plongeant à nouveau dans l'oubli. Puis, le calme revenait, suivi d'un silence de mauvais augure... Était-il réellement mort cette fois ? Soudain la Bête fondait sur lui à nouveau et l'enfonçait encore plus profondément dans le brouillard étouffant...

Des années et des années plus tard — cette lutte désespérée l'avait laissé vieilli, ankylosé et tout endolori — la situation avait commencé à s'éclaircir. De ci, de là, à travers les déchirures qui se produisaient dans l'épaisseur du brouillard, il reconnaissait vaguement certains points de repère un peu comme, sur une plaque rongée par l'acide, apparaissent, de façon diffuse, flèches et clochers. Ces perceptions vagues se limitaient tout d'abord au domaine de l'odorat. Il avait lu quelque part que le nez faisait partie intégrante du cerveau, davantage que les autres organes. Peut-être la faculté de sentir (il s'intéressait vivement à la physiologie) était-elle le plus ancien des organes de perception, et le premier à évoluer. Pourtant non; ce devait être le toucher... oui c'est cela, d'abord le toucher, ensuite l'odorat... Cela l'avait étonné et amusé de constater qu'une partie de son cerveau, par une démarche parallèle et pénible, analysait les difficultés du reste de son esprit qui, lui, pataugeait dans le brouillard.

Puis, il y avait eu une éclaircie beaucoup plus vaste dans les nuages et, à travers elle, s'était infiltrée une combinaison d'odeurs facilement identifiables; des odeurs tout près de son visage : la senteur de la bonne laine et, imprégnés, enfouis dans la laine, l'iodoforme, la fumée de cigarettes, des chlorures de ceci, de cela et quoi encore, des anesthésiques, des antiseptiques, les odeurs de laboratoires et d'hôpital.

Un poids se déplaçait sur sa poitrine. Sensation de chaleur. Ça bougeait. Une pression, un temps d'arrêt, puis ça recommençait un peu plus loin : pause, temps d'écoute; retour à des endroits déjà visités; temps d'écoute encore, plus intense cette fois.

Puis le poids avait disparu et le bouquet d'odeurs s'était évanoui. À travers la déchirure suivante dans le brouillard, il avait entendu des voix, très très loin : l'une calme, sûre d'elle, l'autre, amère, hostile... C'était à ce moment que sa perplexité avait pris naissance...

« Je crois bien qu'il va s'en tirer. »

« Sans aucun doute — et c'est une vraie honte ! »

Après cela, il avait entendu un embrouillamini de voix — dont celle d'une femme — avant que le brouillard ne se referme encore une fois sur lui. De temps à autre, le nuage se déchirait et il ramassait son lourd fardeau... il avait l'impression de porter un poids énorme... et il cheminait pesamment. Il aurait bien voulu bâiller, mais il ne pouvait pas respirer à fond. On avait cessé de le faire... beaucoup trop pénible. Il fallait prendre de toutes petites respirations... et s'en contenter malgré l'effort requis... Tom Masterson avait confirmé ce point... Tom — cela faisait sans doute partie de son délire — Tom s'était assis près du lit et, interrogé au sujet du nouveau style de respiration, avait répondu : « C'est ainsi que nous faisons tous maintenant... Pas tout à fait aussi bien que l'ancienne méthode, bien sûr, mais mieux que rien. »

Une autre oppressante lame de brouillard l'avait submergé; mais la Bête avait disparu. Cela ne lui faisait plus rien maintenant, du moment que la Bête était partie.

Il ouvrit les yeux et aperçut un carré de ciel bleu à travers une vraie fenêtre. Le vent soulevait les rideaux. Un moteur tournait dans la cour, quelque part en bas, un engrenage grinçait, le gravier crissait. Des glaçons tintaient dans un verre, près de lui. Une infirmière, dans son uniforme amidonné, les yeux rivés sur sa montre, palpait son avant-bras. Le bout pointu d'un thermomètre râclait le fond de sa gorge. C'était donc pour cela qu'il avait si mal — tout ce remue-ménage maladroit pendant qu'il était inconscient.

Il prit conscience du ronronnement d'un ventilateur électrique, du vrombissement métallique de la tondeuse sur le gazon desséché. Avec difficulté, il passa sa langue sur ses lèvres gercées; regarda avec indifférence l'infirmière penchée au-dessus de lui et après avoir émis quelques sons enroués, il parvint à lui demander où il était. Elle le lui dit. Il en déduisit sans effort que sa présence à Brightwood indiquait une blessure quelconque à la tête. En effet, elle lui faisait horriblement mal et était recouverte de pansements. Avec précaution, il la tâta puis s'informa de ce qui se passait.

« Une grosse bosse. Mais ça se passe très bien. Avalez ceci, s'il vous plaît. »

Il dormit ensuite encore un peu. Quand il s'éveilla, une faible lampe était allumée. Un grand calme régnait : il décida donc de continuer à dormir. Un autre jour passa... deux ou trois peut-être... il ne savait plus très bien.

Un jeune médecin aux cheveux roux, avec une blouse blanche, fit son apparition et posa quelques questions à l'infirmière. Il semblait assez amical... mais plutôt jeune. Ici le grand patron, c'était le docteur Hudson. Si quelque chose n'allait pas avec sa tête, il voulait voir Hudson.

« Dites donc, demanda-t-il, tournant les yeux péniblement vers le médecin, pourquoi le docteur Hudson n'est-il pas venu ? Il me connaît bien. Je suis déjà allé chez lui. Sait-il que je suis ici ? »

« Je suis le docteur Watson, monsieur Merrick. Je m'occupe de votre cas. Le docteur Hudson est absent... »

Après le départ du docteur Watson, il avait fait signe à l'infirmière de s'approcher. Mademoiselle Hudson était-elle venue ?... Non, mais c'était parce que les visites lui étaient interdites... du moins il ne pouvait en recevoir que quelques-unes... Oui, son grand-père était venu... et un certain monsieur Masterson... L'accident ?... Oh oui, on lui raconterait tout cela un peu plus tard... Pour l'instant, il fallait dormir, beaucoup dormir; pas d'inquiétudes ni d'émotions... Nous avions besoin de dormir pour pouvoir guérir... Puis, plus tard, nous pourrions avoir des visiteurs et les visiteurs répondraient à toutes nos questions... Ce genre de propos insipides !... Nom d'un petit bonhomme !

Ce matin toutefois, son impatience avait pris le dessus. Ces gens-là poussaient la grève du silence un peu trop loin ! De toute évidence, il s'était mis dans le pétrin. Fort bien... Ça n'était pas la première fois. Il y aurait bien moyen d'arranger cela. Comme toujours. N'avait-il pas l'habitude de payer pour les pare-chocs écrabouillés, les pots cassés, les meubles démolis, les vanités outragées, et les pertes des commerçants ? Si quelqu'un avait une réclamation à faire, qu'il présente la note, et il signerait un chèque ! Ça n'avait rien à voir avec l'hôpital en tout cas ! Ou... peut-être que si ?... Qu'avait-il bien pu faire à leur damné hôpital ?... Rentrer dedans ?

« Dites-moi au moins ceci, mademoiselle ?... »

« Bates. »

« ...Mademoiselle Bates, comment ai-je reçu ce coup sur la tête au juste ?... Je ne vous poserai pas d'autres questions. »

« Un mât ou quelque chose du genre s'est détaché, vous a assommé et vous a fait tomber à l'eau. »

« Merci. »

Un mât l'avait fait tomber à l'eau ! Il sourit, tenta de se souvenir. Ça alors ! voilà du moins un point de réglé ! Mais que venait faire l'hôpital dans tout cela ?

* * *

À midi, son infirmière fut remplacée pendant une heure par un personnage aussi important que madame Ashford elle-même, la directrice de l'hôpital.

Elle s'assit près de la fenêtre, une broderie à la main et, bien que semblant y travailler, elle était très consciente de l'état d'esprit de son malade et prévoyait quelque éclat.

Bobby l'observa longuement et décida finalement qu'elle était sympathique. C'était généralement la conclusion à laquelle arrivaient les malades de Brightwood, un peu plus rapidement toutefois, mais il n'était pas d'humeur à s'emballer pour qui que ce soit dans cet établissement où on le traitait avec tant d'indifférence et de mépris.

Il se demanda quel âge elle pouvait bien avoir, question que tout le monde se posait en approchant Nancy Ashford.

L'attitude maternelle qu'elle avait adoptée à l'égard du personnel, des infirmières et des malades ne reposait que sur ses cheveux blancs. Et le fait que ses cheveux avaient blanchi alors qu'elle n'avait qu'une vingtaine d'années — au cours de la maladie qui devait emporter son mari — ne diminuait en rien l'espèce d'autorité morale qu'ils lui conféraient dans ses fonctions de conseiller général à Brightwood. Des gens beaucoup plus âgés qu'elle l'appelaient maman, malgré ses traits assez jeunes et sa taille mince et svelte : elle était un parfait exemple de ce genre de personne avec qui on se sent immédiatement en confiance. Au fil des ans, elle était devenue la dépositaire d'une plus grande diversité de confessions que n'en reçoit l'oreille d'un prêtre ordinaire.

La mort tragique du docteur Hudson lui avait causé une douleur plus intense que ne pourraient jamais le soupçonner tous les gens reliés à Brightwood — quoi que l'on pût en deviner. Surmonter cette épreuve tout en manifestant — extérieurement — le juste degré de chagrin, avait représenté pour elle le problème le plus épineux de toute sa vie.

Au cours de ses quinze années de service, madame Ashford était devenue la collaboratrice du patron, dont il pouvait de moins en moins se passer. Entrée à son hôpital expérimental comme infirmière à la salle d'opérations, peu après la mort de son mari — chirurgien d'avenir, émule du spécialiste du cerveau — elle avait petit à petit déchargé son patron des soucis de l'administration, le soulageant adroitement d'un nombre sans cesse croissant de détails agaçants, sans même qu'il s'en rende compte. Avec le temps, ses décisions en vinrent à représenter l'opinion du docteur Hudson et nul ne songeait à les remettre en question. Personne n'était jaloux de son influence sur lui ni de la calme autorité qu'elle exerçait sur l'institution. Les jeunes internes imprévoyants lui demandaient conseil pour des questions d'affaires compliquées; les infirmières lui racontaient leurs histoires d'amour; les patients lui ouvraient tout grand leur coeur, lui confiant aussi bien leurs problèmes conjugaux que les méfaits les plus graves. Les malades lui écrivaient après avoir reçu leur congé, la comblaient de cadeaux à Noël et il était même arrivé plus d'une fois qu'on la demande en mariage.

« N'est-elle pas gentille », disaient les patientes. Ce terme était ridicule et ne lui convenait pas du tout. Elle était compréhensive, pleine de tact et surtout, forte; elle avait la silhouette d'une jeune femme, le cerveau d'un homme et les cheveux blancs d'une mère supérieure.

Quelques autres traits de madame Ashford auraient pu, si le jeune Merrick les eût connus, modifier son attitude à son égard ce matin-là tandis que, tranquillement assise sur son fauteuil, elle enfonçait son aiguille dans son ouvrage, attendant qu'il éclate enfin.

Le docteur Hudson l'avait toujours considérée comme faisant

partie du décor. Il avait pris l'habitude de la mettre au courant de toutes ses activités et, sauf exception rare, il était toujours de son avis. Elle connaissait sa vie professionnelle par le menu détail. Elle avait même découvert — soit hasard, soit supposition juste — quelques-unes des occupations les plus personnelles auxquelles il se livrait dans le plus grand secret (et qu'il croyait ignorées de tous) et, suite à cette découverte, en avait tiré des conclusions, un peu vagues peut-être, sur les motifs qui l'inspiraient. Il aurait été bien étonné — et sans doute un peu ennuyé — d'apprendre que Nancy Ashford avait presque réussi à percer l'important secret de sa vie.

Le chirurgien soupçonnait — mais se refusait à admettre — la profondeur de son affection pour lui et jusqu'à la nature même de cette affection. Tout geste ou attitude ressemblant à une reconnaissance réciproque du besoin et de l'attirance qu'ils éprouvaient l'un pour l'autre, ne les aurait conduits qu'à des complications sans issue. C'était, du moins, ce qu'il croyait. Il ne pouvait pas l'épouser. Joyce n'aurait pas été d'accord.

« Une infirmière ?... Mais enfin, papa !... Tu ne vas quand même pas... Tu ne dois pas !... »

Le matin où il avait annoncé à Nancy sa décision d'épouser la camarade de collège de Joyce le mardi suivant, elle avait répondu aussitôt : « C'est une très bonne idée. Elle va vous rendre heureux. Je me réjouis pour vous. »

« J'espérais que vous réagiriez ainsi », avait-il répliqué, visiblement soulagé.

Heureusement pour eux, ils ne se faisaient pas face à ce moment-là. Il enfilait ses gants de caoutchouc dans le petit laboratoire adjacent à sa salle d'opérations et elle lui boutonnait sa blouse blanche dans le dos. Il fit semblant de ne pas remarquer qu'elle y mettait passablement de temps.

« Tout va bien, derrière ? », demanda-t-il d'un ton faussement enjoué, en regardant par-dessus son épaule.

« Tout à fait bien maintenant », avait-elle répondu sur le même ton; mais ça n'allait pas tout à fait bien. Plus rien n'irait tout à fait bien désormais.

Bobby éprouvait un commencement de sympathie envers la dame d'un certain âge qui s'occupait à ses travaux d'aiguille, semblant ignorer le tumulte qui l'agitait, lui. Il décida de troubler sa quiétude.

Il lui poserait quelques questions — qu'il avait eu bien du mal à formuler d'ailleurs. Elles semblaient un peu livresques, comme s'il les eut apprises par coeur... De toute évidence, il s'était mis dans le pétrin. Il se mettait toujours dans le pétrin. Ça semblait être sa principale occupation. Il avait l'habitude, fit-il sur un ton qui ressemblait plus à de la bravade qu'il ne l'aurait voulu, de se mettre dans de mauvais draps et de n'en découvrir le pourquoi et le comment que plus tard. Que s'était-il passé, cette fois-ci ? Y avait-il d'autres blessés ? Il ne se souvenait de rien. S'il y avait des dégâts, il paierait volontiers.

À mesure qu'il parlait, ses propos prenaient un tour de plus en plus agressif, surtout parce que madame Ashford gardait les yeux baissés sur son ouvrage, ne semblant pas prêter attention à son explosion de mauvaise humeur. Confondant ses efforts pour surmonter son émotion avec une autre manifestation de l'indifférence qui l'affectait tant, Bobby perdit patience. En plein milieu d'une phrase qu'il bredouillait, bouillant d'indignation, il s'arrêta net et la regarda, perplexe. Mais comme elle levait les yeux vers lui, il vit qu'elle était au bord des larmes et que ses lèvres tremblaient.

« Mais qu'est-ce que j'ai donc fait, s'exclama-t-il d'une voix rauque. Il s'agit de quelque chose d'absolument terrible. Je le vois bien sur votre visage. Il faut que vous me le disiez. Je ne peux supporter cette incertitude un seul instant de plus. »

Madame Ashford posa son ouvrage sur la table et, s'approchant du lit, prit la main de Bobby dans les siennes. « Mon ami, il s'est passé quelque chose ici qui nous a tous rendus très, très malheureux. Ça s'est produit au moment de votre entrée à l'hôpital. Nous ne nous en sommes pas encore remis. Mais vous n'y êtes pour rien et on ne peut pas réparer les dégâts, hélas. Inutile de vous tracasser plus longtemps à ce sujet. »

Pas satisfait du tout de cette réponse, mais ayant compris par le ton de madame Ashford que l'incident était clos pour l'instant, Bobby ne tenta pas de pousser ses questions plus avant. Il murmura qu'il regrettait qu'il y ait eu des ennuis, se cala dans ses oreillers, toujours aussi inquiet mais du moins — quel qu'ait été le problème, cela ne le concernait pas. C'était un soulagement et même beaucoup mieux qu'il ne l'avait d'abord craint.

Aussi, quand, une heure plus tard, le docteur Watson suggéra qu'on l'amène au solarium, cela lui parut une agréable diversion. Dans l'ascenseur cahotant, Bobby fit même un effort timide pour plaisanter. Il avait du mal à croire que le chagrin qui paraissait accabler la brave madame Ashford puisse être aussi le lot d'une personne aussi jeune et jolie que la blonde et mince infirmière qui, sans un mot, attendait à ses côtés que l'ascenseur les dépose au dernier étage.

« Je vous parie une boîte de chocolats contre un charmant sourire que cet hôpital est l'endroit où l'on est le moins loquace de tout l'univers. »

Il se rendit compte immédiatement que c'était là justement la chose à ne pas dire. L'infirmière ne chercha pas à nier. Ce n'était pas qu'elle fût offensée; elle semblait plutôt n'avoir rien entendu. Elle avait des problèmes, les mêmes problèmes que ceux qui affectaient toutes les autres personnes dans cet hôpital de malheur. Il se sentit plongé à nouveau dans le désarroi dont l'avait tiré, temporairement, la réponse pas tellement rassurante au fond, de madame Ashford.

Honteux d'être réduit au silence par la rebuffade de la jeune fille, il regarda droit devant lui et sentit le rouge lui monter aux joues tandis qu'on l'installait dans l'alcôve. L'infirmière tira un peu le store, déplaça le paravent pour l'isoler un peu des autres malades, puis sans un mot ni un sourire, se hâta de partir.

Il était là depuis une heure environ lorsqu'il apprit enfin ce qu'il croyait avoir eu envie de savoir.

Au cours de cette heure, à défaut de pouvoir rassembler suffisamment de petits faits pour en faire un tout cohérent, il avait rêvassé à toutes sortes de choses.

Peut-être était-ce le sentiment de solitude et de complète désolation qu'il éprouvait, qui l'avait mené à se remémorer son enfance, particulièrement triste et amère.

* * *

Bobby Merrick avait grandi aussi indépendant des contraintes normalement imposées aux enfants, qu'il était possible dans le cadre d'une société civilisée.

Quand Bobby était jeune, son père, Clif Merrick, avait toujours été trop sollicité par ses affaires — en dehors du temps qu'il consacrait à des courses de bateaux, à la chasse aux cerfs ou à d'autres voyages au but indéterminé — pour s'occuper de cet enfant sensible. Une petite tape distraite sur la tête s'il lui arrivait de croiser son fils accompagné de sa gouvernante dans l'escalier, ou quelques bousculades maladroites, voilà à quoi se limitaient ses manifestations de sollicitude paternelle. Ce gros homme était toujours à moitié ivre lorsqu'il s'essayait à ces gestes de camaraderie, au point que le gamin redoutait ce moment où, en fin de journée, son père s'approchait, le visage tout rouge, et suggérait qu'ils s'adonnent à quelques jeux.

Habituellement, la mère névrosée de Bobby intervenait alors, si elle se trouvait dans les environs.

Elle y allait de ses remontrances. « Tu es beaucoup trop rude avec lui, Clif. Ce n'est qu'un enfant. Tu lui fais mal ! Arrête, te dis-je ! »

« Foutaises », répliquait son père, quêtant un geste d'approbation de la gouvernante. « Tu ne connais rien aux garçons, n'est-ce pas Bobby ? »

En vérité, elle n'y connaissait rien; mais l'incident bouleversait chaque fois le gamin, qui ne savait quelle réponse on attendait de lui.

Une fois — il se le rappelait fort bien — sa mère, repoussée avec mépris en sa présence pour la façon dont elle « l'élevait dans du coton, au milieu des poupées et de la vaisselle » (ce qui était vrai) l'avait effrayé en s'écriant d'une voix de tête : « Mais laisse-le à la fin, espèce d'idiot ! Je ne tolérerai pas que tu le rudoies plus longtemps lorsque tu es ivre ! Oses encore le toucher et j'appelle la police ! »

La police ! Pour son père ! Bobby se rappelait que cela l'avait rendu malade — jusqu'à la nausée. La gouvernante avait dû le porter dans sa chambre où il avait vomi à s'en arracher le coeur. Il se souvenait même de ce qu'il avait mangé — du flan aux groseilles. Et par la suite, il ne s'était jamais senti beaucoup d'appétit pour les groseilles.

Après cela, Clif Merrick l'avait taquiné si assidûment à propos de ses jeux et de ses colifichets de fillette que Bobby lui-même se révolta contre ce programme trop mou que les femmes lui imposaient, et il accueillit avec gratitude la suggestion de son père de prendre des leçons de boxe. À sa grande surprise, ce nouveau sport lui plut beaucoup. Désireux de passer de la théorie à la pratique, il lui arrivait même d'aller se poster près de la maison à l'heure de la sortie des classes en fin d'après-midi, attifé d'un costume de velours noir impeccable, avec des volants de dentelle blanche, et d'attendre que quelqu'un lui crie : « Tapette. » Quand il rentrait ensuite à la maison, il était couvert de poussière et en très piteux état mais il affichait un large sourire.

Bobby avait autour de douze ans quand son père mourut soudainement d'une pneumonie, séquelle d'une longue attente dans le mauvais temps lors d'une chasse aux canards. Même à cet âge, le gosse comprit que sa mère faisait face à cette épreuve avec un courage hors de toute proportion avec sa tendance habituelle à s'apitoyer sur son propre sort.

Une remarque qu'elle fit, en rentrant du cimetière par ce triste après-midi, était encore gravée dans l'esprit de son fils plus profondément qu'aucune des épitaphes qu'il avait regardées avec une curiosité enfantine tandis que la voiture roulait lentement dans les allées étroites et sinueuses. Ce souvenir le faisait tantôt frissonner, tantôt sourire.

« Eh bien, dit sa mère en tendant ses fourrures à Colleen. Voilà qui est fait... »

« Oui madame », répliqua Colleen, habituée à ces épanchements intempestifs de sa patronne, où toutes barrières de classes étaient abolies. « Voilà qui est fait. »

Puis, apparemment peu satisfaite de sa repartie, qui reflétait une attitude par trop cavalière face à la mort pour quelqu'un qui, comme elle, en éprouvait un grand respect, Colleen ajouta, d'un ton lugubre : « Cela a dû être très dur pour vous, Madame, de le quitter. »

À quoi sa mère avait répondu par cet éloge funèbre mémorable : « Eh bien, *je saurai maintenant où il est.* »

Au cours de ses années de collège lorsque, ayant atteint ce degré d'ébriété où le côté tragique de la vie se transmue en une immense farce, et où même les souvenirs les plus sacrés semblent faire la grimace et tirer la langue avec mépris à tout ce qui commande respect, Bobby se rappelait le commentaire de sa mère, il riait à gorge déployée et se donnait une bonne claque sur les genoux. « Quelle épitaphe savoureuse », s'était-il écrié une fois, se reprenant immédiatement pour se traiter de sale ivrogne.

* * *

Bobby ne se rappelait pas avec précision à quel moment il s'était rendu compte que son père et sa mère se détestaient. Il devait être encore aux langes, sans doute. Quand il eut atteint l'âge de huit ans, ils avaient déjà cessé de se disputer, sans doute parce que leur mépris mutuel était trop intense pour un agent de transmission aussi fragile que le langage. Elle avait dû souffrir énormément, c'était certain; mais il ne servait à rien de vouloir défendre sa cause. Elle avait droit à la pitié de son fils et il la lui accordait. Il aurait bien aimé pouvoir aussi la respecter, si cela eût été possible.

Irritable, égoïste, soupçonneuse, Maxine Merrick était d'un caractère on ne peut plus difficile. Sa seule compétence était son talent de pianiste; et, consciente qu'il s'agissait là du seul héritage qu'elle fût en mesure de transmettre, elle avait commencé très tôt à donner des leçons de piano à son fils, bien avant même qu'il ne reconnaisse les lettres de l'alphabet sur ses jeux de blocs.

Une âme en peine, voilà ce qu'elle était; souffrant « d'angoisse intermittente » innée; jolie, d'une certaine façon... une blonde diaphane... attirant immanquablement les regards à l'opéra où sa beauté coupait le souffle, même à vingt mètres de distance; sujette à des accès de mélancolie, dont les causes ne manquaient pas, on s'en doute; insatisfaite de sa propre personnalité qu'elle s'efforçait toujours d'améliorer, remodelant ou son visage ou sa silhouette, ou confiant son cerveau déboussolé soit à des psychiatres à la noix, soit à des médecins de la volonté pour des rafistolages. Elle figurait sur la liste des bonnes poires de tous les imposteurs publicitaires de la ville; discourait, avec le plus grand sérieux, de chiromancie; elle avait dépensé une petite fortune pour un horoscope reliant son destin, de quelque façon, aux mouvements d'Arcturus; elle consultait souvent les diseuses de bonne aventure.

Elle faisait constamment la navette entre les instituts s'occupant des soins du corps et ceux dévoués à la guérison de l'âme. Après une saison chargée de soins intensifs pour se faire épiler, peler, teindre, remodeler et masser; après des sessions prolongées et pénibles dans les studios des experts en soins de beauté, Maxine éprouvait soudain comme une bouffée inexplicable de dégoût et se rendait, de toute urgence, à quelque clinique luxueuse où, dans une solitude presque monacale, elle se nourrissait de mets sans sel et sans goût et passait ses soirées à écouter d'interminables exposés sur l'expression de la

personnalité... le contrôle des nerfs... la volonté de vivre... la pléni-
tude de vie. Ces séances étaient suivies de commentaires un peu
moins éthérés du maître de céans sur l'importance de la pureté
intérieure — non pas celle de la conscience, domaine qui n'était pas
le sien, comme l'attestaient si bien ses factures épicées — mais celle
du côlon dont il parlait avec une candeur naïve et plutôt déconcer-
tante pour les nouveaux arrivés, encore bien novices dans l'exigeante
vocation de l'hypocondrie.

Au cours de ces périodes consacrées à l'amélioration de sa santé et
de sa personnalité, Maxine enrichissait son vocabulaire de la pathologie d'autant de mots nouveaux qu'elle perdait de kilos. Comme il
convenait à son état d'esprit durant ces retraites, elle se souciait aussi
peu de son apparence, alors, qu'un lama thibétain.

Un jour, pour nulle autre raison, apparemment, que son caprice,
on voyait apparaître malles et cartons, tickets et taxis et elle rentrait
chez elle illico, à la grande consternation des yogis que sa clientèle
enrichissait et à l'étonnement mêlé d'indignation des charlatans au
teint blafard dont les revenus dépérissaient suite à l'abandon soudain de sa croisade vers la Lumière Perpétuelle. La rumeur circulait
parmi les patients que madame Merrick menait une vie sociale
brillante... « simple besoin, ma chère, de reprendre souffle de temps
à autre, pendant quelques semaines, si vous me comprenez bien »; ce
qui était du plus haut ridicule car Clif Merrick ne l'invitait jamais
nulle part et elle aurait pu compter ses amis sur les doigts de sa main.

Bobby n'accompagnait jamais sa mère dans ses excursions à la
recherche de beauté, d'harmonie et de lumière. On le laissait à la
maison, sous la surveillance de serviteurs un peu escrocs et d'un
interminable défilé de jeunes gouvernantes dont aucune ne restait
plus de quelques semaines, les plus jolies étant d'ailleurs toujours les
premières à partir... et parfois même, à une heure d'avis seulement.
Quand mademoiselle Newman était partie sans même lui dire au
revoir, il avait fait toute une scène, ne se calmant qu'après avoir reçu
une bonne gifle de son père avec l'ordre de cesser ce boucan.

Peu après que Maxine eût enfin acquis la certitude de savoir
désormais exactement où se trouvait Clif, la grande maison de
Piedmont Square fut vendue et Bobby partit pour l'Europe où la
santé et le moral de sa mère s'améliorèrent rapidement. On le plaça
dans une école pour enfants riches et abandonnés, à Versailles; il y

fraternisa avec d'autres jeunes devenus, comme lui, les handicaps encombrants de parents divorcés. Il passait de brèves vacances à Paris avec « Maxine », comme il avait reçu ordre de l'appeler. Lorsque, en présence des nouveaux amis qu'elle fréquentait, sa mère lui tenait un langage de bébé, il manifestait aussitôt son déplaisir par des reparties pas toujours tendres, énoncées d'une voix qui dérapait malencontreusement vers des notes aiguës. Le vaste appartement de sa mère était toujours plein de vieilles sorcières portant perruques et les bras chargés de bracelets et qui, en retour de caviar et de champagne, échangeaient de mornes propos sur leur parentèle d'aristocrates. Maxine était extraordinairement fière de son ménage et Bobby insistait avec insolence qu'il aurait mieux valu parler de sa ménagerie. Il passa ses étés, seul, à Brighton ou à Dauville; les fêtes de Noël, seul aussi, à Cannes; il connut une succession d'écoles privées et une série de tuteurs bassement flatteurs; des trains, des hôtels; il noua des amitiés brèves et stériles avec des garçons non désirés, comme lui, un peu trop sophistiqués, envieux des pékinois de leur mère, se risquant un peu trop souvent à vider la carafe de porto posée sur le buffet, pour se retrouver ensuite la tête en fête.

À dix-sept ans, on le renvoya au pays, seul, pour fréquenter une école préparatoire renommée du Connecticut. Faute de préparation intellectuelle suffisante et par manque d'habitude d'une discipline de travail, il n'y survécut que jusqu'au congé de l'action de grâce, en novembre. Bowers, le proviseur, l'accompagna au train et rentra du même pas diriger les exercices de chant à la chapelle du collège. La sérénité se lisait sur son front quand il annonça d'une voix où tremblait une gratitude non feinte : « Levez-vous pour chanter la doxologie. »

Grâce à l'influence du vieux Nicholas, Bobby fut ensuite accepté, provisoirement, dans une autre école préparatoire, une académie militaire un peu plus éloignée de la mer, cette fois... « Ce n'est qu'une école de réforme huppée », écrivit-il dès le premier jour à son grand-père qui, un peu perplexe, lui répondit, en substance, que dans ce cas, l'endroit était tout désigné pour lui. Il causa plus de soucis à ses professeurs qu'une demi-douzaine d'élèves mais réussit quand même à tenir le coup. Il renoua avec son goût d'autrefois pour la boxe, travaillant avec un précepteur qui le rossa honteusement jusqu'au jour où il découvrit que le jeune homme avait du coeur au ventre, après quoi il s'intéressa réellement à lui. Lorsque Bobby quitta le collège, Bowman aimait à se vanter que bien que son élève ait été un peu faible en algèbre, il pouvait se battre comme pas un.

* * *

C'est à l'Université de l'État, toutefois, que Bobby trouva vraiment son rythme. Ni flemmard, ni cancre, il damait le pion facilement aux étudiants ordinaires dans toutes les matières qui soulevaient son intérêt. La zoologie ?... Il n'en faisait qu'une bouchée ! De même avec la physiologie... la psychologie... la chimie... et étonnait constamment ses amis par l'ardeur qu'il mettait à bûcher ces matières, et surtout la chimie, ardeur qui contrastait avec son extrême indifférence pour les notes obtenues dans les cours qui ne lui plaisaient pas.

Tom Masterson et lui devinrent vite inséparables et cette amitié lui fut bénéfique, plus qu'à Tom d'ailleurs, un jeune homme agréable animé de l'ambition démesurée de devenir écrivain.

C'est à une réception offerte pour les nouveaux par l'association d'étudiants Delta Omega, où ils présentaient tous deux leur candidature, qu'ils se rencontrèrent; ils décidèrent sur-le-champ de loger ensemble. Bien que désireux de se libérer des contraintes de la discipline par trop stricte de sa famille, le jeune Masterson était, au fond, un idéaliste et Bobby découvrit, grâce à lui, un monde nouveau. Ce fut d'abord parce que Tom lui plaisait qu'il l'écouta, puis par la suite parce que la conversation même de Tom lui plaisait. Ce jeune tuteur inculqua à Bobby un réel amour des classiques qu'il avait tant détestés dans la langue d'origine.

Mais Masterson, qui n'avait pas été élevé dans le monde des cocktails, eut plutôt à souffrir de l'initiation tardive qu'il recevait en échange de ses leçons de mythologie grecque et romaine. On pouvait être sûr qu'une fois lancé, Tom continuait à boire et à boire — indépendamment de l'heure, du lieu, ou des circonstances — jusqu'à en perdre connaissance. Bobby, plus ou moins sobre lui-même, le ramenait alors à la maison et le mettait au lit avec une sollicitude toute maternelle. Il ne lui vint apparemment jamais à l'idée qu'il compromettait ainsi tout l'avenir de son copain.

« Pauvre vieux Tommy, disait-il en défaisant ses lacets. J'ai bien peur que tu n'apprennes jamais à boire comme un vrai gentleman. »

L'influence néfaste de Merrick se faisait aussi sentir à la résidence de l'association Delta Omega où Tom et lui aménagèrent dès leur deuxième année d'université. Eût-il été moins attachant, il aurait été moins dangereux. Mais tous finissaient fatalement par succomber à son charme irrésistible, aussi bien les étudiants pleins de bonnes résolutions qui désiraient sincèrement s'abstenir de boire et travailler sérieusement que les finissants eux-mêmes, d'habitude si peu enclins à rechercher la compagnie de leurs camarades plus jeunes. Ils acceptaient — avec beaucoup de réticences, il est vrai, — son hospitalité princière, puis, se sentant en dette envers lui, finissaient eux aussi par se retrouver dans la grosse voiture de tourisme de Bobby. Le vendredi après-midi, cette joyeuse bande prenait la route du lac Saginack, vers la maison du grand-père, prenant les virages sur les chapeaux de roue.

Et le vieil homme indulgent, croyant que les jeunes s'amuseraient mieux en son absence — et désireux aussi d'échapper à ce joyeux vacarme — n'avait plus qu'à se réfugier à son club, à la ville. Les voisins protestaient, se plaignaient de ces fous du volant, de leurs embardées nocturnes avec pétarades et sirènes. Mais le vieux Nicholas, qui était censé être responsable de la conduite de ces diables, leur répondait invariablement : « Il faut bien que jeunesse se passe; s'ils font des dégâts, je vous dédommagerai. »

Il n'était pas rare que les invités de la fin de semaine rentrent à Ann Harbor le lundi matin sans un sou en poche après une partie de poker qui s'était prolongée toute la journée du dimanche. Ils s'estimaient heureux que leur hôte, par pure bonté de coeur, leur ait au moins laissé la chemise sur le dos. Plus d'une fois, ils s'étaient juré : « Jamais plus ! » Mais comment résister au sourire dévastateur de Bobby ? Et, pour ces étudiants impécunieux, les repas et le service au chalet du vieux Nicholas offraient une tentation bien forte après la maigre pitance des résidences et l'inconfort d'une maison surpeuplée où l'on semblait considérer que les versements à rencontrer sur l'hypothèque représentaient les seuls sujets dignes d'intérêt et de respect.

* * *

Depuis quelques minutes, Bobby entendait le bruit confus d'une conversation juste derrière le paravent. Cela commença à l'irriter. Quelque crétin était en train d'exposer sa philosophie de béotien.

« Tout ce tintouin à propos de la Providence... la Providence; eh bien zut, que je dis... Prenons justement ce cas-ci !... Voici un homme célèbre qui s'est rendu si utile qu'on vient de partout à la ronde pour se faire soigner par lui. Il est le seul à pouvoir le faire... Regardez-moi, par exemple !... »

Bobby grimaça et marmonna : « Ouais ! Te regarder !... C'est déjà bien assez d'avoir à t'entendre !... »

« Regardez-moi ! Je suis venu de l'Ioway* et j'ai eu bien de la chance d'arriver à ce moment-là... Il paraît que c'est la dernière opération qu'il a faite !... Et dire qu'on aurait pu lui sauver la vie si ce machin de poumonateur ou quoi que ce soit n'avait pas été utilisé pour cet ivrogne de... qu'est-ce que c'est son nom déjà ?... celui avec le riche grand-papa ! De quel droit est-il encore en vie, celui-là... Je vous le demande ! »

Ce fut peut-être la pâleur soudaine de Bobby qui attira l'attention de l'infirmière assise au petit bureau près de la porte. Elle traversa rapidement la salle et lui demanda s'il désirait quelque chose. Bobby, la gorge sèche, fit un effort pour avaler, esquissa un petit sourire de reconnaissance et répondit tout bas : « Je devrais peut-être retourner à ma chambre. Je me sens mieux dans mon lit... pas très fort encore... Vous leur direz, n'est-ce pas ? »

Sa sortie précipitée du solarium fut remarquée par les malades. Qui était ce jeune homme ? On posa des questions, qui reçurent des réponses. L'homme qui avait fait son petit boniment sur les voies imprévisibles de la Providence, était réellement désolé... « Si seulement je l'avais su », dit-il.

Après l'avoir installé dans son lit, l'infirmière de Bobby quitta la chambre, et dans le corridor, un interne qui passait lui demanda : « Alors, il sait tout ? »

« Eh bien, ça devait arriver tôt ou tard, n'est-ce pas ? »

« Oui, mais c'est un vrai bon diable et c'était une façon assez brutale de lui servir la vérité, vous ne trouvez pas ? »

---

* N. d. T. : Ioway : déformation d'Iowa, un des États américains.

43

« Pour ce que ça vous dérange », dit mademoiselle Bates sèchement.

* * *

Pendant des heures, Bobby Merrick resta complètement immobile dans son lit, les yeux fermés mais bien éveillé. Au début, il rageait d'indignation. De quel droit ces benêts de l'Ioway ou d'ailleurs se permettaient-ils de décider quelle sorte de personnes avaient le droit de vivre ? Comment pouvait-on être assez étroit d'esprit pour lui reprocher d'être encore en vie même si l'on pouvait prouver que le docteur Hudson aurait pu être sauvé si l'appareil à oxygène avait été disponible ? Ce n'était quand même pas sa faute ! Ce n'était pas lui qui avait emprunté ce damné machin ! Il n'avait pas demandé qu'on lui sauve la vie à ce prix-là, ni même qu'on la lui sauve du tout !

Puis son ressentiment en face de cette énorme injustice se calma et fit place à une profonde réflexion. Peut-être, après tout, avait-il contracté une certaine dette envers cet homme qui était mort. Fort bien; il montrerait son appréciation de ce qu'il en avait coûté de lui sauver la vie. Il se mit à se demander si le docteur Hudson avait laissé de quoi subvenir aux besoins de sa jeune femme et de Joyce. Joyce était une femme extravagante. Il avait bien une petite idée des sous qu'il fallait juste pour la sortir. Il lui était déjà arrivé de l'accompagner lui-même.

« Informez-vous si madame Ashford peut venir ici quelques instants », commanda Bobby. L'infirmière acquiesça froidement, quitta la chambre et quelques minutes plus tard, madame Ashford s'approcha de son lit.

Prenant ce qu'il croyait être le ton sérieux d'un homme d'affaires responsable — le ton du grand capital sur le point de céder à un élan subit de magnanimité — il demanda, de but en blanc : « Quelle sorte d'héritage le docteur Hudson a-t-il laissé ? »

« Je n'en sais rien », répliqua-t-elle, puis, après une pause, elle ajouta sèchement : « Pourquoi ? »

Le ton sec de ce « pourquoi » l'irrita. Elle lui avait donné certaines raisons de croire qu'elle était capable de compréhension. Elle devait sûrement savoir qu'il ne posait pas cette question par simple curiosité.

« Vous semblez insinuer que ça ne me regarde pas », répondit-il. Nancy Ashford rougit légèrement.

« Eh bien, fit-elle, ça vous regarde ? »

Le visage de Bobby brûlait. Il était en fâcheuse position et elle ne lui facilitait pas la tâche, ne faisait pas le moindre effort pour le comprendre.

« Vous pourriez au moins me rendre cette justice que je souhaite honnêtement faire quelque chose à propos de tout ça, si je le peux », dit-il, en colère.

« Je regrette de vous avoir blessé, dit-elle en s'efforçant de reprendre son calme. Vous songiez à offrir de l'argent à la famille ? »

« Si la famille en a besoin — oui. »

« L'argent de qui ? »

Bobby se souleva sur un coude et fit, d'un air renfrogné : « L'argent de qui ? Mais le mien, bien sûr ! »

« De l'argent que vous avez gagné vous-même, peut-être ? »

Pendant quelques secondes, l'extrême insolence de cette question le laissa muet d'exaspération. S'enfonçant dans ses oreillers, il lui fit signe de le laisser seul. Mais elle, à la place, se posta au pied du lit et, les mains sur les hanches, commença un long réquisitoire dont le moins que l'on puisse dire est qu'il présentait la vérité sans fard.

« Vous avez couru après, dit-elle sur un ton voilé. Vous m'avez fait venir ici pour obtenir des renseignements sur les Hudson ? Eh bien, je vais vous en donner. Et après, vous pourrez toujours rembourser... avec l'argent de votre grand-père ! Savez-vous ce qui a causé la mort du docteur Hudson ?... L'inquiétude ! On a dit que c'était le surmenage qui avait affaibli son coeur. Mais je sais moi de quoi il retourne. La seule chose qui comptait pour lui, en dehors de sa profession, c'était sa fille Joyce. Il l'a vue en train de gâcher sa vie. Et vous en étiez partiellement responsable ! Vous avez la réputation de causer la perte de tous vos amis ! »

Les yeux grands ouverts d'étonnement devant l'audace de cette femme, Bobby Merrick était sans défense sous l'attaque.

« Le pauvre type a essayé de se reprendre en main. » Sa voix tremblotait mais elle continua, entêtée. « Il a fait construire cette petite maison près du lac; il a continué à nager alors même qu'il n'en était plus capable et il était au courant de son état; il s'était équipé d'un inhalateur en cas d'urgence; et puis, juste au moment où *lui* en

45

aurait eu besoin — *vous* l'utilisez ! *Vous,* il fallait que ce soit *vous* ! Et maintenant vous osez suggérer tout bonnement de régler tout ça avec de l'argent ! »

Quelque chose dans son attitude — l'attitude d'un animal blessé — tempéra la fougue de Nancy.

« Veuillez me pardonner, marmonna-t-elle nerveusement, mais, comme je l'ai déjà dit, vous avez couru après. Vous vouliez savoir. Je vous ai répondu. »

Bobby avala avec difficulté et s'épongea le front avec la manche de sa chemise en coton rugueux.

« Eh bien, fit-il d'une voix rauque, vous m'avez répondu. Si vous avez dit tout ce que vous aviez à dire, je ne vous retiendrai pas. »

Elle marcha vers la porte, s'arrêta et, rebroussant chemin, se dirigea lentement vers la fenêtre. Elle regarda à l'extérieur quelques instants, le coude gauche dans le creux de sa main droite, pendant que de la main gauche elle se donnait de petites tapes sur l'épaule, de façon saccadée d'abord, puis, plus calmement comme quelqu'un qui réfléchit. Bobby, qui l'observait, décida de faire la moitié du chemin.

« C'était réellement tout ce que j'avais à offrir, n'est-ce pas, uniquement de l'argent ? »

Elle revint lentement vers le lit, approcha une chaise et s'étant assise, posa ses bras potelés sur le couvre-lit blanc tout près de son oreiller.

« Vous détenez quelque chose de très précieux, à part l'argent, mais vous ne vous en servirez jamais. » Son ton était neutre, prophétique. « C'est bien là, en vous, mais ça ne se manifestera jamais. Personne, jamais, ne saura que vous possédiez cela. L'argent sera toujours là, comme un obstacle. Vous avez été très ennuyé aujourd'hui parce que vous avez surpris une insinuation malveillante, que l'on a dit que votre vie ne valait pas la peine d'être sauvée à la place de celle du docteur Hudson. Naturellement, vous n'avez pas aimé cela. Votre indignation est tout en votre honneur... Mais quand même, aussi grossier qu'ait été cet homme, il a bien dit la vérité, non ?... Lorsque vous avez décidé d'offrir de l'argent en compensation, vous avez vous-même admis que c'était vrai. Mais vous ne pouvez pas vous justifier de cette façon-là. Cela rendra peut-être les choses un peu plus faciles pour la famille Hudson, mais ça ne vous aidera pas, vous, à vivre en paix avec vous-même. »

Dans un geste maternel, elle avait pris sa main dans les siennes. Détournant son regard, elle leva les yeux et fixa un point sur le mur de la chambre, murmurant comme se parlant à elle-même : « Il ne le fera jamais bien sûr... Il ne le pourrait pas !... Ne voudrait pas... Beaucoup trop d'argent... Ça serait trop dur... trop long... Mais mon Dieu ! Quelle chance inouïe ! »

Bobby s'agita, un peu mal à l'aise.

« Je crains de ne pas vous comprendre... si c'est bien de moi que vous parlez. »

« Oh ! oui, vous me comprenez. » Elle secoua la tête doucement. « Vous savez très bien de quoi je veux parler. Et vous aimeriez bien être à la hauteur... mais (faisant un effort pour se ressaisir) vous ne l'êtes pas; alors, nous n'en parlerons plus... Puis-je faire quelque chose pour vous avant de partir ? »

Bobby fit un geste pour la retenir et leurs mains s'enlacèrent.

« Je crois savoir à quoi vous faites allusion. Mais c'est parfaitement impossible, comme vous dites. Pire ! C'est ridicule ! Le docteur Hudson était une célébrité ! Personne ne pourra jamais le remplacer ! Oh ! voyons, madame Ashford, quel dommage ! Je ne voulais pas dire des bêtises, vous savez ! »

Il avait vu Nancy froncer soudain les yeux, comme sous le coup d'une vive douleur, et pencher lentement sa tête blanche dans un geste manifeste de découragement qui étonnait chez cette femme habituellement si dynamique. Il se risqua à lui passer la main dans les cheveux dans une caresse de gosse, maladroite, murmurant à nouveau ses excuses.

« Ce n'est rien, fiston, » dit-elle d'une voix sourde, posant sur lui un regard las et soudain chargé du poids des ans. « Il ne faut surtout pas vous en faire pour moi. Je passerai bien à travers. Comparé au vôtre, mon petit problème est bien simple, allez. »

Elle se redressa, lui tapota la main et sourit. Bobby s'appuya sur un coude.

« Vous êtes vraiment chic, madame Ashford. »

« Merci... vous aimez bien que les gens soient chic, n'est-ce pas ?... Moi aussi. J'aime mieux être chic que de valoir des millions. Je crois que vous aussi, vous êtes un chic type, Bobby. N'ai-je pas raison ? »

Il se laissa retomber sur l'oreiller et fixa le plafond.

« Votre... ce dont vous parliez... ça serait une proposition plutôt chic, non ? »

« Plutôt, en effet. »

« Il faudrait des années et des années. »

« Toute une vie, même... Il n'y aurait pas de trêve dans cette guerre-là. »

Elle lui tendit la main, comme on le fait entre hommes.

« Allez, je me sauve maintenant. Sûr que vous ne m'en voulez plus ? »

Il secoua la tête, les yeux résolument fermés, et saisit sa main. La tension et l'émotion de la dernière demi-heure avaient eu raison de son état de grande faiblesse. Des larmes perlèrent de ses yeux et coulèrent sur ses joues.

Nancy retira sa main, resta un moment à le regarder en silence, les jointures serrées très fort contre ses lèvres, puis elle se retourna rapidement et referma la porte doucement derrière elle.

III

« Tu dis qu'il n'est plus le même, continua Joyce, intéressée. Qu'est-ce que tu veux dire — comment était-il ? Dégrisé, peut-être ? » Masterson ricana.

« Ne fais pas l'idiot, marmonna-t-elle. Tu sais très bien ce que je veux dire. »

Il déposa son verre vide sur le plateau d'argent qui se trouvait sur la table, se cala confortablement dans les coussins de la balançoire du jardin et détailla avec tant d'insistance les lignes de la silhouette de la jeune fille assise en face de lui dans le fauteuil en osier, qu'elle changea de position, mal à l'aise.

« Oui, répondit-il, revenant un peu tard à sa question, il est tout à fait dégrisé et même un peu plus que cela. Il est taciturne... morose... il se promène la nuit comme Hamlet... il imagine que les gens lui en veulent parce qu'on l'a sauvé de la noyade... »

« C'est absurde, tout ça ! Il te l'a dit ? »

« C'est tout comme. »

Elle feuilleta les pages du roman qu'elle avait sur les genoux et fronça les sourcils.

« Bon... et qu'est-ce qu'il a l'intention de faire à ce sujet ?... Bouder ? »

Les yeux mi-clos, le jeune Masterson indiqua d'un petit hochement de tête que le problème le dépassait et, l'air songeur, tapota le bout d'une cigarette sur le bras de la balançoire.

« Tu verras bien toi-même à quel point Bobby a changé depuis son accident. Je n'arrive pas à le comprendre. Hier, quand je suis allé le voir à Windymere, je croyais qu'il serait de meilleure humeur. Il est presque guéri, maintenant. Cela fait déjà plusieurs jours qu'il va et vient comme il veut. Mais il semble très soucieux, préoccupé. J'ai suggéré qu'un petit cocktail lui remonterait peut-être le moral, et il m'a dit : 'Tu sais où trouver les choses, sers-toi.' J'en ai préparé pour nous deux mais il a refusé de se joindre à moi et quand je l'ai taquiné à propos de cela, il m'a dit, d'une voix lointaine qu'il avait 'd'autres projets en vue'.

« Quelque chose qui n'inclut pas le gin, évidemment », ai-je suggéré et il a acquiescé, un peu mystérieusement.

« 'Quelque chose du genre', a-t-il répliqué. Tu sais comme il peut ne rien laisser paraître sur son visage fermé quand il décide d'être *incommunicado*. »

« Alors — tu l'as mis au défi de te le dire, je suppose. »

« Non, je l'ai seulement un peu taquiné et il a bien mal pris la chose. Il est resté assis, il a pris la pose du Penseur. 'Qu'est-ce qui te prend, ai-je dit. Tu as décidé de te joindre à la ligue antialcoolique ?' »

« Et qu'a-t-il répondu ? » demanda Joyce comme le silence se prolongeait.

« Il a dit : 'Non, que diable !' puis il a murmuré d'une voix caverneuse qu'il avait décidé de se joindre à Nancy Ashford... »

« Et qui est cette Nancy Ashford ? » demanda Joyce vivement, rougissante d'avoir à se trahir.

« Tu devrais le savoir. » Il prenait plaisir à la voir dans l'embarras. « C'est la directrice de l'hôpital Brightwood. »

« Oh ! tu veux parler de *madame* Ashford. Je n'ai jamais pensé à elle comme à Nancy. Ils doivent être devenus très intimes, alors. Mais... elle n'est plus très jeune, cette dame. »

« Eh bien, tant mieux, tu ne crois pas ? » Elle répliqua à sa taquinerie par une grimace.

« Tu passes trop de temps à imaginer des intrigues, Tommy. Ça affecte ton cerveau. »

« Peut-être bien », admit Masterson sèchement. Il s'allongea les bras sur le dossier de la balançoire et la regarda avec un sourire de curiosité. « D'une minute à l'autre, ta propre histoire devient de plus en plus palpitante. Qu'est-ce que tu aimerais encore savoir au sujet de Bobby ? »

Joyce voulut bien lui faire l'honneur d'un petit sourire en biais.

« A-t-il dit s'il viendrait ici bientôt ? »

« Il n'en a pas parlé du tout. Peut-être n'est-il pas prêt à ça encore... Il faut bien admettre que la situation est un peu embarrassante, tu ne crois pas ? »

Elle acquiesça et il y eut un moment de silence.

« Tu n'as absolument rien compris à Bobby et moi, Tom. On sortait ensemble pas mal régulièrement... en décembre... avant l'arrivée d'Helen... »

Masterson l'interrompit d'un ricanement agaçant.

« Je m'étonne que tu te rappelles quoi que ce soit du mois de décembre, taquina-t-il. Je n'en ai conservé moi-même qu'un très vague souvenir ! »

« Oui, j'admets que ce fut assez mouvementé. Surtout le soir où nous avons célébré ton anniversaire. La mer devait être plutôt agitée, ce soir-là. Incidemment, je n'ai pas revu Bobby depuis. Aussitôt ses cours terminés à l'université, en février, il s'est embarqué pour la France, pour rendre visite à sa mère, sans me prévenir de son départ. Par la suite, il ne m'a adressé que deux lettres bien minces. Puis il est rentré et cette histoire terrible est arrivée dès le lendemain... »

Elle hésita avant de poursuivre.

« Voilà, c'est tout. Tu sais maintenant où nous en sommes. Est-ce que ça semble romantique ? »

Masterson fit remarquer, d'un ton sérieux: « Naturellement, tu ne dois pas oublier que Bobby se sent très mal à l'aise au sujet de... ce qui s'est passé là-bas au lac. Il n'a jamais rencontré Helen et ça l'intimide sûrement de la rencontrer maintenant. Il craint peut-être qu'elle ne soit un peu prévenue contre lui, dans les circonstances... »

« J'ai bien peur que ça soit justement ce qui se passe, admit Joyce avec quelque réticence. Et ça me semble tout à fait naturel. »

« Comment va Helen, au fait ? »

« Oh ! elle est solide comme pas une, la chérie. Tu veux la voir? Je vais la prévenir que tu es là. »

Elle se leva et tendit son livre à Masterson.

« Helen est enfermée avec une femme bien bizarre depuis plus d'une heure. Mais elle doit être libre, maintenant. Je présume que cette visiteuse était une patiente de mon père. Il est venu tellement de gens ici depuis quelque temps... toutes sortes de gens... Des personnes dont nous n'avions jamais entendu parler auparavant, qui viennent nous raconter ce que papa a fait pour elles, en pleurant de gratitude. Vraiment, ça nous a tenues pas mal occupées. J'aurais préféré que ces gens s'abstiennent... Et les lettres, en plus ! Aujourd'hui, nous en avons reçu une, du Maine, d'un homme qui laisse entendre que papa lui a sauvé la vie, de quelque façon, il y a plusieurs années, sans donner de détails... Discret,... comme s'il y avait un mystère derrière ça... comme s'il voulait dire quelque chose mais qu'il ne le puisse pas. Très étrange... Je préviens Helen. »

* * *

Elle se dirigea vers la vaste maison blanche aux volets verts et Masterson la suivit des yeux, admirant sa démarche gracieuse tandis qu'elle traversait la pelouse.

Quelle fille ! Il imprima un élan à la balançoire et inspira profondément sur sa cigarette... Racée !... Alors, elle était la propriété de Bobby, hein ? Que diable pensait Bobby — il tentait de lui cacher cela ? Et si elle se considérait comme appartenant à Bobby — et apparemment, tel était bien le cas — le petit copain de Bobby se devait d'être loyal. Mais tout de même, un homme pouvait bien la regarder, non ? Tout en souhaitant qu'elle lui appartienne ?... Dans un sens, c'était un compliment... Peut-être... Question intéressante à débattre, probablement... Sérieusement toutefois, pourquoi un créateur d'oeuvres de fiction n'aurait-il pas, autant qu'un peintre, le droit d'admirer la beauté pour elle-même — quel que soit l'homme à qui cette femme pense appartenir ? Quel type ! Plus beaucoup de vraies blondes comme elle dans ce monde de teintures et de camouflages... Elle était une blonde authentique... Tout d'or pâle et de blanc laiteux avec la démarche agile de quelque nymphe sauvage... Toute une fille ! Mais qu'est-ce qui faisait croire à Joyce que Bobby s'intéressait vraiment à elle ? Était-ce bien le cas d'ailleurs ? Si oui, Bobby avait bien caché ses sentiments...

La rêverie de Masterson fut interrompue par le retour de Joyce qui traversait le massif d'arbustes en compagnie de sa belle-mère. Les deux femmes offraient un véritable tableau de contrastes. Tout chez madame Hudson évoquait le type latin : chacun des traits de son visage, sa silhouette, ses cheveux d'un noir de jais, l'arc de ses sourcils et jusqu'à l'extrême grâce de sa démarche et de son allure, dépourvue de toute gêne ou afféterie. Joyce était du pur type anglosaxon et un rien plus grande. Elle précédait Helen et semblait la plus âgée des deux.

Il se leva pour aller à leur rencontre. Helen lui fit signe de la main dès qu'elle l'aperçut. Elle avait adopté ce rôle d'aînée et cela l'amusait beaucoup. Cela était même devenu un jeu : son rôle était celui d'un gamin de neuf ans et il l'interprétait à la perfection; quant à elle, elle jouait à la mère polie mais exaspérée, essayant de contrôler sa progéniture sans en faire toute une scène. Ils avaient fait leur petit numéro chez les Byrnes un soir et Laura Byrnes avait avoué elle-même qu' « elle en était morte de rire ». Le sénateur Byrnes pour sa part leur avait suggéré qu'ils pourraient faire fortune dans le music-hall. Et eux-mêmes étaient assez satisfaits de leur exploit.

Les vêtements de deuil ne faisaient qu'accentuer sa jeunesse. Ils attiraient l'attention sur sa vitalité juvénile, mettaient ses fossettes en valeur, faisaient paraître plus blanc son cou, tout comme les couleurs d'une gravure ressortent au contraste de la sobriété d'un encadrement qui ajoute encore à leurs qualités.

Elle tendit une main frêle et sourit. Son épreuve récente se lisait sur ses traits. Elle était blême et un peu lointaine. Sa pâleur pouvait laisser croire qu'elle sortait d'une longue maladie.

Le sourire flotta un instant sur ses lèvres puis disparut. Mais ce sourire était de ceux que l'on espère, que l'on s'efforce de faire renaître par la pensée, qu'on essaye, sans succès, d'analyser. Un jour, Masterson avait tenté de persuader une de ses héroïnes de sourire ainsi; mais elle n'y arrivait pas. De « Gloria » il avait écrit ceci :

« Plus qu'un sourire, c'était une petite sonate en trois mouvements. Il prenait naissance autour des yeux qui semblaient plus grands, plus bleus. Presque imperceptiblement, mais d'une façon assez troublante, les nobles sourcils se soulevaient, oh très légèrement, comme dans l'attente d'une permission. C'était l'*adagio*.

« Puis brusquement la sonate s'étendait à ses lèvres comme lorsque l'organiste tente de rendre la mélodie, d'une main, sur un clavier plus grave. Les lèvres s'entr'ouvraient pour découvrir des dents petites, droites et blanches. C'était le *scherzo*.

« Tout de suite après, comme si les lèvres étaient honteuses de leur témérité, la bouche se refermait sagement. Mais le sourire continuait de flotter dans les yeux, aux coins des yeux, longtemps après qu'il se soit évanoui de la bouche. Et c'était le *largo*. *Largo dolcemente*.

« Et celui qui en était témoin ? Qu'en était-il de lui ? Ah ! son pouls s'accélérait, son coeur battait la chamade. *Strotto !* »

Masterson savait bien que sa description était un peu ridicule. Légèrement découragé, il avait ajouté : « Un sourire très déroutant; un sourire à n'oser qu'avec précaution, de préférence en compagnie d'hommes d'âge mûr, aux nerfs solides, des parents, s'il était possible d'avoir des parents sous la main. »

Helen Hudson sourit. Aujourd'hui, c'était une sonatine. Ses mouvements : *adagio, andante, lento;* mais elle n'en était pas moins émouvante malgré son ton en mineur.

* * *

« Il me semble que tu te fais rare, Tom », dit-elle de sa voix grave de contralto en lui faisant signe de s'asseoir près d'elle sur la balançoire.

Joyce restait debout.

« Tommy, dit-elle, j'avais promis à Ned Brownlow d'aller faire une promenade en voiture avec lui. Il m'attend devant... Ça te dérange que j'y aille ? »

« Allez en paix. » Masterson souleva deux doigts à la manière d'un pontife. « Je suis entre bonnes mains. »

En partant, Joyce effleura de ses doigts l'épaule de sa belle-mère, dans une caresse légère. « Je reviens tout de suite, ma chérie », dit-elle.

« Es-tu sortie un peu ? » demanda Masterson avec une sollicitude teintée d'amitié.

Helen secoua la tête.

« Trop occupée. Il y a des visiteurs à toute heure; des gens qu'on ne peut pas refuser de recevoir, des patients du docteur Hudson et puis des personnes dont il s'était fait des amis, d'une manière ou d'une autre, semble-t-il. Je suppose que tu te rappeles le nombre incroyable de tributs floraux... »

« Je n'en avais jamais vu autant ! »

« Eh bien, Tom, ces fleurs avaient été envoyées par des gens d'un peu partout, des personnes dont il nous a été assez difficile d'établir le lien avec nous. Personne à Brightwood ne les connaît, pour la plupart. Et ces visiteurs que je reçois tous les jours sont des inconnus, en majorité. Ils viennent s'informer s'ils peuvent être de quelque utilité à Joyce ou à moi-même. Hier encore, tiens, un Italien très bizarre a voulu me remettre mille dollars. Et ça n'est qu'un exemple. Leurs histoires ne se ressemblent pas — ce qu'ils en racontent du moins car ils sont étrangement réticents — mais ils semblent tous avoir un point en commun... Quelque part, à un certain moment, le docteur Hudson les a aidés à surmonter une crise. Il s'agit habituellement d'argent — d'un prêt — mais pas toujours. Parfois c'est un conseil qu'il a donné ou son influence qu'il a fait valoir. »

« Il était sûrement très généreux », fit Masterson.

« Oh oui, certainement. Mais il y plus que cela. Beaucoup d'hommes ont le coeur grand et donnent leur argent généreusement. Mais ici, il s'agit de tout autre chose. Les relations du docteur Hudson avec ces gens étaient différentes. Ils se conduisent tous comme s'ils appartenaient à quelque société secrète et excentrique. Ils viennent ici, souhaitant faire quelque chose pour moi, n'importe quoi, parce qu'ils veulent exprimer leur gratitude. Mais lorsque je les coince un peu et que je les incite à me dire de quelle façon ils sont en dette envers la famille, eh bien, ils se mettent à bégayer, ils deviennent évasifs. C'est vraiment étrange.

« Deux heures durant, j'ai écouté une histoire qui m'intrigue plus que toutes les autres, peut-être parce que, pour celle-ci, j'ai essayé de creuser un petit peu plus le mystère. Une vieille dame inconnue, dont j'ignorais jusque-là l'existence, est venue me dire à quel point elle trouvait le docteur Hudson merveilleux. Pourrait-elle m'être de quelque secours ?... Tiens, j'aimerais bien en parler avec quelqu'un. Cela t'ennuierait-il, Tom ? »

« Mais pas du tout. Raconte-moi cela, je t'en prie. »

« Eh bien, tout a commencé, m'a dit madame Wickles, lorsque son mari a dû subir une grave opération. Le docteur Hudson les avait prévenus qu'il n'y avait aucun espoir. La famille resta sans ressources. Elle dit qu'elle n'a reçu aucun compte de l'hôpital, que le docteur Hudson a trouvé une bonne place pour l'aîné et qu'il a fait entrer la fille, qui avait du talent pour le dessin, à l'école des beaux-arts... Elle montra la très belle marine qui se trouve au-dessus de la cheminée dans le salon et dit : 'C'est une de ses oeuvres. Elle la lui a offerte. Le tableau a été exposé à la Ligue d'architecture de New York...' Le docteur Hudson les a soutenus, les empêchant de sombrer dans le malheur, jusqu'à ce qu'ils soient en mesure de subvenir eux-mêmes à leurs besoins; et, quelques années plus tard, quand elle a voulu verser une petite somme en remboursement de la dette, il a refusé de l'accepter. Il a d'abord dit que cela lui avait procuré beaucoup de joie et qu'il ne voulait pas être remboursé davantage. Comme elle insistait vraiment beaucoup, il lui a demandé : 'Avez-vous déjà mentionné notre petite transaction à qui que ce soit ? ' ' Non, a-t-elle répondu. Vous m'aviez priée de n'en rien faire. Et je n'ai rien dit. ' ' Dans ce cas, a-t-il déclaré avec fermeté, je *ne peux pas* reprendre cet argent. '

« Naturellement, elle ne voulait pas que les choses en restent là — elle a tout d'une grande dame — mais quand elle a voulu le forcer à accepter l'argent, il lui a expliqué : 'Si j'avais considéré cela comme un prêt, j'en accepterais volontiers le remboursement. Mais ce n'est pas ainsi que j'ai vu les choses quand j'ai investi dans votre famille. Vous avez tous réussi beaucoup mieux, vous avez été tellement plus prospères que je ne l'avais pensé. Aussi, comme je croyais vous le donner réellement, je ne peux pas le reprendre maintenant parce que, entretemps, *je l'ai tout utilisé moi-même.'* »

« Excuse-moi, dit Masterson. Je crois que je n'ai pas très bien saisi. Quelle était cette dernière phrase ? »

Helen hocha la tête d'un air mystérieux et répéta la phrase énigmatique.

« Comme je te comprends. Moi-même, j'ai cherché à obtenir des explications de madame Wickles, mais elle s'est un peu impatientée et s'est contentée de me dire, en balbutiant : 'Je ne suis pas certaine de le savoir.'

« 'Mais vous en avez bien une idée', ai-je ajouté.

« Sur ce, elle a rapidement fait dévier la conversation en sortant un gros porte-monnaie de son sac et en insistant pour que j'accepte l'argent. Elle l'avait investi et désirait maintenant nous le rendre.

« 'Puisque le docteur Hudson a refusé de l'accepter, lui ai-je dit, je refuse aussi. Vous feriez mieux de le réinvestir. Remettez-le au même endroit si le taux d'intérêt était avantageux.'

« 'Oh, dit-elle, je ne peux pas faire cela; ils n'en ont vraiment plus besoin vous savez.'

« Eh bien, après cela, j'ai laissé tomber. Ça me dépassait. »

« Elle est peut-être un peu toquée », dit Masterson à tout hasard.

Helen était songeuse.

« Oui, on pourrait bien dire qu'elle est toquée et tourner la page, avec un sourire, si seulement elle était la seule de son espèce. »

« Veux-tu dire que tu en as reçu d'autres comme elle ? »

Elle fit signe que oui.

« Hier, un commerçant bien connu m'a rendu visite. Tu connais sûrement son nom. Son histoire avec le docteur Hudson remonte à dix ans déjà. Il était venu me remettre une forte somme qui, prétendait-il, représentait l'intérêt sur un prêt. Je trouvais assez étrange qu'il le fasse maintenant, après tout ce temps, et il a admis que le docteur Hudson avait refusé de reprendre l'argent. Évidemment, j'ai fait la même chose. »

« Ma curiosité a pris le dessus et je l'ai encouragé à me raconter l'affaire. Il y a dix ans, il était au bord de la faillite, m'a-t-il dit. Il s'était lancé en affaire à son compte et avait voulu aller trop vite. Puis, comme s'il n'avait pas déjà assez de soucis, sa femme a eu une longue et très coûteuse maladie. Il s'était fait construire une superbe maison. Il en avait déjà payé plus de la moitié. Il décida de la sacrifier afin d'obtenir assez d'argent liquide pour renflouer ses affaires chancelantes. Il confia la vente à une agence immobilière. La maison valait trente-cinq mille dollars; il en demandait vingt mille. Il y avait une petite dépression dans l'immobilier à ce moment-là. Eh bien, dès le lendemain, dit-il, le docteur Hudson vint le voir :

« 'J'ai entendu dire que vous cédiez votre maison pour vingt mille dollars. Pourquoi ? Elle en vaut au moins le double.'

« Le jeune commerçant expliqua qu'il avait besoin d'argent liquide immédiatement, sinon il risquait de faire faillite.

« 'Je vais vous prêter ces vingt mille dollars, offrit le docteur Hudson. Je ne les ai pas sur moi en ce moment, mais je peux me les procurer. Vous me rendrez le capital lorsque vos affaires iront mieux à nouveau. Je ne m'attends à aucun intérêt, parce que je peux l'utiliser moi-même. Tant que je vivrai, vous ne devrez révéler à personne que nous avons conclu cette affaire.' »

« Quelle transaction bizarre », commenta Masterson.

« Attends de connaître la suite, ajouta Helen doucement. En moins de trois ans, poursuivit mon visiteur, il avait rendu l'argent et insistait pour payer de l'intérêt sur l'emprunt. Le docteur Hudson refusa net de l'accepter. Et, à ton avis, qu'est-ce qu'il a dit en refusant l'argent ? »

« Je donne ma langue au chat ! »

« Il a dit : 'Je ne peux pas l'accepter, voyez-vous, car je *l'ai déjà tout dépensé moi-même*.' Voilà ! Au cours de la semaine dernière, j'ai déjà entendu cette phrase à cinq reprises différentes. Qu'en penses-tu ? »

« Très bizarre, admit Masterson. Ça n'aurait pas quelque lien avec son impôt, non ? Tu sais... les déductions admissibles pour les dons aux oeuvres charitables et le reste. »

« Tommy, ne sois pas ridicule. »

« Eh bien, as-tu une explication ? »

« Pas la moindre idée... » Puis, d'un ton animé, elle ajouta : « T'ai-je déjà parlé de la jeunesse du docteur Hudson ? »

« Non, est-ce que ça jette quelque lumière sur sa conduite bizarre ? »

« Pas du tout... du moins pas pour moi... Pour un psychologue, peut-être... ce que je ne suis pas... Mais j'aimerais bien que tu sois au courant... Ce n'est pas un secret, d'ailleurs.

« Les parents de Wayne étaient très pauvres, tu vois. Ils vivaient sur une ferme, quelque part à l'intérieur du pays, de sorte qu'il a dû se prendre en charge assez tôt dans la vie. Tout petit déjà, il voulait devenir chirurgien. À quinze ans, il monta à Détroit pour aller au collège et travailler dans la maison d'un certain docteur Cummings... »

« Dont il épousa la fille... Oui, ça je le savais. »

« Tu vas trop vite... Chez les Cummings, Wayne Hudson était tout à la fois commissionnaire, garçon d'écurie, comptable, infirmier et, à l'occasion, cuisinier, secrétaire privé et même équipe de sauvetage... »

« Équipe de sauvetage ? Comment cela ? »

Helen eut un moment d'hésitation.

« Ce docteur Cummings était très compétent et avait une grosse pratique, mais malheureusement, il buvait un peu trop... par périodes. À des intervalles variant entre trois semaines et deux mois, il disparaissait pendant des jours entiers. Wayne avait alors la charge de le retrouver, de lui donner un bon bain et de le ramener à la maison. Il devait aussi inventer des excuses pour son absence et servir de tampon entre le médecin et son entourage : hôpitaux, malades, famille. »

« Pas un passe-temps très captivant pour un adolescent. »

« Non, admit Helen, mais bien fait pour lui garantir une maturité précoce. Et c'était loin d'être une tâche ingrate. Naturellement, le docteur Cummings lui en était très reconnaissant et, dans ses moments de repentir, il l'assurait de son éternelle gratitude. Par la suite, il envoya Wayne à l'université et lui garantit des fonds pour ses études de médecine en contractant une police d'assurances qui, assez curieusement, devint encaissable juste au moment où il en avait le plus besoin car quand le docteur Cummings mourut, Wayne finissait à peine son collège. »

« Cela explique peut-être pourquoi le docteur Hudson s'est marié alors qu'il n'était encore qu'un étudiant, glissa Masterson en guise de commentaire. La jeune fille lui était sans doute très attachée... et lui se sentait obligé envers la famille. Cela... et le fait qu'elle soit là, sur place... alors, il l'épousa. »

« Pas tout à fait exact, corrigea Helen. Il était vraiment très attaché à elle. Il avait tout quitté pour être avec elle dans l'Arizona jusqu'au moment de sa mort. Pendant plus de quatre ans, elle fut son seul souci et, naturellement, il ne pouvait pas se concentrer sur ses études comme il l'aurait dû. Il m'a raconté qu'au cours de ses études de médecine, il avait connu des moments de grande dépression, allant jusqu'à se demander s'il ne s'était pas trompé de vocation, malgré tout. Ses études furent très pénibles et il eut beaucoup de difficultés à les terminer. »

« On a du mal à penser que le docteur Hudson ait jamais pu trouver ses études pénibles... »

« Il a continué de les trouver pénibles pendant toute l'année qui a suivi la mort de sa femme. Puis, un beau jour, il est arrivé quelque chose. Non... j'ignore ce que c'est. Il ne me l'a pas dit et je n'ai pas insisté pour le savoir, mais quelque chose s'est produit, c'est certain. Simplement, un beau jour, il s'est aperçu que son attitude avait changé envers ses bouquins, sa profession. Il passait des nuits entières à travailler au laboratoire de l'hôpital, sans en ressentir aucune fatigue. Puis, peu de temps après, par un concours de circonstances assez bizarre, il a été obligé de faire une opération très délicate à trois heures du matin; un cas d'urgence, une blessure à la tête. Cela a beaucoup attiré l'attention sur lui. C'est à partir de ce moment qu'il a décidé de se consacrer à la chirurgie du cerveau. Et tu sais comme il a bien réussi. »

Masterson ferma un oeil et la regarda attentivement.

« Je vois, dit-il, choisissant bien ses mots. Dans le fond de ta pensée, tu sembles croire que ce changement plutôt radical chez lui... ce brusque passage de la dépression... d'un sentiment d'échec... de cette tentation de laisser tomber la médecine et d'aller plutôt vendre des encyclopédies ou quelque chose du genre... à la prompte reconnaissance de son talent et à la réussite... Je crois que tu soupçonnes que tout cela est relié à cette drôle d'histoire de ses aumônes. Ai-je raison ? »

Elle fit signe que oui.

« Surtout d'ailleurs parce qu'il y a deux mystères autour de lui. Je suppose que j'ai tenté d'établir un lien entre les deux... inconsciemment sans doute. Il n'en existe peut-être pas du tout... Peut-être que s'il n'était pas mort.. il m'aurait lui-même tout raconté... Mais assez de mystères pour aujourd'hui, Tommy. Allons admirer les asters. »

Masterson la suivit dans le jardin, admirant son enthousiasme puéril devant les fleurs de l'automne. C'était comme si elle les eût caressées. Il savait qu'elle s'attendait à ce qu'il parte maintenant et il se mit à jouer avec ses clefs.

« Ne reste pas trop à la maison, recommanda-t-il. Ces gens vont finir par t'épuiser. »

« Je prends quelques jours de vacances. Je vais à la campagne rendre visite à Martha, la soeur de notre gardien. Elle ne va pas bien du tout... très affectée, tu sais, et je ne l'ai pas revue depuis les événements. »

« Puis-je t'y amener ? Ça me ferait plaisir ! »

« Non, merci, je préfère avoir ma voiture à ma disposition pendant mon séjour là-bas. »

« On pourrait la remorquer ! »

« Oh, tu y tiens tant que ça ? J'ai une idée : amène Joyce à Flintridge dimanche après-midi. Probablement qu'à ce moment, je commencerai déjà à m'ennuyer. »

Ils marchèrent ensemble jusqu'à la grille.

« Comme c'est heureux que Joyce et toi puissiez toujours compter l'une sur l'autre ! »

« Oui, n'est-ce pas ? »

Il monta dans sa voiture, lui fit un petit signe de la main et disparut au tournant. Helen refit le chemin en sens inverse, s'attarda dans les allées étroites du jardin, se pencha pour mettre ses mains roses autour d'un dahlia flamboyant. Comme c'était heureux que Joyce et elle puissent toujours compter l'une sur l'autre... Mais le pouvaient-elles vraiment ?

IV

En sortant de table ce samedi soir-là, le vieux Nicholas dit, sans s'adresser plus à son petit-fils qu'à lui-même : « Je suis vraiment content d'avoir pu vivre jusqu'à aujourd'hui. »

Au cours des huit dernières années, il avait été terriblement malheureux, non pas qu'il ait eu de nouvelles raisons de l'être, mais il disposait de plus de temps libre pour se rendre compte à quel point les vraies joies de la vie lui avaient échappé.

La passion dévorante de Merrick, de son adolescence jusqu'à sa retraite de la société qu'il avait fondée, avait consisté à voir au développement d'une grande industrie; et, faute de précédents sur lesquels s'appuyer, la tâche avait été particulièrement difficile. Faisant oeuvre de novateur, il devait inventer lui-même, à mesure, ses propres standards. C'était une industrie sans ancêtres.

Pour n'importe quel produit du secteur de la céramique par exemple, un homme pouvait s'appuyer sur les milliers d'années de traditions derrière lui. Tisserands, tanneurs, joailliers, maçons; constructeurs de maisons ou de bateaux, bâtisseurs de cathédrales; producteurs de céréales, maraîchers, éleveurs, autant de gens qui pouvaient prévoir leur rendement et déterminer une politique d'après les expériences du passé. Rien de tel n'existait pour les moteurs.

Cette industrie avait connu une expansion fulgurante. À la recherche d'une activité secondaire possible, une jeune et prospère société de bicyclettes s'était lancée, à titre expérimental, dans la fabrication d'une voiture équipée d'un moteur. Au début, les bailleurs de fonds du jeune Merrick avaient été très sceptiques surtout que ces voitures à gazoline, bruyantes, peu fiables, encombrantes et dangereuses de surcroît, suscitaient l'hilarité du public.

Et puis, un beau jour, les véhicules motorisés étaient entrés dans les moeurs. Mais la distance qui séparait l'*eohippus* — atteignant à peine la taille d'un renard — du cheval de trait n'était pas plus grande que celle qui existait entre la petite automobile, nauséabonde et pétaradante (ce qu'elle était au moment où Nicholas Merrick commença de s'y intéresser) et la puissante voiture motorisée, rapide, silencieuse et dynamique qui fut éventuellement mise au point.

Son évolution connut des soubresauts aussi périlleux qu'une mise de fonds à Monte Carlo. Une succession incroyable d'inventions révolutionnaires transforma l'industrie du tout au tout, tandis que les bailleurs de fonds, angoissés, s'arrachaient les cheveux tout en hurlant des conseils contradictoires aux oreilles des directeurs qui se rongeaient d'inquiétude. L'équipement coûteux installé la veille était remplacé le jour suivant par un autre valant dix fois plus. C'est alors que l'homme qui portait l'ultime responsabilité de cette entreprise si erratique découvrit qu'il ne fallait rien de moins qu'un dévouement constant de vingt-quatre heures par jour pour diriger cette industrie sans précédent qui se lançait à fond de train en terrain vierge, frôlant le désastre presque chaque semaine et prenant chaque jour des virages dangereux.

En réponse à la demande générale, qui laissait entrevoir la possibilité de faire fortune, un nombre incalculable de sociétés se lancèrent « dans les moteurs » où la concurrence devint sans pitié comme sans scrupules. Le désastre était inévitable sauf pour une infime minorité, les plus astucieux, les plus courageux, les plus chanceux. Merrick connut toutes les affres d'un pionnier qui, conduisant un long chariot couvert chargé d'immigrants effrayés, doit traverser un désert sans chemins, et cela sans même l'aide d'une boussole.

Aussi l'homme qui, à soixante-douze ans, descendit enfin de ce tigre qu'il avait enfourché, — événement qui fut l'occasion d'un banquet de félicitations à la chambre de commerce d'Axion, petite ville de banlieue — n'était plus qu'un vieillard triste et très fatigué, souffrant d'hypertension, à la tête d'une fortune évaluée à près de vingt millions de dollars mais aussi d'un long cortège de pénibles souvenirs.

Clif... Seigneur !... quel gâchis !... La mère de Clif — un petit bout de femme noiraude et timide — mourut alors que le gamin n'avait que douze ans. Elle avait fort peu manqué à Nicholas. C'était l'année de la construction des grandes usines. Il voyait rarement son fils en dehors des brèves et orageuses rencontres où Nicholas se livrait à de fougueuses exhortations accueillies avec une calme insolence par Clifford — mais cela ne fit qu'élargir le fossé qui les séparait.

Personne ne pouvait lui reprocher de ne pas avoir fait son possible pour offrir à son fils toutes les occasions de réussir. Si l'argent pouvait aider, sûrement que Clif avait une chance. Nicholas avait toujours fait taire ses propres remords avec cette réplique.

« Dieu m'est témoin que je n'ai jamais lésiné sur rien pour lui !... Je ne peux quand même pas lui donner la tétée moi-même ! »

Mais maintenant que l'inactivité forcée lui fournissait l'occasion d'une réflexion sérieuse, Nicholas ruminait tout cela, coudes sur les genoux, mains pendantes. Le vieil alibi ne tenait plus.

Il n'y avait pas non plus de motif raisonnable d'espérer que la nouvelle génération puisse faire mieux. Bobby était un jeune homme très attachant bien sûr et Nicholas était le premier à se réjouir de son esprit pétillant, de son sourire engageant, de la tendre sollicitude dont il l'entourait; mais il ne donnait aucune promesse de réussite. Mis à part son talent de pianiste professionnel, sa rare facilité à se faire des amis et à les garder, et le fait d'être venu à bout de ses études universitaires, Bobby ne laissait entrevoir aucune possibilité de jamais accomplir d'action digne de mention. Les voitures et l'alcool, le jeu, le golf, la chasse et la pêche, voilà à quoi il s'occuperait; il épouserait une donzelle aux lèvres écarlates, une quelconque tête de linotte dévergondée dont il se lasserait vite; passerait ses étés au Canada et ses hivers à Cannes, découperait ses coupons d'obligations, aurait des séances chez son tailleur, jouerait au mécène avec l'orchestre symphonique; son nom figurerait sur le papier à lettres de quelques organismes de charité; il serait à la tribune d'honneur aux côtés du candidat républicain à la présidence lors de ses tournées électorales et, pour terminer, rejoindrait sa place dans une crypte du vaste et résonnant mausolée de style gothique de la famille Merrick aux côtés de Clifford, le prodige.

Oh, il y avait bien eu quelques rayons d'espoir, quelques faibles lueurs; juste assez pour rendre l'obscurité encore plus dense lors de leur extinction.

À la fin de la dernière année d'études de son petit-fils — la session se terminait au milieu de l'année et la remise des diplômes n'avait lieu qu'en juin — Nicholas s'était rendu à la petite ville universitaire. Il avait déjeuné avec le directeur de la faculté de chimie, un vieil ami à lui. Lorsque le professeur Garland lui avait dit : « Je ne sais pas si tu es au courant Merrick, mais ton diable de rejeton a la trempe d'un chimiste », il s'était redressé, le visage illuminé d'un large sourire.

« Vrai ? Parle-lui-en, tu veux bien, Garland ? Venant de toi, ça aurait plus de poids. »

Garland avait pris tout son temps pour verser l'eau chaude sur le thé avant de répondre : « La chimie demande beaucoup de travail, mon vieux. Ton gars sait très bien qu'il n'a pas besoin de travailler. »

Et devant le visage défait de Nicholas, Garland avait ajouté, pour le consoler : « Tu ne peux pas l'en blâmer. Pourquoi irait-il s'affubler d'un vilain tablier de caoutchouc, potasser d'affreux mélanges et respirer des odeurs infectes quand il sait qu'il peut avoir une vie de plaisir ? »

* * *

Nicholas avait été soulagé d'un grand poids, ce soir. Rien ne l'avait préparé à cette nouvelle de sa bonne fortune et malgré qu'il eût le coeur en fête, ses épaules voûtées témoignaient du poids dont il venait d'être déchargé. Il posa affectueusement une main jaunie, couleur de parchemin, sur le bras de Bobby et tous deux quittèrent la salle à manger pour se diriger vers la vaste bibliothèque.

Cette pièce était le refuge du vieillard. Depuis les poutres de noyer du plafond jusqu'au tapis chinois du parquet, les murs étaient entièrement recouverts de rayons remplis à craquer de rangées de volumes, chefs-d'oeuvre jamais égalés et... jamais ouverts. Les livres dont Nicholas faisait sa nourriture intellectuelle en ce moment étaient, pour la plupart, des romans à suspense dont l'intrigue et le style se ressemblaient étrangement, non pas qu'il fût incapable de lectures plus sérieuses mais plutôt parce que penser le fatiguait.

Ils pénétrèrent dans la bibliothèque et le vieil homme se laissa choir, avec un soupir, dans les profonds coussins de son fauteuil favori. Un roman policier, recouvert d'une jaquette aux tons criards, était posé face contre table. Bobby le prit, en lut le titre à haute voix et esquissa un sourire.

« Du feu, grand-père* ? »

---

* En français dans le texte.

Il alluma le cigare du vieil homme.

« Une bonne intrigue ? »

Avant de répondre, Nicholas tira quelques bouffées avec autant d'énergie qu'un soufflet percé et fit : « L'inspecteur vient justement d'interroger la cuisinière qui affirme être sûre que le coup a été tiré à vingt-trois heures dix exactement parce que c'est l'heure où elle a l'habitude de laisser sortir le chat. »

« Tu dois sûrement connaître par coeur tous les petits trucs culinaires de cette cuisinière, grand-père* ! On retrouve toujours la même dans tous ces romans, n'est-ce pas ? »

« Pas du tout, monsieur, protesta Nicholas. Dans le dernier, il s'agissait d'un cuisinier. »

Bobby, impatient de se retrouver seul, souhaitait détourner l'attention de son grand-père vers sa lecture afin de pouvoir s'échapper. La tension émotionnelle de la dernière heure l'avait complètement vidé; le secret qu'il venait de confier était le fruit de nombreuses et longues journées de mûre réflexion, et de nuits aussi où il avait fait les cent pas dans sa chambre, soupesant sa décision sous tous les angles, prévoyant les objections... Maintenant qu'il avait arrêté la marche à suivre, il n'était que juste d'en informer son grand-père. C'était maintenant chose faite. Il avait tenté un réel effort pour dédramatiser la rencontre. Son enfance en ayant été saturée, les scènes lui faisaient horreur. Mais il était normal que le vieux Nicholas, après avoir supporté un si lourd fardeau de découragement et d'inquiétudes, réagisse avec un enthousiasme délirant à la nouvelle que lui annonça calmement le jeune homme, de ce programme où il s'engageait, dans une voie à la fois remplie de sacrifices et illimitée quant à sa durée.

Après que Bobby eût lancé ses paroles, le vieil homme était resté un moment sans bouger, muet d'étonnement, après quoi il avait lentement déposé sa fourchette. Sa mâchoire pendait et son menton était agité de légers tremblements comme sous le coup d'une attaque subite de paralysie. Les rides marquant sa bouche et ses yeux s'étaient rejointes dans une série de profonds sillons formant demi-

* En français dans le texte.

cercle. Il avait enfoncé ses vieux doigts noueux dans la nappe blanche et neigeuse et avait demandé d'une voix aiguë et mal assurée : « Comment, Robert ? Je crois que je n'ai pas bien saisi ce que tu as dit. Tu veux bien répéter ? »

Bobby avait répété, lentement, calmement, d'un ton convaincu. Le visage fané du vieux Nicholas s'était contracté et du revers de sa main marbrée, il avait frotté les coins de ses yeux caverneux.

« Tu es un bien brave garçon », avait-il fini par dire, d'une voix cassée.

Puis, comme honteux de sa faiblesse, il s'était éclairci énergiquement la voix, s'était redressé et avait déclaré avec dignité : « Je vous félicite, monsieur. Je ne peux me rappeler aucun moment où un membre de ma tribu ait pris une décision aussi mémorable que la tienne ! Que Dieu... te bénisse !... » La bénédiction fut prononcée d'une voix chevrotante. C'était presque plus qu'ils n'en pouvaient supporter tous les deux.

Puis, pendant l'heure qui suivit, Bobby avait exposé ses projets avec clarté et force détails attestant de la somme immense de temps et d'énergie qu'il y avait consacrée; le vieillard écoutait, hochant vivement sa tête léonine à chaque mot, marquant parfois son approbation de violents coups de poing sur la table. « Oui, monsieur, s'était-il écrié avec enthousiasme, tu peux le faire. Tu y arriveras. Tu en es capable. J'ai toujours cru que tu l'étais. » Son attitude rappelait le bon vieux temps, l'époque héroïque où il fallait beaucoup de coups de poing sur la table pour convaincre les directeurs que, face aux fluctuations du marché, un changement de cap radical et immédiat s'imposait.

Maintenant que la première vague d'enthousiasme, après avoir déferlé, se retirait comme l'écume, Bobby souhaitait voir la conversation changer de sujet, pour l'instant du moins. Après avoir vécu avec son problème — il en avait fait son menu quotidien, en avait rêvé, avait fait les cent pas en y pensant, avait été aux prises avec lui, l'avait tour à tour caressé et maudit — pendant tout un long mois, et l'avoir conduit à une étape proche du point culminant, il se sentait prêt à le remiser.

Devinant l'impatience de son petit-fils en le voyant s'amuser avec un presse-papier, Nicholas chercha sa page avec soin dans son livre, nettoya méticuleusement ses lunettes et lui adressa un sourire de congédiement non équivoque.

« Puisque tu veux lire, grand-père, je crois que je vais aller faire une petite promenade », dit Bobby.

Nicholas hocha la tête plusieurs fois et, l'air ravi, tira bruyamment quelques bouffées de son cigare puis il plongea le nez dans son livre.

Dès que Bobby eut le dos tourné toutefois, il mit son livre de côté et regarda son petit-fils s'éloigner, ses yeux las tout dilatés par cet intérêt nouveau pour lui et auquel il n'était pas encore habitué. Avant de franchir la porte, Bobby se retourna et lui sourit. Nicholas reprit vite son livre, fronça gravement les sourcils sur un passage confus qu'il venait de lire et tira avec énergie une bouffée de son long cigare.

* * *

Après avoir échangé ses escarpins pour des chaussures de tennis et retiré son smoking pour enfiler un léger tricot, Bobby emprunta la sortie des voitures qui menait dans l'allée. Un croissant de lune brillait dans un ciel sans nuages; on voyait parfois l'éclair de quelques vers luisants. Il marcha nonchalamment dans l'allée, sans but, foula la pelouse, se promena dans l'étroit sentier qui longeait la roseraie et, se retrouvant devant les deux énormes piliers du portail, s'engagea sur la route. Ce n'était pas une voie très passante mais une étroite route de gravier pour les voitures, desservant surtout les résidences de campagne, distantes les unes des autres, dont la façade donnait sur la rive ouest du lac.

La nuit était calme. Mains dans les poches, la tête légèrement inclinée dans une attitude de méditation, il se promenait au hasard, ses yeux s'accoutumant peu à peu à la pénombre.

Il était content de s'être confié à son grand-père. Dès demain, il se rendrait à Brightwood annoncer sa décision à Nancy Ashford. Que ces deux personnes partagent son secret, cela lui semblait représenter deux solides ancres contre le vent. Il espérait que Nancy Ashford se contenterait de dire : « Fort bien ! Tout à fait ce que j'espérais », sans insister davantage. Il ne se sentait pas très doué pour les moments chargés de sentimentalité. Dans le cas du grand-père, c'était différent bien sûr. Il s'agissait d'un vieil homme que l'âge avait un peu adouci. Mais il espérait que Nancy saurait se montrer raisonnable.

Bobby avait déjà marché plus d'un kilomètre, lorsque dans un brusque tournant de la route, à une centaine de mètres devant lui, il aperçut des phares perchés à un angle précaire, indice qu'une voiture gîtait dangereusement à tribord... Dans le fossé, devina-t-il. Il entendit le vrombissement soudain du moteur, tandis que l'on essayait impatiemment de remettre en marche des roues complètement bloquées. Un chauffeur novice, se dit-il. De nouveau le bruit du moteur s'essoufflant sous l'effort indiqua que quelqu'un ne faisait qu'aggraver la situation. « Idiot », marmonna-t-il et il hâta le pas.

Le chauffeur semblait l'avoir aperçu et, ne sachant à quoi s'en tenir sur ses intentions, tentait un effort désespéré pour dégager la voiture avant qu'il n'arrive à sa hauteur; en effet, alors qu'il n'était plus qu'à quelques mètres, le moteur émit un grondement d'exaspération et la grosse voiture se mit à vibrer. Une jeune femme était au volant.

« Seigneur, soeurette, cria Bobby quand le vacarme eut cessé, ne t'avise pas de recommencer. »

Soeurette accepta le sermon avec de grands yeux dans lesquels Bobby plongeait maintenant son regard de plus près, avec intérêt. Elle sourit et il changea aussitôt d'opinion à son sujet. Elle n'avait probablement pas l'habitude de conduire dans le petit gravier, ignorait comme c'était traître. Elle était sûrement excellent chauffeur presque partout ailleurs.

« Est-elle réellement bien enlisée ? » demande-t-elle avec inquiétude.

Sa voix avait une certaine rudesse qui lui conférait un ton intime, « juste entre nous », confidentiel.

Bobby se rendit à l'arrière et examina la situation.

« Très, déclara-t-il. Jusqu'à l'enjoliveur. Votre différentiel touche carrément le sol... »

Son visage exprimait la perplexité.

« Je ne sais pas ce que c'est, admit-elle, mais je suis sûre que ça n'est pas normal. »

« Non, dit Bobby, paternel. Ça fonctionne mieux quand il ne traîne pas sur la route. »

Elle soupira et épongea son front en sueurs avec un bout de dentelle.

« Je suppose que c'est ma faute, dit-elle d'un air piteux. Je roulais plutôt vite et dans ce brusque virage, une voiture a foncé sur moi avec le genre de phares dont on se sert sur les terrains d'aviation. J'ai quitté la route, j'ai dérapé... »

« Et vous voici, dit Bobby, terminant sa phrase. Encore heureux que la voiture n'ait pas capoté. Vous auriez pu vous blesser gravement. »

Elle scruta son visage dans l'ombre, un peu sur ses gardes à cause de cette préoccupation concernant sa sécurité... elle n'y tenait pas tellement. Mais ce qu'elle vit ne lui causa aucune inquiétude.

« Eh bien, au moins, nous n'avons pas à nous soucier des fractures. Tout ce qu'il me reste à faire, maintenant, c'est de remettre cette voiture sur la route. Avez-vous des suggestions ? Je manque de compétence dans ce domaine. Ce qui ne veut pas dire, s'empressa-t-elle d'ajouter, que j'ai l'habitude de lancer ma voiture dans le fossé. »

« J'en suis persuadé, dit Bobby en guise d'encouragement. Ce gravier est très glissant. »

« Qu'est-ce que je devrais faire, d'après vous? » demanda-t-elle d'un ton qui laissait entendre qu'elle remettait toute la responsabilité entre ses mains.

C'était comme si elle se fut appuyée contre lui, de son poids léger. Au cours de la dernière demi-heure, il s'était cru la personne la plus seule, la plus indifférente de la terre. L'importante décision qu'il envisageait l'avait complètement détourné de ses intérêts habituels mais ne l'avait pas encore aiguillé vers de nouveaux. Personne n'avait jamais eu besoin d'amitié aussi désespérément.

Il appuya un coude sur le rebord de la glace baissée et dit d'un ton faussement didactique : « Dans un cas comme celui-ci, quand la source d'énergie locale se montre insuffisante, la coutume veut que l'on aille chercher du secours. On se présente donc chez les voisins. Mais eux, ayant déjà soupçonné que l'on pourrait avoir recours à leurs services, se sont couchés tôt; alors il faut les réveiller en frappant très fort à la porte et en leur offrant une fortune digne de la rançon d'un émir. Une fois qu'ils ont pris leur douche, qu'ils se sont rasés, qu'ils ont mis leurs vêtements et avalé leur déjeuner, ils s'amènent en rouspétant avec un tracteur grincheux... »

« Puis quand ils sont enfin prêts à tirer, le câble de touage se brise et il faut aller à la ville avec le tracteur en chercher un autre. »

« Quelque chose du genre », admit Bobby. »

« Vos conseils semblent très clairs, dit-elle du même ton. Premièrement, aller chercher les voisins. » Elle comptait les étapes sur ses doigts. « Mais lequel ? »

« Lequel des voisins, riposta Bobby avec un petit rire, ou lequel de nous deux ?... J'irai, naturellement, avec plaisir. Mais, ajouta-t-il d'un ton de commandement, vous venez aussi. Je ne veux pas que vous restiez seule ici dans une voiture en panne ! »

C'était dit spontanément. Sans doute n'était-ce rien de plus qu'une façon péremptoire et non préméditée de dire qu'il considérait risqué pour elle de rester seule sur cette route isolée. Mais quelque chose de chaleureux, semblant laisser entendre qu'elle lui appartenait, dans le ton dont il avait dit : « Je ne veux pas que vous restiez seule ici », causa à la jeune femme une étrange sensation. Personne ne lui avait jamais parlé exactement sur ce ton auparavant. Elle se sentait... eh bien... comme si elle était absorbée... très, très peu... une infime partie d'elle-même; comme le premier et à peine visible grain de sable qui s'écoule par le cou ultra-fin d'un sablier; rien d'inquiétant, bien sûr. Elle pourrait toujours renverser le sablier, dès qu'elle le voudrait. Pour l'instant, ce n'était pas déplaisant de laisser le sable s'écouler, juste pour la nouveauté de la chose. Pas longtemps. Elle y verrait. Dans une demi-heure, elle et ce type charmant dont le profil net était digne de servir d'effigie sur une pièce de monnaie grecque, iraient chacun leurs chemins. Si cela lui plaisait de donner des ordres, elle jouerait le jeu, en se mettant au garde-à-vous et en claquant des talons.

Bobby ouvrit la portière et lui tendit la main. Elle la prit sans hésitation et sortit sur la route.

« Aurais-je dû bloquer les vitesses », demanda-t-elle .

« Non, répondit Bobby d'une voix traînante. On ne risque pas de se les faire voler. » Ils s'esclaffèrent tous les deux.

Quittant la route principale, ils empruntèrent un étroit sentier bordé de haies touffues taillé à travers une vaste étendue de hauts sapins.

« J'espère que vous savez où nous allons », dit-elle comme Bobby continuait d'avancer.

« Je ne peux pas dire que je le sais vraiment, confessa-t-il. Je ne suis jamais venu par ici auparavant mais je crois que ça doit être le chemin privé du domaine Foster. Nous devrions bientôt arriver à l'un des chalets des fermiers... »

La jeune fille marchait à ses côtés, arrivant à peine à le suivre, chaussée qu'elle était de hauts talons convenant fort peu à une randonnée sur un sentier de campagne.

Soudain, à quelques pas devant eux, un mouton sortit précipitamment de la haie sur leur droite et détala à toute allure de l'autre côté du sentier. Instinctivement, elle retint Bobby par la manche.

« Oh ! ça m'a fait peur. »

« Tenez, dit-il, prenez ma main. »

La main qu'elle lui tendit était frêle et il la tenait comme s'il eût conduit un petit enfant. Il voulait bien admettre que c'était absurde, mais son attitude envers elle avait tout de celle d'un propriétaire; et bien qu'elle sut que c'était imprudent, elle y réagissait avec spontanéité. Elle avait la sensation qu'une infinitésimale émanation d'elle-même était doucement aspirée par les doigts fermes de ce garçon autoritaire.

En pensée, Bobby serra sa main un peu plus fort mais, en réalité, il la dirigeait comme si elle eut été sa jeune soeur.

« Il pourrait nous arriver toutes sortes d'aventures, fit-elle. Supposons que nous tombions sur le repaire d'une bande de faux-monnayeurs. »

« Il n'y a plus de faux-monnayeurs de nos jours, dit-il en se moquant. Ils se sont tous recyclés dans la contrebande de l'alcool... Plus profitable et moins risqué. »

« Oh ! si vous saviez comme je déteste l'alcool, s'écria-t-elle avec véhémence. C'est devenu tellement dégoûtant et vulgaire ! Je ne m'étais jamais sentie concernée par cette question jusqu'à ces derniers temps. Mais maintenant, c'est en train de ruiner mon meilleur ami. »

Bobby était ennuyé de son brusque pincement de jalousie. Mais quel droit avait-il d'être jaloux?

« J'ai de bonnes raisons de détester l'alcool moi aussi, répliqua-t-il d'un ton amer avant d'ajouter avec un grognement, mais je crois bien que j'en suis venu à bout. »

« Oh ! je l'espère bien, s'exclama-t-elle d'une voix haletante. Ce serait tellement dommage... »

Sa phrase resta en suspens et pendant un long moment ils se turent tous les deux.

« C'est la première fois que quelqu'un me dit que ce serait dommage... »

Allons — le moment était donc venu de redresser le sablier. Elle le ferait immédiatement... sur-le-champ... mais pas de façon brusque. Elle se demanda comment il fallait s'y prendre pour retourner un sablier graduellement, comme imperceptiblement... Dans l'intervalle, le silence se prolongeait... et le silence, dans ces circonstances, était troublant.

« Vous le saviez, sans qu'on vous le dise, n'est-ce pas ?

« Je n'en suis pas certain. Ça n'aurait fait de différence à personne... »

« C'est ridicule ! Allons... vous voulez dire que personne ne se souciait que vous gâchiez votre vie ? »

« Je sais que ça peut sembler mélodramatique. J'ai l'air de vouloir jouer aux Deux orphelines. »

« Vous avez été plutôt... déprimé, non ? » Attention !... Attention !... Ce n'était pas ainsi qu'il fallait renverser le sablier.

« Terriblement !... Mais... je ne le suis plus maintenant ! »

« Tant mieux !... Vous vous êtes repris en main ? »

Ni l'un ni l'autre ne surent pourquoi, à ce moment, ils se serrèrent tout à coup les mains un peu plus fort. Naturellement, les mots y incitaient. La soudaine pression de ses doigts autour de sa main n'était rien de plus qu'un geste d'affirmation, le signe qu'il était sensible à ses mots d'encouragement. Et, quant à elle, sa réaction rapide n'était en somme qu'un vote de confiance envers un autre être humain sortant d'une dépression et se ressaisissant maintenant. Mais chacun était conscient — et conscient aussi que l'autre l'était — d'un pacte, d'un sentiment étrange et indéfinissable d'appartenance... Quelques secondes plus tard, elle retira sa main et se rendit compte aussitôt qu'elle n'aurait pas dû... par son geste, ne semblait-elle pas se retirer, après un aveu ?... Et puis, ça ne s'était pas passé de façon aussi banale qu'il aurait fallu... Elle avait dégagé ses doigts doucement tandis qu'il les retenait, oh ! à peine, d'une longue pression... Bon, le sablier avait bien été retourné, non ?

« Oh je vois de la lumière, s'écria-t-elle ! Là, à la fenêtre ! »

Tout en s'amusant à faire des spéculations sur la façon dont on les accueillerait, ils pressèrent le pas et une fois arrivés, frappèrent à la porte. Le fermier qui leur ouvrit se tenait sur le seuil, entouré du halo d'une lampe à acétylène suspendue au plafond; un enfant était agrippé à chacune de ses jambes, les yeux écarquillés d'étonnement.

Après une brève discussion, l'homme attrapa sa casquette et les rejoignit dans le noir; il les assura qu'il n'allait pas tarder et partit sortir le tracteur.

Bobby ne tenta pas de renouer le fil de la conversation interrompue par leur arrivée au chalet. Mais sur le chemin du retour, il prit la petite main de sa nouvelle amie et la glissa sous son bras. Elle la lui abandonna, sans réticence.

« Je suppose que vous retournez au collège », risqua-t-il.

« Non, pas cette année... Et vous ? »

« Oh j'ai terminé... dit Bobby d'un air sérieux. Dans quelques jours, je vais commencer des études pour une profession. »

« Le droit peut-être ? »

« Est-ce cela que vous choisiriez pour moi ? »

Elle rit. « Je crois qu'avant de choisir votre profession, il faudrait que je vous connaisse un peu mieux. »

« Eh bien... si vous étiez un homme... »

« Je me dirigerais vers la chirurgie. »

« Une spécialité quelconque ? »

« Oui, répondit-elle d'un air résolu, la chirurgie du cerveau. »

« Ça, c'est bizarre ! »

« Pourquoi ? »

Sa question resta sans réponse car le tracteur bruyant les dépassait déjà. Ils approchaient de la route principale et la conversation s'orienta vers le problème qui les occupait.

Après quelques manoeuvres pour se placer à l'endroit voulu, le fermier fut enfin prêt à tirer. Bobby se mit au volant du coupé, pendant que sa propriétaire attendait un peu à l'écart que l'on remette sa voiture sur la route. Ce fut vite fait mais le chauffeur temporaire bredouilla quelque chose au sujet de la possibilité que la boîte de direction ait besoin d'une vérification. Il arrivait qu'un choc comme celui-ci endommage la boîte de direction, dit-il. On ne lui demanda pas de préciser davantage. Peut-être serait-il bon, suggéra-t-il, de se rendre au village afin de s'assurer que tout était en bon ordre. Il l'accompagnerait volontiers si elle le désirait... Elle était tout à fait d'accord puisqu'il avait la gentillesse de l'offrir. Cela le dérangerait-il de conduire ? Peut-être cela valait-il mieux, dans les circonstances.

Elle demanda au fermier combien elle lui devait et lui remit beaucoup plus qu'il n'avait demandé. Il la remercia gauchement, faisant mine d'hésiter à accepter une telle somme.

Lorsqu'elle monta dans la voiture où Bobby, au volant, son coeur battant la chamade, prenait une attitude de propriétaire, le fermier, dans un effort pour se montrer amical dit : « C'est un vrai petit bijou de voiture. Elle ressemble drôlement à la petite Packard que le docteur Hudson avait l'habitude de conduire dans les parages. »

« C'est bien elle, dit la jeune fille, calmement. Bonsoir et merci encore. »

Comme un automate, Bobby Merrick mit en marche le gros coupé de feu le docteur Hudson et ils prirent la route du village.

« Elle semble bien rouler, non ? » demanda gaiement la jeune fille en noir à qui appartenait le gros coupé que le docteur Hudson avait l'habitude de conduire dans les parages.

Apparemment son nouvel ami n'était pas encore tout à fait assez sûr de lui pour répondre. Les yeux rivés sur la route devant lui, il tenait le volant d'une poigne si solide que le sang s'était retiré de ses jointures. Bobby se sentait conscient, d'une façon troublante, de sa présence à ses côtés, sur la banquette; plus conscient que de tout autre femme de sa connaissance. Ils ne se touchaient même pas, en vérité, mais elle était, absolument, *présente*.

« Ça va », dit-il sur un ton voilé.

« Je me dirigeais vers le village de toute façon, poursuivit-elle. J'espère surtout que la petite pharmacie sera encore ouverte. »

Apparemment, son chauffeur n'était pas au courant des habitudes nocture du pharmacien car il n'exprima pas d'opinion. Juste à ce moment, il appuya plus pesamment sur l'accélérateur et la puissante voiture fit subitement un bond sur la route.

« Je ne peux pas vous dire à quel point je vous suis reconnaissante, dit la jeune fille, intriguée par son silence. Je suis sûre que je n'aurais pas su me débrouiller si vous ne vous étiez pas amené. »

Bobby s'affairait avec la clef de contact.

« Mais je crains de vous avoir causé beaucoup de dérangements », dit-elle, nerveusement.

Il parla enfin, comme s'il revenait de très loin.

« La voiture est en parfaite condition, dit-il. Je vais descendre ici. Inutile d'aller au garage. » Il appliqua les freins résolument et la voiture s'arrêta brusquement. Bobby ouvrit la portière de gauche et sortit.

« Oh ! mais vous êtes à des kilomètres de l'endroit où vous m'avez trouvée, s'exclama-t-elle. Laissez-moi plutôt vous ramener à un endroit qui vous convienne mieux. Je vous en prie ! »

Il se sentait incapable de soutenir son regard.

« Je ne faisais qu'une petite promenade, dit-il d'un air absent. Aucune importance. »

Elle se glissa derrière le volant et lui tendit sa main qui trembla un peu quand il la prit entre ses doigts. Elle était déroutée. Qu'est-ce qu'elle avait bien pu dire pour le blesser ?

« Alors, bonsoir; je vous remercie vraiment beaucoup ! » Sa voix était mal assurée.

Il retint sa main dans la sienne quelques secondes, dit « Bonsoir » d'un ton qui pouvait traduire aussi bien la lassitude, le découragement, que la déception, se retourna et s'enfonça dans l'obscurité. Elle démarra et la voiture s'éloigna lentement comme avec hésitation.

Bobby suivit du regard le petit feu arrière rouge jusqu'à ce qu'il disparaisse au tournant de la route.

Une demi-heure plus tard, il s'assit à son piano, dans le salon triste comme une tombe de Windymere et, complètement perdu dans ses pensées, s'amusa à tenter de trouver une conclusion à la « Symphonie Inachevée » de Schubert.

V

On était fin septembre, un dimanche, tard dans l'après-midi. L'esprit et le coeur en fête, Nancy Ashford et son invité s'étaient vite sentis à l'étroit dans le coin confortable que celle-ci s'était réservé, à côté des bureaux de la direction générale de l'hôpital Brightwood. Aussi, lorsque Bobby suggéra une promenade en voiture, accepta-t-elle bien volontiers. Assise à ses côtés dans la grosse, voyante et dynamique roadster, il plaisait à Nancy d'imaginer que les passants puissent le prendre pour son fils. Voilà que la vie, qui l'avait comblée et dépouillée à deux reprises, la comblait de nouveau.

La directrice de l'hôpital, à la belle tête blanche, avait vite compris en ouvrant la porte du petit bureau à son visiteur cet après-midi là, que celui-ci était désireux d'exposer le but de l'entretien de façon à ce qu'il soit accueilli sans surprise ni émotion. Il avait un air solennel et elle décida d'être à la hauteur.

Sitôt arrivé, il alla droit au but. Lançant son chapeau sur le bureau et s'asseyant près d'elle sur le canapé, il dit brusquement : « Eh bien, j'ai décidé de le faire. Ça ne sera pas une surprise pour vous puisque dès le départ, c'est vous qui en avez eu l'idée, même si vous n'aviez pas précisé les détails. J'ai déjà tout arrangé. Je commence des études de médecine à l'université, jeudi de la semaine prochaine... Êtes-vous contente ? »

Nancy prit sa main dans la sienne, refoula son envie soudaine de pleurer et se mordit les lèvres dans un effort pour surmonter son émotion. Ses yeux brillaient. Mais elle ne dit pas un mot.

« Naturellement » enchaîna Bobby rapidement, comme s'il récitait une leçon, « je ne me fais aucune illusion. Cela veut dire un énorme boulot, pénible et fastidieux, et je ne suis pas, de nature, un bourreau du travail. Il faudra cinq ans, au moins, avant que je puisse même deviner si j'ai une chance de réussir, ou si je me suis seulement rendu ridicule. Je cours le risque de n'être jamais plus qu'un obscur médecin de second ordre et dans ce cas, ce que j'aurai fait sera absurde même si ce fût au prix d'énormément de temps et d'efforts.

Les gens ricaneront; ils diront, et je les entends déjà : 'Ouais, c'est le bonhomme qui a cru qu'il pouvait être un autre docteur Hudson.' Mais peut-être aussi que cette menace me donnera un petit peu plus de coeur au ventre. Je suppose que c'est idiot de même oser espérer que je puisse lui arriver, un jour, ne fût-ce qu'à la cheville; mais je peux tout au moins faire un effort dans ce sens. »

« J'étais sûre que vous en arriveriez à une décision comme celle-là, Bobby, commenta Nancy doucement, et je suis encore plus sûre, maintenant que votre décision est prise, que vous allez réussir. »

« Votre espoir m'aidera beaucoup. »

« Vous allez maintenant vouloir vous renseigner le plus possible sur le docteur Hudson, je présume ? »

* * *

C'est à ce moment qu'ils avaient eu l'impression d'étouffer dans le petit bureau. Ils iraient faire un tour de voiture. Bobby se contenterait de conduire et d'écouter et ce serait au tour de Nancy de parler. Pendant presque une vingtaine de kilomètres, ils s'étaient faufilés à travers l'intense circulation des chauffeurs du dimanche sur les boulevards; la voiture roulait maintenant plus lentement le long d'une petite rue de banlieue, beaucoup plus calme. Nancy avait rappelé quelques-uns des épisodes les plus singuliers de la vie de son héros, surtout ceux concernant la grande diversité de ses préoccupations philanthropiques et son étrange idée de les taire.

« Sa famille était-elle au courant ? »

« J'en doute. Joyce n'était qu'une enfant quand il a commencé à faire ces choses étranges pour les gens, et il est fort peu probable qu'il les lui ait racontées. Et quant à madame Hudson, au cours d'une visite à l'hôpital pas plus tard que jeudi dernier, elle a posé quelques questions qui me laissent croire qu'il ne lui avait pas fait de confidences sur cet aspect de sa vie. Plusieurs de ses protégés et bénéficiaires sont allés lui présenter des marques de sympathie et quelques-uns ont même offert de l'aider si elle en avait besoin. Évidemment, cela a aiguisé sa curiosité. »

« Oui, je suis un petit peu au courant. Depuis aujourd'hui, seulement. Tom Masterson est passé chez moi à midi, au moment où je me préparais à quitter Windymere. Il avait conduit Joyce au chalet des Hudson où Helen passe quelques jours. Il était venu s'informer si je voulais bien me joindre à eux pour l'après-midi. Je lui ai dit que j'avais un rendez-vous à la ville. »

« Peut-être que vous auriez dû y aller. Vous auriez pu me téléphoner. Avez-vous vu Joyce, au moins ? »

« Pas depuis mon retour de France. »

« Et je présume que vous n'avez jamais rencontré madame Hudson. »

Bobby eut préféré que cette question ne soit pas soulevée. Peut-être que s'il disait non, cela serait assez près de la vérité, mais réflexion faite, il décida que Nancy Ashford avait droit à son entière sincérité. Il décida d'être tout à fait franc.

« Oui, répondit-il avec hésitation. J'ai passé toute une heure avec elle hier soir, sur une petite route de campagne, mais elle ne le sait pas », ajouta-t-il après une longue pause.

« Ce qui veut dire ? » demanda Nancy étonnée.

Brièvement, il raconta leur rencontre par le menu. Les yeux bleus de Nancy Ashford s'agrandirent : derrière le récit puéril circulait indéniablement un fort courant de sympathie personnelle et le ton neutre que Bobby s'efforçait de donner à ses paroles n'arrivait pas à le masquer.

« Je crois qu'elle vous a plu, Bobby. Est-ce que je me trompe ? »

Il sourit, simulant l'indifférence. Il aurait peut-être pu se leurrer et croire que Nancy se contenterait de ce sourire en réponse à sa demande si, forçant un peu la note, il ne s'était risqué à la regarder dans les yeux. Il vit une telle dose d'incrédulité et une telle déception qu'il se ressaisit et coupa court à sa petite fourberie. On ne pouvait décidément rien cacher à cette femme.

« Ma chère, confessa-t-il d'une voix tremblante, elle me plaît tellement que je préfère que nous n'en parlions pas. »

La voiture était venue s'arrêter près du trottoir non loin d'un petit parc. Ils gardèrent le silence pendant un moment. Enfin, Nancy dit, machinalement : « Eh bien, ça alors ! »

« Oui, dit Bobby, acquiesçant distraitement, quelque chose du genre. »

Il y eut un autre silence prolongé.

« Et elle ignorait qui vous étiez ? »

« Je ne pouvais quand même pas le lui dire. »

« Combien de temps croyez-vous pouvoir conserver votre... incognito ? »

« Ça ne devrait pas être très compliqué, déclara Bobby d'un ton de dénigrement. Quand j'ai parlé à Masterson, j'ai pris bien soin d'inventer un alibi pour la soirée, au cas où on poserait des questions. Mais il est fort probable que madame Hudson a déjà complètement oublié ce petit incident. »

Nancy se mit à rire.

« Bobby Merrick, pensez-vous vraiment possible qu'une jeune femme du tempérament de madame Hudson produise l'impression qu'elle vous a faite sans en être parfaitement consciente ? Vous avez admis avoir été profondément conscient de sa présence — ce sont bien vos propres paroles, non ? —quand vous étiez l'un à côté de l'autre dans sa voiture. Croyez-vous réellement que vous auriez pu avoir cette sensation, si elle-même ne l'avait pas partagée aussi ? »

« Bien sûr; et pourquoi pas ? Écoutez un peu, vous tenez beaucoup trop de choses pour acquis dans cette affaire. Madame Hudson s'est montrée polie, amicale, reconnaissante d'un petit service, mais sans plus. Elle n'avait aucune raison de croire que je m'intéressais à elle. En fait, quand nous nous sommes quittés, j'ai même été presque impoli avec elle. » Il ne jugea pas nécessaire d'ajouter que pendant un bon deux cents mètres, sa voiture avait avancé au pas, en première vitesse, ne semblant s'éloigner qu'avec beaucoup de réticence.

« Oui, dit Nancy d'un air entendu, elle l'aurait remarqué. »

« Et elle saurait... à cause de mes manières brusques, n'est-ce pas ?... »

Nancy persista, impitoyable : « Saurait quoi ? »

« Mais... que je n'étais pas intéressé. »

« Mon cher garçon, vous la connaissez vraiment bien mal ! »

« Ce qui veut dire qu'elle a des dons hors de l'ordinaire pour interpréter les pensées des gens ? »

« Non. Ne faites pas l'idiot ! Ce qui veut dire uniquement que c'est une femme ! »

Ils flânèrent sous les ormes, s'arrêtant pour regarder quelques gamins qui faisaient flotter des petits bateaux sur la lagune parsemée de nénuphars. Un banc était libre. D'un commun accord, ils reprirent leur conversation sur la bizarre tendance qu'avait le docteur Hudson à se soucier des problèmes personnels d'on ne sait quelle quantité de gens, et de l'épais voile de silence dont il entourait ces étranges négociations.

* * *

« Aussi bien accepter comme un fait, affirmait Nancy d'un ton très convaincu, que la curieuse façon dont Wayne Hudson investissait de fortes sommes dans ces cas dont, de plus, il n'attendait ni n'espérait aucun remboursement, n'était pas le résultat d'un caprice. Il n'avait aucun penchant pour les caprices. Ce n'était pas un excentrique non plus. Je ne l'ai jamais vu agir sans motif valable. Personne n'aurait pu l'accuser de prodigalité ou d'incompétence en affaires. Il savait flairer les occasions, quand acheter et quand vendre. Quantité d'hommes d'affaires ayant plus d'expérience que lui sollicitaient son avis sur les tendances possibles du marché immobilier et se fiaient à son jugement pour faire des placements dans l'industrie. Je suis persuadée que s'il faisait ces étranges choses pour certaines personnes, de façon si discrète, ce n'était pas sans motif bien précis. Dans un certain sens, et je ne prétends pas comprendre comment, sa réussite professionnelle en dépendait. Quand vous aurez découvert quel était ce motif, vous saurez pourquoi Wayne Hudson était un grand chirurgien ! »

« En savez-vous plus sur le sujet que ce que vous m'en avez dit ? » demanda-t-il en la regardant d'un oeil inquisiteur.

« Il existe un petit livre, une sorte de journal, je crois que vous avez le droit de le savoir. Il le conservait dans le coffre-fort du bureau, avec des documents importants; certains étaient des dossiers professionnels, d'autres concernaient ses propres transactions d'affaires. Le livre était déjà là quand j'ai pris en charge la direction de Brightwood. Un jour que nous cherchions des polices d'assurances, j'ai demandé au docteur Hudson si ce petit livre concernait les affaires de l'hôpital... »

« Vous n'étiez pas en mesure de le savoir ? » dit Bobby, l'interrompant.

« Ce n'était écrit ni en anglais, ni dans aucune autre langue que je connaisse. »

« À quoi cela ressemblait-il, à de l'espagnol, de l'allemand, du grec ? »

Elle fit signe que non et poursuivit son récit.

« Je lui demandai ce qu'était ce petit livre. Je me rappelle très bien comme il est devenu songeur tout à coup et la façon dont il est resté, pendant de longues minutes, à se frotter le front du bout de ses doigts, ce qu'il faisait toujours quand il avait à prendre une décision importante, disant finalement, après avoir bien attendu : 'Il s'agit uniquement de dossiers personnels.' Puis il avait ajouté, avec le sourire : 'Vous êtes bien livre de les lire. Si vous y arrivez.' »

« Avez-vous déjà essayé ? »

« Ai-je déjà essayé ? répéta-t-elle. Pendant des heures et des heures, récemment. »

« Cela vous a-t-il donné quelque chose ? »

« Un mal de tête ! »

« J'aimerais bien pouvoir examiner ce livre ! »

« Je vais vous le montrer ! Personne n'y a plus droit que vous. J'ai mentionné à madame Hudson que plusieurs documents importants du docteur se trouvaient dans le coffre de l'hôpital, et elle a insisté pour que nous les conservions jusqu'à ce qu'elle ait le courage de les regarder avec moi; et le livre est toujours là. »

« Retournons-y », dit-il dans un élan d'impétuosité.

Il faisait déjà nuit lorsqu'ils arrivèrent à Brightwood. Nancy retira le livre du coffre-fort et le plaça devant lui sur le bureau. Il s'assit et prit dans ses mains un journal banal, noir, relié en cuir, de vingt centimètres sur douze et de plus de deux centimètres d'épaisseur. Sur la page de garde était écrite cette unique phrase de l'écriture très caractéristique du docteur Hudson :

À QUI DE DROIT

« Personne ne peut y avoir droit plus que moi ! » Il leva les yeux vers Nancy, sollicitant son approbation. Elle fit signe que oui.

« Et maintenant, passez à la page suivante et dites-moi ce que vous pensez de ça ! »

Bobby examina la page longuement.

« C'est un code ! »

« Vous le trouverez très difficile, dit Nancy. Voici comment je vois les choses : l'intention du docteur Hudson était que les questions qu'il gardait secrètes ne puissent pas être divulguées tant qu'il serait vivant. Le fait qu'un si grand nombre de ses bizarres protégés se pointent maintenant, prêts à raconter l'histoire de ses étranges transactions avec eux, m'a convaincue qu'ils avaient pratiquement dû jurer le secret tant qu'il vivrait. Maintenant qu'il n'est plus là, ils parlent. Je crois que le mystère tient tout entier dans ce livre. Quiconque le lira, saura le fin mot de l'histoire. Peut-être le docteur voulait-il que ça se sache quand il n'en aurait plus besoin mais qu'il l'avait rendu inaccessible à quiconque le trouverait par hasard tant qu'il serait encore vivant. »

« Il l'a rendu bien assez inaccessible. Aucun doute là-dessus ! »

« Sur la première page, ici, expliqua Nancy, il s'agit indiscutablement d'une espèce de préface. Vous remarquerez que toutes les autres pages sont couvertes d'écriture. Celle-ci ne compte qu'une dizaine de lignes. Ce doit être un avant-propos ou une explication, une dédicace peut-être... Apportez-le avec vous... Vous connaissez un peu de grec ? »

Bobby secoua la tête.

« Oh, je connais bien l'alphabet », précisa-t-il en souriant.

« Ça suffira... Quelle est la dernière lettre ? »

« Omega », récita Bobby sans hésitation.

« Et omega constitue une sorte de signal d'arrêt, n'est-ce pas ? Le signe que quelque chose est terminé ? »

Il fit signe que oui.

« Combien y a-t-il de lettres dans l'alphabet grec ? »

Bobby ferma les yeux et compta sur ses doigts.

« Vingt-quatre. »

« Omega est donc la vingt-quatrième... et le signe de la fin. »

« Exact ! »

« Et maintenant, quelle est la douzième lettre ? »

« Mu », répondit Bobby après un autre petit calcul.

« Eh bien, dans ce cas, si omega signifie « terminé », qu'est-ce que mu signifie, d'après vous ? »

« À moitié terminé, je suppose. »

Bobby se remit sérieusement à scruter la préface du petit livre et découvrit à intervalles presque réguliers, les lettres μ (mu) et ω (omega). »

« S'agit-il d'un indice ? »

« Je crois que oui, dit Nancy, mais ça ne m'a pas avancée. Je vous en fais part tout simplement, pour ce que ça peut valoir. »

* * *

À aucun moment au cours du long trajet pour rentrer chez lui, Bobby Merrick ne sut-il au juste où il était, tandis qu'il filait le long de cette route vers Windymere, qu'il connaissait par coeur. À minuit, il gara sa voiture, monta à sa chambre et s'assit à son bureau avec le journal personnel du docteur Hudson, un crayon et une épaisse tablette de papier; à l'aube, il en était encore à faire des expériences sans avoir connu aucune lueur d'encouragement.

Meggs, ouvrant la porte pour lui dire que le déjeuner était servi, le trouva tout habillé, endormi, la tête appuyée sur ses bras; les yeux brillants, il redescendit l'escalier sur la pointe des pieds.

Quelques instants plus tard, il chuchota au cuisinier d'un ton de victoire : « Vous avez perdu votre pari ! »

« Encore ivre ? »

« Et comment ! »

Fac-similé de la première page du journal du docteur Hudson :

VI

L'ombre lumineuse projetée par la lampe, coiffée d'un volumineux abat-jour, posée à la tête de son lit, éclairait les munitions dont la jeune madame Hudson s'était armée pour combattre sa somnolence lorsque, vers minuit, elle s'était retirée avec un roman, deux revues et un nécessaire de correspondance (débordant, hélas, de lettres restées sans réponse), bien déterminée à rester éveillée jusqu'au retour de Joyce.

Un peu avant deux heures toutefois, elle avait perdu la bataille et dormait maintenant, tandis que la lumière éclairait son visage inquiet. Ce n'était pas le fait, d'importance mineure, d'avoir dû capituler, qui l'avait préoccupée; mais cela faisait partie de son sentiment de faillite générale.

Eût-il été appelé à comparaître dans la boîte aux témoins le jour de sa mort pour rendre compte du succès du mariage qu'il avait contracté au nom de sa fille, feu le docteur Hudson, qui poussait la franchise jusqu'au scrupule, aurait pu trouver la question embarrassante.

À l'église Saint Andrew, ce froid matin de janvier, en présence de l'oncle Percival et de Monty — et du sénateur Byrnes venu de Washington, entre deux avions — le trio ressemblait, non pas à un couple de mariés escortés d'une fille déjà grande qui accordait joyeusement son consentement, mais à une paire de jeunes femmes, remarquablement belles, escortées d'un gardien d'âge mûr, distingué, qui au nom de l'Église et de l'État légalisait et bénissait leur amitié et sanctionnait leur contrat.

Le docteur Hudson n'éprouvait aucun scrupule à ce que ce fût ouvertement un « mariage de convenance » (l'expression française lui paraissant plus euphonique que son équivalent anglais).

Il ne nourrissait aucune illusion à ce sujet, conscient que si tous les mariages de la terre ne reposaient que sur des liens amoureux dépourvus d'un côté comme de l'autre de toute pensée d'avantages matériels, la race humaine se serait éteinte depuis longtemps déjà; et que, s'il était inadmissible pour une jeune femme de contracter mariage tout en se sachant incapable, dans l'immédiat, de s'offrir à son mari avec une affection sans réserves, la Sainte Vierge elle-même était à blâmer.

Sitôt son mariage consommé toutefois, le docteur Hudson sentit naître en lui un amour sincère et profond pour sa jeune épouse, presque encore une enfant en vérité, et l'amitié qu'il avait cherché à cimenter entre Helen et Joyce fut mise en péril.

Joyce n'avait pas le pied marin et les trois premières journées furent plutôt rudes.

« Non chérie; rien du tout... Sauve-toi, je t'en prie. J'y tiens vraiment. »

Ce qui fit que lorsque, le dimanche midi, elle consentit à venir s'allonger, bien emmitoufflée, dans le fauteuil qui lui était réservé sur le pont B, Joyce se rendit compte qu'elle était entourée de petits soins non pas par un père attentif et une fidèle camarade de collège mais par un mari et sa femme. De bons amis à elle bien sûr, mais enfin, c'était comme ça.

Ils essayèrent bien tous les trois de remettre sur pied l'entente initiale, mais ça ne marchait pas. Peut-être même fut-ce justement leurs efforts qui rendirent la chose impossible. À Paris, Hudson avait vivement encouragé Joyce dans son extravagante razzia dans les boutiques; et Helen, joignant ses approbations à celles de son mari, avait peut-être un peu forcé la note.

« Quel ravissant manteau ! Je suis si contente que tu l'aies trouvé, Joyce ! Il te va à ravir ! »

C'était bien l'attitude qu'il fallait mais le ton ne sonnait pas tout à fait juste : il n'était pas celui de jeunes filles entre elles, mais plutôt celui d'une belle-mère un peu enjôleuse, trop désireuse de faire montre de générosité, d'affection.

Il n'y avait pas de disputes et peut-être cela eut-il allégé l'atmosphère qu'il y en eût. Il n'y avait, non plus, aucune contrainte, du moins en surface. C'était trop profond pour venir à la surface; et là était bien le problème. Toutes leurs paroles étaient amplifiées, comme à travers un haut-parleur, magnifiant les assurances d'amitié qu'elles se donnaient mutuellement, jusqu'à ce que le tout paraisse irréel. Chacune savait que l'autre s'efforçait d'être naturelle. Chacune savait que l'autre jouait un rôle difficile. Avec désespoir presque, elles tentèrent de recouvrer leur entente première, mais elles ne savaient plus comment s'y prendre.

Peu de temps après la mort du docteur Hudson, la distance qui les séparait s'agrandit considérablement. Les premiers jours, elles s'étaient accrochées l'une à l'autre avec un regain d'affection qui promettait, sinon un retour à leur amitié de jadis, tout au moins un gage de ne plus pouvoir se passer l'une de l'autre à l'avenir et peut-être même une relation beaucoup plus précieuse que toutes celles qu'elles avaient connues jusque là. Mais cela ne dura pas.

Pendant une semaine, Joyce fut inconsolable mais sa peine s'épuisa vite. Aussi était-elle honnête avec elle-même lorsqu'elle déclara un beau jour qu'elle n'allait pas continuer plus longtemps à se morfondre car, inconstante comme elle l'était, ce n'eût été qu'affectation de sa part que de prolonger son deuil, si tant est qu'elle en fût capable, ce dont il était permis de douter.

Elle rentrait de plus en plus tard et ses explications se faisaient de plus en plus évasives depuis quelque temps. Helen, inquiète, posa quelques questions, avec un tact infini, laissant entendre qu'elle désapprouvait ces sorties, mais Joyce les écartait d'une boutade ou d'une petite allusion, proférée d'un ton aimable, il est vrai, au fait que l'on était bien assez grande maintenant pour savoir où l'on voulait aller, et avec qui, et jusqu'à quelle heure. Qu'elle ne fatigue surtout pas sa jolie petite tête à se faire du souci pour son étourdie de Joyce; qu'elle vive plutôt sa propre vie et arrête de s'en faire pour des bagatelles.

Quand neuf heures arrivaient, Joyce disait, en protestant : « Ne m'attends surtout pas, ma chérie ! Je sors avec Ned. » (Ou Tom, ou Pat ou Phil.) « Nous rentrerons peut-être tard, tu sais. Où ? Oh, je n'en sais rien... danser quelque part, je suppose... Puis nous irons prendre une bouchée après la soirée... au Crystal Palace, peut-être... ou chez Gordon, on verra bien. »

« Je n'aime pas beaucoup que tu ailles chez Gordon, Joyce. Vraiment pas; ce n'est pas un endroit très convenable. Dis-moi que tu n'iras pas... je t'en prie ! »

« Oh, si tu insistes. Seulement, je ne suis pas la seule à décider, tu sais. Le garçon qui m'accompagne a aussi son mot à dire. »

* * *

Sur le couvre-lit rose, quelques lettres étaient dispersées, dont l'une, brève et fraternelle, provenait de Montgomery Brent; il serait toujours prêt à lui prodiguer ses conseils, écrivait-il à sa « petite soeur », si elle en éprouvait le besoin maintenant qu'elle avait plus de responsabilités.

« Tu sais bien que je ne demanderais pas mieux que d'aplanir les difficultés pour toi en tout ce qui concerne la sauvegarde de ton héritage, l'impôt, les placements. Je règle ces questions tous les jours, dans mon boulot. »

« Quel garçon charmant, murmura-t-elle à mi-voix, en relisant la lettre. C'est très chic de sa part et pas une mauvaise idée du tout. Je me demande s'il connaît vraiment quelque chose aux affaires. Il doit commencer à s'y connaître, depuis le temps ! »

Montgomery, qu'elle aimait bien appeler frère Monty (et jamais avec autant d'affection qu'en ce moment, où elle se sentait si malheureuse) avait cinq ans de plus qu'elle. Voyant que les études n'étaient pas son fort après sa deuxième année de collège, il décida d'aller offrir ses talents de saxophoniste au monde du jazz. Sautiller, se contorsionner, souffler dans son instrument jusqu'à en devenir bleu, de huit heures du soir à deux heures du matin, sept jours sur sept, au premier rang d'un orchestre de danse, lui sembla vite peu satisfaisant comme carrière permanente et il se fit bientôt quelques amis parmi les jeunes gens, aux doigts couverts de craie, chargés des inscriptions au tableau d'une maison de courtage du centre-ville. Quelques mois plus tard, on lui offrait un bureau et un petit salaire dans la compagnie.

« Je suis courtier », répondait-il d'un ton sérieux, quand quelque beau brin de fille lui demandait avec coquetterie, pendant une danse, quel collège il fréquentait.

Il semblait maintenant se débrouiller assez bien. Il n'avait pas emprunté d'argent à Helen depuis au-delà d'un an; il lui avait offert un vase en argent très coûteux comme cadeau de noces; au mariage, il portait l'habit, avec pantalons rayés et guêtres, le seul homme présent à ne pas avoir tenu compte de la note : tenue de ville, sur les invitations... Ce n'était pas une mauvaise idée. Il lui restait quand même un ami : ce cher bon vieux Monty !

Il y avait aussi une autre lettre, un petit mot, posté d'Ann Arbor et adressé à Joyce par le jeune Merrick; composée, selon toutes apparences, avec beaucoup de soin. Plusieurs choses y étaient passées sous silence, l'auteur présumant sans doute que l'on pourrait lire entre les lignes. Il avait commencé des études de médecine, espérant éventuellement pouvoir rendre service à la profession si brillamment illustrée par le père de Joyce.

« Je ne l'aurais jamais vu dans ce rôle, avait ajouté Joyce en lisant cette partie de la lettre à Helen. Ça fait un peu don Quichotte, tu ne trouves pas ? »

« Il a probablement agi par impulsion », avait remarqué Helen.

« C'est quand même bien de sa part ! N'es-tu pas de mon avis ? » demanda Joyce, se faisant son défenseur.

« Je te le dirai dans un an d'ici », répondit Helen à mi-voix.

Joyce avait continué à lire en silence, puis, sa lecture terminée, avait lancé la lettre à travers la table, dans un geste d'impatience, avant d'enfoncer rageusement sa cuillère dans son pamplemousse.

« Je crois que tu ferais mieux d'y répondre toi-même, Helen. La seule ligne personnelle et un peu humaine, dans cette lettre, est pour toi. Écris-lui et dis-lui que tu espères qu'il s'entendra bien avec ses professeurs et qu'il obtiendra des A dans toutes les matières », dit-elle brusquement avec une franchise désarmante.

La seule ligne personnelle et un peu humaine disait : « Je te prie de transmettre mes sympathies et mes salutations à madame Hudson, que j'espère avoir le plaisir de connaître bientôt. »

Helen n'avait pas fait d'autre commentaire. Son opinion du jeune Merrick était basée uniquement sur les remarques troublantes de Joyce à son sujet : un jeune homme gâté, débauché et avec trop d'argent pour son propre bien. Il était évident que la jeune fille s'était entichée de lui mais qu'il n'avait rien fait pour en profiter. Helen en était bien contente. Elle n'avait aucun désir de le rencontrer et appréhendait le jour où il se présenterait. C'était déjà bien assez qu'il fût la cause de la mort tragique de son mari... Pas sa faute, bien sûr; mais elle espérait qu'il ne la forcerait pas à tenter d'être gentille avec lui. L'incident était clos. Cela la soulageait.

La lettre était restée dans sa pile de courrier à côté de son assiette et, par la suite, elle l'avait glissée dans son nécessaire de correspondance. Plus tard, elle l'avait relue dans son lit. Enfin, qu'il réussisse ou non, cela ne la concernait pas. Au moins, il n'entrait pas dans les calculs de Joyce... Un ami louche de moins à surveiller.

* * *

Helen fut réveillée en sursaut par la porte de sa chambre qu'on ouvrait doucement, suffisamment pour laisser passer le visage tout rouge de Joyce.

« C'est toi, Joyce ? »

La porte se referma, doucement, avec précaution.

À travers la porte, Helen entendit, prononcés d'une voix étouffée : « Excuse-moi, chérie... Bonne nuit ! »

« Entre, chérie », appela-t-elle.

Après un long moment, la porte s'ouvrit à nouveau. Joyce entra, d'un pas chancelant, à moitié endormie, se frottant le front, hébétée, du revers d'une main dans laquelle elle serrait son chapeau chiffonné, tandis que de l'autre elle cherchait à tâtons un point d'appui. Elle s'arrêta finalement au pied du lit, oscillant sur ses jambes, comme étourdie.

« Oh ! mais ma pauvre chérie, s'écria Helen, consternée, se soulevant soudain sur les coudes. Pour l'amour du ciel !... D'où sors-tu ? »

« Gordon ! »

Les syllabes gutturales s'échappaient à travers les dents serrées très dur de Joyce qui souriait avec fatuité.

Helen, assise dans son lit, fixait en silence, d'un regard incrédule, sa belle-fille tout échevelée, que cette inspection rendit vite nerveuse.

« Tu as... tu as écrit des lettres ! » Joyce examinait le désordre sur le lit, tentant désespérément d'adopter un ton naturel.

Helen eut un bref hochement de tête et appuya avec force ses deux mains sur ses tempes dans un geste de découragement que Joyce décida d'ignorer.

« Et s'il n'y a pas petit Bobby ? » Se penchant, elle s'avança au-dessus du lit, et d'un geste d'une grande précision, souleva la lettre d'une chiquenaude. « Ça !... pour toi !... docteur Merrick ! »

« Ma parole, Joyce Hudson, tu es ivre ! »

Helen enfila ses pantoufles, attrapa un kimono et passa ses bras autour des épaules affaissées de la jeune fille.

« Qui ? Moi ?, dit Joyce gentiment, dans un gloussement. Moi... ivre ? Tu devrais voir Tommy ! »

« Laisse-moi t'aider à te mettre au lit, supplia Helen d'une voix brisée. Non, ici. Tu peux dormir dans ma chambre. »

D'une main, Joyce tentait avec maladresse de défaire ses boutons, tandis que de l'autre elle s'épongeait le front gauchement avec son petit chapeau. Elle finit par s'écrouler sur le lit; Helen lui retira sa robe et posa une serviette fraîche sur ses yeux.

« Merci chérie, marmonna Joyce entre deux profonds soupirs. Beaucoup d'ennuis... dommage... ma faute tout ça... Ne blâme pas Tommy. Tommy est un brave garçon... Vais... vais épouser Tommy... Eh bien, tu ne peux pas me congra... fécil... je crains de ne pas pouvoir le dire très clairement... mais tu n'es pas contente... à propos de Tommy et moi ? »

« Nous parlerons de tout ça demain matin, à tête reposée, ma chérie, » dit Helen pour la calmer. Elle retourna la serviette et tamponna doucement les tempes brûlantes de Joyce.

« Non, monsieur ! bredouilla Joyce en faisant un geste large. On va en parler (de sa belle main fine elle tapa gauchement sur l'oreiller) tout suite ! » Elle rejeta la serviette et leva ses yeux gonflés vers Helen, d'un air de défi. « Ça, ça te ressemble ! Tu pleures ! J'arrive ici, toute contente, pour annoncer mes fiançailles avec Tommy et tu pleures ! Qu'est-ce qui te prend ? Tu veux l'avoir pour toi ? »

Contenant son impatience, Helen pria la pauvre fille ivre de laisser tomber et de dormir. Le visage couvert de larmes, Joyce pleurnichait, s'apitoyant sur son propre sort.

« Personne ne m'aime ! se lamenta-t-elle. Personne, à part le brave vieux Tommy !... Mais je ne vais pas l'épouser... Non ! »

Elle finit par se détendre, passa sa langue sur ses lèvres rêches, poussa un profond soupir et s'endormit. Helen s'agenouilla près du lit, le visage enfoui dans les couvertures pour échapper aux exhalaisons d'alcool et se mit à pleurer à chaudes larmes. Wayne Hudson l'avait chargée d'une responsabilité beaucoup trop lourde à supporter. Il ne lui avait demandé qu'une seule chose. Et elle n'avait pas été à la hauteur.

* * *

Finalement, se dégageant avec raideur de l'inconfortable position dans laquelle elle s'était endormie, rompue de fatigue et d'épuisement, elle ramassa machinalement les lettres éparpillées sur le parquet, éteignit la lumière et, d'un pas las, se dirigea vers la chambre de Joyce. Elle déposa les lettres sur la coiffeuse et s'épongea le visage avec de l'eau de cologne.

La brève note compassée de Bobby Merrick était ouverte sur la petite table devant elle, semblant réclamer son attention. On pouvait lire entre les lignes qu'il se considérait chargé d'une obligation morale envers le docteur Hudson... Elle avait été prête à ne considérer ce sous-entendu que comme une simple prétention... Il jouait temporairement au martyr, jusqu'à ce qu'il s'en lasse... une tentative de galanterie. Elle détourna les yeux de la lettre, perplexe, la sentant comme une accusation. Avait-elle, elle aussi, une obligation morale envers le docteur Hudson ? Le jeune Merrick essayait de remplir la sienne ! Et que faisait-elle de la sienne ?

Elle plia soigneusement la lettre et, l'air préoccupé, passa et repassa sur les plis, de ses doigts nerveux, pendant un long moment. Il lui vint tout à coup à l'idée qu'elle aimerait bien avoir une longue conversation confidentielle avec Bobby Merrick. Peut-être aurait-il quelque suggestion à faire... Elle regarda fixement son reflet hagard dans la glace et secoua la tête. Non, ce n'était pas ainsi qu'elle s'en sortirait. Elle glissa la lettre dans son nécessaire de correspondance et, avec lassitude, se laissa tomber sur le lit.

VII

À une heure du matin le jour de l'action de grâce, le jeune Merrick trouva la solution de la devinette à laquelle il avait consacré la majeure partie de ses loisirs depuis presque deux mois.

Au bout d'une semaine seulement de travail sporadique, il avait écrit à Nancy Ashford : « Lorsque la lumière se fera sur cette affaire, ce ne sera pas à la manière dont l'aube se lève sur la vallée. Le livre restera plongé dans l'obscurité la plus profonde jusqu'à un certain moment, après quoi il deviendra aussi clair et lumineux qu'un matin de juin. Dans une affaire comme celle-ci, il n'y a pas de demi-mesure : ou on peut le lire en entier, facilement et clairement, ou on ne peut en déchiffrer une seule syllabe. »

La relâche de l'action de grâce ayant commencé le mercredi midi, Bobby décida d'occuper ce court congé à décrypter le journal. Le moment était bien choisi. Les distractions et les interruptions seraient à peu près inexistantes car la cloche du midi avait à peine fini de sonner que le quartier étudiant avait été aussi désert que si l'on eût annoncé l'éminence d'une épidémie de peste noire. Il avait promis, sous condition, de prendre le repas avec le vieux Nicholas, le soir de l'action de grâce, « pourvu que j'aie d'abord pu régler un problème urgent ».

Pendant tout l'après-midi du mercredi, il avait tenté sans succès une expérience après l'autre, la plupart n'étant d'ailleurs que des variantes de solutions déjà essayées. Il n'arrivait pas à concentrer vraiment son attention et cela le contrariait. Pendant une heure, il restait assis à son bureau, taillant ses crayons, fixant un regard vitreux sur ce manuscrit qui semblait le narguer. Puis il se jetait en travers de son lit et, s'appuyant sur un coude vite engourdi, il alignait des colonnes de lettres dans tous les sens possibles et impossibles. Ne prêtant aucune attention ni au temps qui passait, ni à son propre inconfort, pas plus qu'à son besoin d'exercice, il continuait d'aligner des diagrammes et de déchirer du papier. Le soir tomba et il fit de la lumière dans la pièce. Quand minuit sonna, la lassitude se fit sentir et son cerveau ne fonctionna plus qu'au ralenti et de façon machinale. Il tapota ses dents avec son crayon et, malgré lui, se prit à rêvasser. Il fit même, mentalement, une brève excursion à pied, le long de la route principale au nord de Windymere, et vint y porter secours à une automobiliste en détresse. Puis, il se secoua avec impatience et se remit à aligner interminablement ses diagrammes.

Tout à coup, il eut une idée nouvelle. Ah ! voilà une chose qu'il n'avait pas encore essayée ! Il écrivit d'abord en ligne droite les quelques premiers mots du texte inintelligible, en ne tenant aucun compte de l'espace les séparant. (Depuis un bon moment déjà, il recopiait les lettres en majuscules dans l'espoir que cela puisse simplifier les mots.)

Il sépara alors en deux ce qui semblait constituer la première phrase, à l'endroit où la lettre « μ » indiquait un demi-arrêt, et inscrivit la suite du texte immédiatement en-dessous:

L C E R E E O S D R C M E N M
E T U J T C N I E E O M U A I

Poussé par un simple caprice, il écrivit ces deux lignes à nouveau, mais cette fois en laissant une légère marge à gauche de la deuxième ligne:

L C E R E E O S D R C M E N M
E T U J T C N I E E O M U A I

Pendant un bon cinq minutes, il regarda cette combinaison jusqu'à ce que les deux lignes s'embrouillent et se fusionnent. Tout à coup, son coeur fit un bond. Son crayon tremblait tandis qu'il écrivait les lettres avec rapidité, encastrant les deux lignes, cette fois :

LECTEURJETECONSIDÈRECOMMEUNAMI

« Je l'ai. »

Il se mit à crier à tue-tête, à rire, moitié de joie extatique, moitié gagné par l'hystérie. C'était d'une simplicité ridicule... maintenant qu'il avait résolu le mystère. À peine cinq minutes plus tard, il avait déjà copié et encastré les lignes suivantes et réussi à décoder le court message de la première page:

LECTEUR JE TE CONSIDÈRE COMME UN AMI ET JE TE FÉLICITE DE TA PERSÉVÉRANCE PUISQUE TU ES MAINTENANT CAPABLE DE LIRE CE LIVRE TU AS AUSSI LE DROIT DE LE POSSÉDER POURSUIS TA LECTURE TU

COMPRENDRAS LES RAISONS QUI M'ONT POUSSÉ À L'ÉCRIRE EN CODE.

* * *

Maintenant que la longue tension desserrait son étreinte, Bobby se rendit compte qu'il avait une faim de loup. Un large sourire de satisfaction aux lèvres, il s'habilla pour sortir. Il éprouvait la délectable sensation d'avoir accompli quelque chose. Comme il nouait son foulard devant la glace, son regard se posa sur le petit livre noir placé sur la table, de la même façon qu'un gladiateur eut considéré un adversaire étendu à ses pieds.

Il faisait une violente tempête de neige fondante et, revigoré par ce coup de fouet stimulant, il redressa les épaules, allongea le pas, prit de grandes respirations, rit joyeusement, entonna la Marseillaise en marquant le pas et en balançant ses longs bras d'une allure triomphale.

Une rue à peine au sud de la gare centrale Michigan, se trouvait un petit restaurant, spécialisé dans les grillades. Toutes les nuits, un certain Tony y haranguait ses clients. Tony était un exemple typique du petit commerçant, coiffeur érudit, cordonnier philosophe, ou restaurateur haut en couleurs que l'on trouve dans chaque ville universitaire. Ils arrivent, par leurs excentricités, conjuguées à un intérêt sincère pour les activités sportives des étudiants et pour l'université en général, à atteindre une certaine renommée locale.

Plus d'un professeur attitré de l'université de l'État eut été heureux et chanceux de pouvoir appeler autant d'étudiants par leur prénom que le faisait Tony. Le roulement de population dans une ville universitaire étant étonnamment rapide, les onze ans de résidence de Tony à Ann Arbor faisaient de lui un élément du décor, mieux, une institution. C'était comme s'il eût été là depuis le sixième jour de la création.

On disait qu'il était à l'aise malgré son habitude de faire crédit et de consentir des prêts aux étudiants avec une confiance naïve qui eût conduit une banque à la faillite en moins de quarante-huit heures.

Sur le comptoir des cigares se trouvait un petit agenda bon marché; un crayon y était attaché par un bout de ficelle. Tout étudiant sans fonds qui venait chez Tony, n'avait qu'à commander son repas et, en partant, à inscrire son nom et le montant de sa dette dans le livre; aucun besoin de prouver sa solvabilité; on écrivait dans le livre, c'était tout. Et quand on le pouvait, on réglait le compte, puis on feuilletait le livre pour retrouver l'inscription de la dette et l'effacer soi-même. Tony acceptait le paiement sans aucune manifestation d'émotion. Et cette absence de sourire à la liquidation de la dette était en soi tout un compliment. Ayant toujours su qu'il serait remboursé, il n'avait aucun motif de célébrer.

Tony commençait son service, quant à lui, à six heures du soir et travaillait toute la nuit. Personne ne l'avait jamais vu à son commerce durant la journée : des assistants compétents assumaient la charge des repas du matin et du midi.

« Tony, pourquoi ne travailles-tu que le soir ? » lui demandaient souvent ses clients tandis qu'il posait bruyamment des assiettes de jambon et d'oeufs sur la table de bois nu.

« Tu aimerais mieux que moi pas ici le soir, non ? » demandait Tony en souriant, sachant très bien que dans les éclats de protestation qui suivraient cette remarque, la question initiale serait oubliée.

De temps à autre, de jeunes journalistes du *Michigan Daily*, cherchant à développer ce qu'ils soupçonnaient être un talent exceptionnel, engageaient la conversation avec Tony au sujet de son commerce : combien perdait-il chaque année avec les mauvaises créances et le crédit facile qu'il offrait; pourquoi ne travaillait-il que le soir, au moment où il n'y avait pas beaucoup de clients; et toutes sortes de questions posées avec l'habituelle impertinence des journalistes. Mais aucun article n'avait jamais vu le jour sur le sujet, car Tony, pressé de questions, se réfugiait toujours derrière sa connaissance insuffisante de la langue.

« Je n'ai rien pu tirer de lui. Il est vraiment trop stupide. »

« Ah vraiment, répliquait le rédacteur de l'édition du dimanche, avec son air sophistiqué. Mon gars, tu as commis l'erreur classique de croire que Tony est épais alors qu'il est profond. »

* * *

Bobby Merrick savait par expérience que Tony serait là ce soir, pour calmer son appétit. On lui servirait avec une rapidité étonnante un bifteck capable de soutenir favorablement la comparaison avec n'importe quelle pièce de viande de choix baptisée d'un nom français, servie avec une garniture de petits champignons, présentée sur un plateau d'argent avec force courbettes et coûtant dix fois plus que ce que Tony en demandait. Il y aurait du café frais et une salade digne du plus fin gourmet. Tony savait exactement quand cesser de frotter le bol avec l'ail.

Entré en coup de vent dans le petit café, Bobby vit tout de suite qu'il était le seul client. Tony, un peu endormi mais toujours aussi aimable, lui approcha vite une chaise. Avec la grâce d'un courtisan, il aida son client à se débarrasser de son lourd manteau et d'un geste habile secoua la neige des épaules.

Son client lui fit part de son choix avec l'éloquente conviction de quelqu'un qui sait exactement ce qu'il veut et Tony s'éloigna avec ses directives.

« Tu peux laisser tomber les pommes de terre, Tony », lui lança Bobby alors que son hôte commençait à s'affairer à ses casseroles.

« Toi sortir drôlement tard, doc », lui cria Tony, par-dessus le sifflement du gril. Il avait un instinct infaillible pour détecter les étudiants de médecine : probablement parce qu'ils étaient un peu plus vieux que les fans des parties de football, peut-être aussi à cause de leur odeur âcre. Autour des étudiants de médecine flottait toujours l'odeur prononcée de leur future profession.

« Cas de bébé, p'têt' ? »

Il aimait bien laisser croire à ces jeunes qu'ils avaient l'air assez mûrs et sérieux pour être au moins internes, ou mieux encore, faire des visites, à titre de subalternes pour leurs supérieurs bien au chaud dans leur lit. Éventuellement par un beau matin de juin, à l'auditorium Hill, les plus travailleurs et les plus tenaces seraient officiellement déclarés « docteurs » de la voix sonore du recteur; mais Tony leur avait lui-même décerné leur diplôme depuis longtemps déjà. C'était un sujet de plaisanteries entre eux, mais ils ne lui avaient jamais adressé la moindre remarque, encore moins la suggestion de s'en abstenir.

« Non, Tony, dit Bobby d'une voix traînante, rien de ce genre. Pas avant longtemps. Et pas de bébés. Jamais ! »

Tony posa bruyamment les grossières assiettes de grès sur la table nue dont l'unique décoration provenait des nombreuses initiales gravées dans le bois; quelques-unes pouvaient être montrées avec orgueil; plusieurs évoquaient des épisodes truculents sans lesquels les traditions universitaires auraient été considérablement appauvries.

Le bifteck était un chef-d'oeuvre. Les pommes de terre venaient de lui être servies, avec une ignorance magnanime des sentiments d'indifférence du client à leur égard. Il y avait aussi une tête de laitue fraîche, grosse comme la moitié d'un petit chou, ruisselante d'une sauce crémeuse au roquefort que pas plus de six autres établissements de l'émisphère nord étaient en mesure de servir à ce juste degré de saveur.

« Café, doc ? »

« Tu parles, Tony ! Fort comme du cognac et brûlant comme l'enfer ! J'ai grand besoin de nourriture ! »

Tony posa la grande tasse bouillante sur la table, glissa ses gros pouces sous les cordons de son tablier, aux alentours des poches de son gilet, et regarda son client affamé avec une profonde satisfaction. Après la cuisson au gril d'un bifteck de choix, il n'y avait rien de meilleur au monde que de voir un client bien portant le faire disparaître.

« Pas de bébés, hein ? »

Bobby haussa les épaules et hocha la tête.

« Yeux-oreilles-nez, p'têt' ? Y en a beaucoup, de ça. »

« Les têtes » déclara Bobby, renonçant à l'ophtalmologie, à l'otologie et à leurs oeuvres.

« Ah ! C'est vrai ? » Tony commençait à s'agiter. « Je montrer toi une tête. Toi aimer voir des têtes ? Regarde, doc ! » Il se pencha et offrit à son inspection détaillée une bande de crâne nue et blanche, longue de quelque dix centimètres. Se redressant, il tapota légèrement la cicatrice et hôcha la tête plusieurs fois d'un air solennel. « J'ai presque mourir... Très mauvais ! »

« Accident ? » demanda Bobby.

« Chemins de fer ! »

« Déraillement, peut-être ? »

Tony eut un petit rire.

« Na ! Travaille sur les trains. Jus' — comment s'appelle — métèque ! Pas voyager. »

« Donc, après avoir été blessé, tu as pensé que tu en avais assez de travailler pour les chemins de fer, hein ? »

« Tu l'as dit, mon pote », acquiesça Tony dont la connaissance étonnante de l'argot local n'était pas le moindre charme de sa conversation. « Doc Hudson, il m'a installé ici. »

« C'est vrai ? », Bobby déposa sa fourchette et commença à tendre l'oreille.

Tony hocha la tête énergiquement.

« Doc Hudson — Détroit — lui soigne moi. Rapiécer la tête. Mis moi en affaires. Bon diable ! Triste lui mourir ! »

Quand il devint évident que son client voulait tout savoir, Tony ne demanda pas mieux que de fournir les renseignements. De façon théâtrale, il fit un récit sanguinolent de son accident, insistant plus qu'il ne fallait sur les détails sordides, racontant par le menu les plus légers incidents conduisant à l'événement lui-même, récit moins essentiel à la pathologie du cas qu'à la technique un peu cabotine du narrateur.

Presque mort, il avait été; oui. Le chirurgien de la société avait fait venir le docteur Hudson. Hudson avait fait « l'ampossible » ! Mais Tony ne devait plus jamais travailler sous le soleil. Jamais !

« Mais quoi je fais, je pleurer. Moi meurs de faim, p'têt'... » 'Peux-tu faire la cuisine, Tony', lui demander. »

Le récit n'en finissait plus. Le docteur Hudson avait passé une journée complète à aider Tony à dénicher le meilleur endroit pour son petit restaurant; s'était porté garant du loyer de l'immeuble; avait assisté à l'achat de la cuisinière; avait déposé au compte de Tony à la banque principale un montant suffisant pour lui permettre de tenir le coup jusqu'à ce que les revenus soient assurés.

« Je n'avais jamais entendu parler de cela auparavant », dit Bobby.

« Non ! Personne savoir. Doc dire Tony : 'Dis à personne. Pas quand je vis.' Lui mort maintenant. Je peux dire ! »

Tony crut que le regard vitreux et abstrait de Bobby était l'indice d'une diminution d'intérêt et Tony ne voulait surtout pas ennuyer son invité. Il reviendrait au propre centre d'intérêt de l'étudiant. Il était raisonnable de penser qu'il porterait attention à des questions sur ses aspirations personnelles.

« Alors. Toi t'occuper des têtes aussi, p'têt', comme doc Hudson ? »

« Je l'espère, Tony. Un jour », dit Bobby en sortant de table.
« Vrai bon diable, doc Hudson... Personne savoir ! »

* * *

Après avoir réglé l'addition, attrapé son manteau et dit au revoir, le jeune Merrick s'attarda un moment, la main sur la poignée de la porte. Tony avait déjà commencé à desservir.

« Dis donc, Tony ! »

Tony, qui avait les deux mains pleines d'assiettes, les remit sur la table.

« Le docteur Hudson t'a-t-il déjà dit pourquoi il voulait que tu gardes le secret sur le fait que c'est lui qui t'avait installé ici ? »

Tony glissa ses doigts sous le cordon de son tablier et s'avança, secouant la tête d'un air songeur.

« Vachement drôle diable ! Lui dire pareil moi je t'ai dit : 'Tony, moi t'installer pour que toi plus travailler au soleil. Quand je vis, toi tu dis à personne.' Moi je dis : 'Doc, vous vachement bon diable. Moi vous rembourser ça un jour.' Il dit 'Na', mais Tony, il dit, un soir vachement froid, si un type vient ici, mort de faim et sans le sou... »

« Ah ! oui ? », dit Bobby pour l'aiguillonner, car Tony avait apparemment changé d'idée sur le bien-fondé de sa confidence et, d'un geste de la main, écartait le reste de la phrase. Son visage rouge se plissa de perplexité, il frotta son nez bulbeux avec un coin de son tablier. Hochant la tête, par saccades, comme un vieil homme, il tourna le dos et recommença à s'affairer avec la vaisselle.

« Et puis après ? », demanda Bobby, qui l'avait suivi.

« Doc dit : jamais dire à personne quand moi vivant. »

« Tu veux dire que tu ne dois jamais rien dire au sujet de ces types qui viennent ici affamés et cassés ?... Écoute ! Je te parie une pelisse neuve contre un paquet de cigarettes que ton petit livre de comptes, là-bas sur le comptoir, et tous ces types qui viennent ici affamés et sans le sou... »

Tony l'interrompit, d'un air grave. Il ramassa son plateau et, se redressant dignement, répliqua dans un baragouin de plus en plus épais, signe qu'il était sur le point de rentrer dans sa coquille et de devenir incommunicado : « Toi essaies-tu de rendre vieux Tony malheureux ? La pati livre ! C'est à moi que ça regarde ! Doc Hudson qu'il a dit : Tony, toi dire à personne ! Le pourquoi lui dit ça, moi pas savoir, mais moi pas dire à personne. »

« Je regrette, Tony, dit Bobby, confus. Je n'avais pas le droit de m'immiscer dans tes affaires personnelles. Je te demande pardon. »

Tony sourit d'un air absent.

« Oh, pas problème, dit-il d'une manière rassurante. À revoir, doc. À la prochaine ! »

VIII

Les traits hagards après une nuit d'insomnie et de plus d'angoisse qu'il ne se serait cru capable d'en supporter, le jeune Merrick était assis, l'air découragé, dans un fauteuil du train matinal vers Détroit.

En réponse au long et fébrile télégramme qu'il lui avait adressé de la gare en se rendant chez Tony, la veille (deux heures plus tard, il souhaitait de tout son coeur ne l'avoir jamais envoyé), Nancy Ashford lui avait télégraphié qu'elle l'attendrait à la gare centrale Michigan.

C'était la pensée de la voir, rayonnant d'impatience, mille questions aux lèvres, qu'il redoutait le plus. Il ne fallait pas faire de peine à Nancy.

Quant à lui, il s'en remettrait vite. D'une manière ou d'une autre, il trouverait bien un moyen de s'ajuster à la perte de ses chères illusions au sujet du docteur Hudson, de la vénération qui l'avait soutenue tout au long de ses monotones sessions à l'école de médecine; quoique, maintenant que tout s'était effondré, il se demandait comment il trouverait le courage d'y retourner et de reprendre le collier.

Mais, aussi difficile que cela puisse être, ce n'était rien comparé à la tâche qui l'attendait de s'asseoir à côté de Nancy Ashford et de trouver les mots les moins durs possibles pour lui apprendre que son vénéré Wayne Hudson, pour qui elle avait conçu une réelle dévotion, était fou.

Il n'était même pas un lunatique digne d'intérêt; car un lunatique, plus souvent qu'autrement, était un cerveau brillant qui avait éclaté sous la pression, éclaté en beauté, avec des étincelles, tandis que les voisins se précipitaient avec civière et camisole de force pour ramasser les débris et les traîner à l'asile.

Non, ce Hudson n'avait même pas eu assez d'égards pour lui-même pour exploser de manière à ce que tous puissent l'entendre et sachent la signification de ce gros « boum ». Un cinglé, voilà ce qu'il était !... Pouvez-vous imaginer une telle chose ?... Un adulte... respecté et admiré dans sa profession... s'esquintant sans arrêt sur un compte rendu détaillé des racontars d'un toqué au sujet d'expériences farfelues et prenant ensuite extrêmement soin de dissimuler ces élucubrations sous un code, performance digne d'un écolier jouant au détective avec un pistolet-jouet.

De retour de chez Tony, complètement réveillé et plein d'enthousiasme, il avait décidé, malgré l'heure tardive, de décoder quelques pages du journal. Il avait d'abord lu le tout, patiemment, arborant un large sourire d'anticipation. Mais bien vite, il se prit à souhaiter que l'auteur excentrique en ait bientôt fini avec ses préliminaires de lieux communs et s'attaque enfin à la tâche de révéler son grand secret, car il fallait que c'en soit un pour justifier tous ces salamalecs compliqués du code.

Jusque-là, il n'avait certainement rien découvert qui pût justifier cet épais mur de cachotteries. Certes, ce ne serait pas une mince affaire que de convaincre le grand public de le lire, si jamais le livre était imprimé; mais prétendre que c'était un profond mystère relevait de la plus pure idiotie.

Poursuivant son décodage, il arriva à un paragraphe qui lui tira une grimace et ce cri amer : « Que diable !... » prononcé d'une voix enrouée. Il repoussa le petit livre dédaigneusement; se leva, arpenta la pièce, alluma sa pipe qu'il rejeta aussitôt avec fracas sur la table; se dévêtit et plongea sous ses couvertures, mais pas dans le sommeil.

La déception était le choc le plus dur de toute sa vie. Jusqu'à il y a trois mois, il n'avait jamais fait cas des « grands moments », « décisions cruciales », « gros sacrifices », « consécrations » et autres balivernes du genre. Si des gens changeaient subitement de cap et prenaient une nouvelle orientation, c'était simplement parce qu'ils avaient découvert quelque chose de plus avantageux. Quant aux légendes de Saul et de saint François et de Jeanne d'Arc, eh bien s'il y avait un atome de vérité dans ces histoires, seuls les psychiatres étaient en mesure de les expliquer.

Il n'avait jamais été très entiché non plus de ces purs produits du sentimentalisme, de ces clairs de lune délicatement embaumés, que les visionnaires efféminés désignaient sous le nom « d'idéal ». Il avait toujours cru que tout ce bla-bla devait être laissé entre les mains des prédicateurs, des poètes et des rédactrices du courrier du coeur.

Il avait changé d'idée à ce sujet, récemment. La coïncidence de son sauvetage de la noyade dans le lac au même moment où une vie précieuse y avait péri, et au prix de cette vie, l'avait précipité dans une grande orgie de sentiments. Il était à même de comprendre Saul et Jeanne... Hudson était devenu son héros, son étoile, son soleil, son totem !... Tout cela était bien terminé, maintenant !...

Une légende ancienne racontait l'histoire d'une idole déchue à cause de ses pieds d'argile. La sienne s'était renversée, prise de vertige... avec un grain dans la tête ! Avoir atteint l'âge adulte sans « idéal » d'aucune sorte; en avoir épousé un, tardivement, avec un zèle de croisé, pour finalement découvrir après avoir brûlé tous les ponts derrière lui que son héros n'était qu'une cruche !... C'était un sale coup !

Il avait enfoui son visage brûlant dans son oreiller et bu sa rage jusqu'à la lie... Ce n'était pas qu'il eût quoi que ce soit à reprocher au penchant de Hudson à mettre son nez fureteur dans les affaires des autres avec l'envie passionnée de faire sa bonne action chaque jour, comme le scout que son ridicule petit journal révélait... mais... Mon Dieu !... Hudson n'était pas le premier homme dans l'histoire de l'humanité à avoir chatouillé son ego et fait voler les boutons de sa veste en faisant l'aumône !... Que de bruit pour rien !

Il finit enfin par sombrer dans un sommeil agité, marmonnant qu'il était diablement tenté de se rendre à New York dès le lendemain et de sauter dans le premier bateau en partance pour Cherbourg... Son passeport était encore valide... Grand-père le lui ferait parvenir volontiers... Ainsi il n'aurait pas à s'arrêter et à faire face à Nancy... Ce serait un vilain tour à jouer !... Et grand-père ?... Le cher vieux était devenu très fier de lui depuis quelque temps...

Plus que cinq minutes et il serait à Détroit. Il devait prendre bien soin de ne pas blesser Nancy. Pourquoi ne pas lui remettre le journal et la clef du code et s'esquiver en prétextant quelque rendez-vous urgent ? Il pourrait toujours dire que son grand-père avait vraiment besoin de le voir. Dire qu'il était lui-même malade serait assez près de la vérité aussi.

Il l'aperçut en débouchant du tunnel : elle l'attendait aux barrières, les yeux écarquillés et le sourire aux lèvres; elle prit un air perplexe en le voyant s'approcher... Ainsi, c'était donc écrit sur son front. Il tenta d'esquisser un sourire; ce n'était qu'un bien faible sourire, il le savait; il glissa son bras sous le sien; s'informa, sans la regarder, si elle avait déjà mangé. Puisqu'elle n'avait rien pris, il dit au garçon de porter ses bagages à la consigne et entraîna Nancy dans un coin tranquille du restaurant de la gare, où il s'affaira un long moment à la débarrasser de son manteau; il était nerveux comme un renard en cage.

« Mais je croyais que tu avais réussi, mon cher. » Ses yeux inquisiteurs ne le quittaient pas tandis qu'il multipliait les petits soins et se donnait beaucoup de mal pour trouver un endroit où déposer son parapluie. « Tu n'as pas l'air d'un héros conquérant, mais plutôt d'un homme qui s'est lancé à la poursuite d'un magnifique papillon, croyant que c'était une espèce d'oiseau, et qui s'aperçoit, après avoir réduit ses ailes en poussière, que c'est un ver qu'il a attrapé. »

Bobby délaissa le menu, qu'il s'était mis à étudier attentivement, et souligna sa remarque en pointant un long doigt à côté de son assiette.

« Vous avez misé dans le mille. Je me suis lancé à la poursuite d'un papillon et je suis rentré avec un ver ! »

« Et à qui la faute ? Au papillon ? »

« Un but, Nancy », dit-il avec un rire.

« Un but, en effet... Pourquoi ?... Parce que tu lances bien mal ?... Moi je dis que tu as compté un point ! Mais laissons faire le papillon. Réveille-toi, espèce d'idiot, et confie-moi le secret ! »

Sur ce, il essaya de se ressaisir, s'éclaircit la voix, fit semblant de relever ses manches. Il n'allait quand même pas laisser tomber Nancy. Peut-être lui-même arriverait-il à tenir le coup sans le soutien du spectre de Hudson; mais Nancy en était incapable. Il sauverait l'honneur de son précieux fantôme, dût-il professer foi au vaudou, à la nécromancie et à la sorcellerie !

« Je suis fatigué, c'est tout !... Je n'ai presque pas fermé l'oeil de la nuit. Plaçons d'abord notre commande. »

Elle n'était pas rassurée mais voulut bien faire preuve de patience.

« C'est aussi simple qu'une addition, déclara-t-il après le départ du garçon de table. C'est-à-dire que (il faisait des plis avec la nappe, de ses doigts nerveux) la technique de base pour convertir le manuscrit en phrases lisibles est assez simple en soi. Mais, une fois que c'est fait, comprendre ce que ça signifie... »

Il s'interrompit soudainement et sourit... Bon sang (il venait de trouver la bonne piste), enfin ! Il pouvait maintenant faire son boniment ! Il lui dirait que tout cela était trop profond pour lui ! Cela vaudrait infiniment mieux que de dire que c'était des balivernes infantiles !

« Ça alors, c'est vraiment excitant, s'exclama Nancy. D'un mystère à l'autre ! »

Bobby sortit le livre de sa poche et l'ouvrit sur la table devant elle, leurs deux têtes se rapprochant. Il souriait maintenant, fort satisfait de sa décision de la laisser, elle, lui fournir l'explication.

« Tenez ! Je vais vous lire la première page... Assez facile, non ? »

Nancy était ravie. Elle posa sa main sur celle de Bobby et la serra très fort. C'était trop beau pour être vrai, n'est-ce pas ? Il acquiesça, ajoutant mentalement « ou même amusant ».

« Combien de pages as-tu décodées, demanda-t-elle feuilletant les pages inintelligibles. Tu n'es pas excité à mort ? »

Malgré ses efforts, l'enthousiasme de Bobby était loin d'égaler le sien.

« Jusqu'ici, à peu près... une vingtaine de pages, je crois. Excité ? Eh bien non, pas exactement ça... Juste stupéfait... Ça me dépasse, vous voyez... Je suppose que je suis comme votre naturaliste maladroit essayant d'attraper le papillon. Je m'attendais à une sacrée découverte, et j'ai travaillé si fort pour faire sauter le couvercle de cette chose-là que maintenant que j'y suis arrivé, peut-être l'ai-je endommagé quelque peu, ou encore, je n'ai pas ce qu'il faut pour... »

Nancy lui serra la main à nouveau, avec une énergie sauvage.

« Regarde-moi droit dans les yeux, Bobby Merrick ! Tu n'as pas été toi-même un seul instant depuis ton arrivée. Tu ne peux rien me passer ! Je te connais sous toutes les coutures ! Tu essaies de me cacher quelque chose ! Je ne l'admets pas ! Allez, cesse de jouer et ranconte-moi ce qui se passe ! Où est le problème, fiston ? »

Bobby rougit et baissa la tête comme un enfant désobéissant que l'on aurait surpris la main dans le pot de confitures.

« Euh... ça ne vaut rien !... Tout ça c'est de la blague, si vous voulez connaître mon opinion... Si quelqu'un d'autre que le docteur Hudson avait... Dites donc, Nancy, êtes-vous absolument sûre qu'il a vraiment écrit cela ? Ça n'est pas signé, vous savez. »

« Ne dis pas de bêtises !... Qu'est-ce que ça raconte ? »

« Eh bien... ça n'est pas tout à fait de la religion, je suppose, mais ça ressemble à ces petits tracts mabouls que des types miteux lancent par la glace de la voiture... des sentimentalités qu'on peut avoir à la tonne pour moitié moins que le prix demandé ! Et pourquoi il s'est donné la peine de déformer les mots complètement, comme s'ils renfermaient quelque précieux secret, seul le bon Dieu dans le ciel le sait ! Si quelqu'un d'autre avait écrit cela, je dirais qu'il est complètement timbré ! »

Nancy pianotait sur la table avec le bout des doigts, d'abord d'un air songeur, puis avec impatience et indignation; et maintenant elle était prête à exploser.

« Quel âge as-tu, Bobby ? » dit-elle sèchement.

« Vingt-cinq ans, presque vingt-six, récita-t-il du ton d'un gamin de six ans, presque sept, une plaisanterie qu'elle décida d'ignorer.

« Eh bien, au moment où le docteur Hudson commençait à devenir célèbre après avoir effectué la première opération au cerveau de ce genre dans toute l'histoire de la chirurgie, tu étais encore aux couches et jouais au da-da dans ta nursery ! Quand il écrivit ces « blagues », tu ne savais même pas te laver les oreilles ! Je ne veux pas être trop dure avec toi, fiston; mais tu as besoin d'une bonne raclée et tu peux être joliment sûr que tu vas la recevoir de Nancy Ashford aujourd'hui même ! »

« Allez-y !... Je préfère que vous m'en vouliez que... que... »

« Pas eu assez de courage pour le dire, hein ? Tu espères que je ne découvrirai pas que le docteur Hudson était fou... C'est bien ça ? Tu n'as pas à t'en faire pour ça... Je présume qu'on n'a jamais attiré ton attention, continua-t-elle en appuyant sur chaque syllabe, sur la psychologie des génies. Pourquoi l'aurait-on fait, en effet ? Les étudiants de première année de médecine ne s'occupent pas beaucoup, je présume, d'excursions dans les hautes sphères de la psychiatrie qui traitent des obsessions. Ils sont trop occupés, bien sûr, à disséquer les cadavres; à essayer de se rappeler lequel est le limaçon et lequel est l'étrier, à essayer de distinguer le carpe du torse !... Oh, *je* sais ! Tu n'as pas besoin de *me* snober avec ta science ! »

Elle aperçut soudain le garçon de table, qui se tenait devant eux, bouche bée.

« Tenez ! Si vous cherchez à vous amuser, reprenez donc ce café froid et apportez-nous-en du frais... préparé ce matin, de préférence. »

Le garçon s'éloigna et Bobby éclata de rire.

« Nancy, vous êtes impayable ! Continuez, je vous en prie ! »

« J'en ai bien l'intention !... Je vais te donner ton premier cours sur le caractère d'un génie... Le génie ne cherche à coincer personne ! Il ne fait pas de fiches ! Il ne fait pas de classement... Et parce qu'il ne veut pas en faire, les cruches aux yeux mornes qui n'ont eu besoin d'aucune retouche pour se fondre dans la masse anonyme de la majorité silencieuse, là où est leur place, croient qu'il est fou. Ils ne peuvent pas le comprendre, alors — il est timbré ! Il se lance là où eux ne peuvent le suivre, alors il a perdu les pédales !... Il enfourche une idée et la conduit à travers champs, par-dessus les fossés et les barrières, traversant les maisons, piétinant les champs, les jardins, écrasant même au passage ses meilleurs amis et ne s'en apercevant pas... il ne regarde jamais derrière lui... et il s'en fout pas mal... pour autant qu'il puisse continuer à chevaucher cette idée extraordinaire !

« Eh bien, notre docteur Hudson était ce type de personne et il est devenu obsédé par une idée. Il a conçu une notion... Je ne sais vraiment pas comment il l'avait trouvée; peut-être ce livre nous l'apprendra-t-il; j'avais espéré qu'il le ferait... que son succès professionnel dépendait de certains gestes philanthropiques un peu excentriques que l'on devait garder secrets pour assurer leur efficacité. J'ai réussi à apprendre au moins cela, il y a longtemps... Puis il a eu l'idée, apparemment, de présenter sa théorie de façon telle que ses héritiers ou successeurs puissent aussi la mettre en pratique. Mais il voulait aussi se protéger du ridicule au cas où quelque andouille, tombant dessus par accident... »

Bobby leva la main.

« Vous commencez à vous emporter un peu, non ? »

« Tu trouves ridicule qu'il ait employé ce stupide code secret, continua-t-elle en baissant le ton. Eh bien, supposons qu'il ait écrit en latin, ce qu'il aurait pu faire très facilement et sans lexique; cela t'aurait-il causé plus de difficultés ?... Ou en grec ! Il aurait pu l'écrire en grec ! Quelles sont tes connaissances du grec, mises à part les lettres sur le macaron de ton association ?... Il voulait que quelqu'un cherche vraiment pour le déchiffrer, je te le dis, et cela ne faisait qu'un avec son obsession ! Ça en faisait partie ! »

« Nancy, vous gagnez, finit par admettre Bobby, calmement. Vous et moi pensons la même chose au sujet du docteur Hudson. Seulement, nous l'exprimons différemment, voilà tout... J'ai dit qu'il devait être un peu timbré, et vous dites que c'était un génie et que tous les génies sont un peu timbrés... Fort bien... Nous pouvons maintenant lire le petit livre ensemble et nous comprendre l'un l'autre, même si nous n'arrivons pas à comprendre le livre. »

* * *

« Je vais vous faire un bref résumé de ce que j'ai lu jusqu'ici... Nancy, ce n'est pas que je lui reproche le temps que j'ai consacré à démêler ce code compliqué. C'est uniquement qu'il n'y a vraiment rien là-dedans qui réclame un traitement aussi mystérieux. Vous verrez bien ! »

« Je ne serai convaincue de cela que lorsque nous aurons lu le livre. Au complet. »

Bobby consulta ses notes.

« L'histoire commence environ un an après la mort de Joyce, sa première femme. Sa longue maladie l'avait miné, avait absorbé toute l'énergie nerveuse qu'il aurait dû concentrer dans sa formation professionnelle. Au bord de l'échec et profondément déprimé, il avait presque l'idée d'abandonner la chirurgie et de se lancer en affaires... Et un jour, il se mit à penser qu'il fallait ériger une pierre sur la tombe de Joyce... »

« Ah ! nous y voilà ! », s'écria vivement Nancy, parvenant à peine à contenir son émotion.

Bobby la regarda, cherchant à comprendre.

« Cette pierre tombale a été un événement marquant, expliqua-t-elle d'une voix émue. Combien de fois, quand il cherchait à se rappeler la date d'un événement dans le passé, n'a-t-il pas dit : 'Peu de temps après avoir fait ériger la petite pierre tombale pour Joyce' ... Mais continue ! »

« Il se rendit donc dans une maison spécialisée dans ce genre de choses et choisit un monument peu coûteux. Sur un formulaire, il inscrivit le nom de sa femme et les dates importantes. Le directeur lui demanda s'il désirait une courte épitaphe. Il semble que c'était la coutume, dans ce temps-là. Comme il était incapable, sous l'impulsion du moment, de penser à quelque chose d'approprié et désireux par ailleurs de conclure l'affaire immédiatement, on lui conseilla d'aller se promener dans la section où l'on produisait les monuments et de regarder autour de lui. Peut-être y verrait-il quelque chose qui lui plairait.

« Donc, il se rendit à l'atelier où l'on fabriquait les monuments et c'est là qu'il rencontra, accidentellement, ce Randolph. »

« Tu parles de ce Randolph comme s'il avait un rôle quelconque à jouer dans cette histoire. Je n'ai jamais entendu parler de lui. »

« Oui, Randolph est en train de devenir le héros de la pièce, du moins ce que j'en ai lu. Je vous laisse le choix de décider, quand vous aurez fait sa connaissance, si Randolph est un apôtre de la lumière ou s'il est complètement fou. Personnellement, il ne m'intéresse pas du tout. Il fait son entrée dans l'histoire comme un hypnotiste extrêmement doué... Il s'agit en fait d'une sorte de faiseur de miracles. »

« Es-tu en train d'essayer de me dire, demanda Nancy, que Wayne Hudson s'est intéressé à quelqu'un de ce genre ! »

« Eh bien, vous allez voir... Ce Randolph se trouvait dans un studio, complètement séparé des pièces principales où se faisait la fabrication. Ce n'était pas un simple tailleur de pierre mais un sculpteur exceptionnellement bon... Du genre artiste. La pièce sur laquelle il travaillait, d'après le journal, était un personnage d'ange triomphant se tenant gracieusement sur un piédestal de marbre en forme d'autel; d'une main, au modelé exquis, il protégeait du soleil ses yeux fixés vers l'horizon et comme enivrés d'une lointaine splendeur. L'oeuvre conjuguait la délicatesse et la force à la manière d'un Canova... »

« Tu cites ? »

« Oui, c'est dans le livre, exactement dans ces termes. »

« Mais... le docteur Hudson ne connaissait pratiquement rien à l'art. »

« Il en connaissait peut-être plus que vous ne le pensiez. Il a été très influencé par ce cinglé de Randolph, comme vous le verrez; et Randolph était un artiste accompli. »

« Oh, je me demande... Est-ce possible, à ton avis, que ce soit Clive Randolph ? Tu sais bien, le sculpteur qui a fait ce groupe d'enfants au Metropolitan. Il est mort depuis longtemps. Tu sais, Bobby, je crois bien qu'il a vécu ici même, à Détroit ! »

« Fort possible. » Il posa ses notes griffonnées au crayon sur la table et resta quelques instants les yeux mi-clos, comme absorbé. « Un autre génie, murmura-t-il. Nancy, les génies ont le droit d'être un peu toqués, n'est-ce pas ? »

« Certainement », dit Nancy, rayonnante. Bobby commençait enfin à comprendre.

Il reprit son bloc-notes.

« Eh bien, sur le devant de ce piédestal en forme d'autel étaient gravés, fortement en relief, en caractères gothiques, ces mots : 'Rendons Grâce à Dieu Qui Nous a Donné la Victoire.' »

Nancy murmura qu'elle trouvait cela bizarre.

« Qu'est-ce que vous voulez dire, 'bizarre' ? C'est dans la Bible quelque part, non ? »

« Sans doute, dit-elle avec un sourire nerveux. Ça peut bien être dans la Bible, ou presque n'importe où en fait, et quand même être bizarre, tu ne crois pas ? Mais ce que je veux dire par là, c'est que ça semble assez étrange de voir le docteur Hudson citer un extrait de la Bible. Il n'était pas religieux du tout ! »

« N'en soyez pas trop sûre », l'avisa-t-il.

« Mais enfin, Bobby, non seulement ça ne le préoccupait pas, mais il méprisait presque les organisations religieuses; il n'avait pas mis le pied dans une église, sauf à des mariages, depuis au-delà de vingt ans. On l'a écoeuré des églises quand il était jeune; il m'a raconté une fois — c'était au moment du passage d'un affreux évangéliste et les journaux nous présentaient ses vulgarités de bas étage à pleines pages — que dans les églises de son village, on demandait constamment aux gens dans les sermons de 'se détacher du monde', alors qu'on n'avait rien d'autre à offrir en échange de ces sacrifices que les vestiges de superstitions du moyen-âge ! »

« Mais, est-ce qu'il n'aurait pas pu s'intéresser à... au surnaturel sans nécessairement fréquenter l'église ? »

« Eh bien, est-ce possible... Ça n'est pas la coutume. »

« Alors là, si vous proposez d'analyser ceci à la lumière de ce qui est coutumier, allons plutôt voir une partie de football et cessons de nous torturer les méninges... Je vous le demande !... Est-il coutumier qu'un homme fasse des dons de charité bien ordinaires, de façon furtive; trottinant comme un écureuil vers son trou, et refermant ce trou sur lui à l'approche de quiconque pourrait découvrir qu'il a rendu service à quelqu'un ? Est-il coutumier pour un homme de rédiger le récit de sa folie dans un code infantile ? Je vais vous dire ce qu'il était... un de ces mystiques d'autrefois !... Il croyait aux fées... avait des visions... s'amusait avec les anges ! »

« Bobby Merrick, tu es d-i-n-g-u-e ! »

« Non, pas encore ! Mais j'ai comme l'étrange sentiment que je vais le devenir. »

Nancy repoussa son assiette et renvoya le garçon d'un geste impatient lorsqu'il demanda si quelque chose n'allait pas.

« Non... » Bobby secoua la tête lentement comme pour se justifier. « Ce n'était pas vraiment la religion qui l'inspirait; pas ce que je considère, moi, comme la religion, en tout cas. Je ne prétends pas m'y connaître beaucoup, mais la religion n'est-elle pas une reconnaissance, plus ou moins pour la forme, d'une série de mythes anciens tirés du folklore juif ? Elle tente d'amener les gens à dire qu'ils croient ceci et cela de Dieu; elle s'imagine savoir quelles sont les visées de Dieu pour l'humanité, parfois attendant tristement que les hommes agissent et à d'autres moments insistant tellement, que les gens sont forcés de le faire, qu'ils le veuillent ou non. Elle organise des souscriptions pour envoyer des bonimenteurs vers les soi-disant païens, pour les prévenir qu'ils iront brûler en enfer s'ils ne cessent pas d'appeler leur Dieu quel-que-soit-son-nom pour l'appeler autrement. »

Nancy riait.

« Ce n'est pas si pire que cela, Bobby. Ça ne peut vraiment pas être aussi ridicule. Les gens tirent un grand réconfort de leur religion ou alors ils ne s'y cramponneraient pas. »

« Réconfort, dit-il en écho. Je suis bien content que vous utilisiez ce mot. Je crois que je peux maintenant vous dire quelle est la différence, d'après moi, entre ce que le docteur Hudson avait et une forme conventionnelle de religion. La religion ordinaire est conçue pour apporter du réconfort. Croyez ceci et cela et vous aurez le réconfort, la paix, l'assurance que tout va bien et qu'un Grand Manitou s'occupe de tout. Eh bien, cette religion que Hudson pratiquait ne lui apportait certainement aucun réconfort !... Elle le malmenait comme un pauvre bougre... le fouettait... le poursuivait pendant la journée et le hantait la nuit... le harcelait comme un esclave... l'obsédait ! »

« Il aurait toujours pu y renoncer, n'est-ce pas, si cela le dérangeait ? »

« Ah ! vous y voilà ! Vous avez touché le point sensible ! Eh bien non, justement. Il ne pouvait pas y renoncer car cela lui fournissait son énergie motrice ! C'est ce qui l'aidait à tenir le coup !... Il dit que c'est ce qui a fait de lui ce qu'il était, professionnellement ! »

« J'ai bien peur que tu n'aies laissé ce livre t'énerver terriblement, Bobby. » Nancy enfila ses gants. « Allons à Brightwood où nous ne serons pas dérangés, et voyons de quoi il retourne. »

Bobby mit du temps à se lever.

« Nancy, depuis que j'en parle avec vous, toute mon attitude sur le sujet est en train de changer. Je n'ai aucune hésitation à vous dire que jamais de toute ma vie je n'ai été aussi dégoûté ou déçu que lorsque j'ai essayé de lire ce truc, hier soir. Mais c'était parce que je croyais que ce serait un compte rendu normal des expériences d'un homme normal. Et quand j'ai découvert que ce n'était pas normal, eh bien, j'ai commis la bêtise habituelle de dire que c'était ridicule ! »

Nancy rayonnait de joie.

« Exactement !... Aussi longtemps qu'il disait les choses habituelles, les choses normales, les choses que tu comprenais, il était sain d'esprit ! Mais quand il a abordé l'inhabituel, les choses que tu ne comprenais pas, il était fou !... C'est comme ça que la moyenne des gens raisonnent; mais tu ne dois pas te risquer à faire ainsi des jugements à la légère, car tu auras à t'occuper de personnes bizarres toute ta vie ! »

* * *

Durant tout le long trajet en taxi vers l'hôpital, ils évitèrent soigneusement le mystère qui les confrontait. Ils parlèrent de ses études de médecine. Quelle matière préférait-il ? Elle frissonna quand il mentionna à quel point l'anatomie lui plaisait.

« On s'habitue à cela, dit-il pour la rassurer. Et le vieux Huber est extraordinaire. Il manipule ces pauvres cadavres comme s'ils étaient des membres de la famille. Je parie que si quelques-uns d'entre eux avaient reçu autant de tendre sollicitude durant leur vie que Huber leur en témoigne au labo, ils auraient peut-être vécu plus longtemps... À la fin du semestre, il les enterre... un enterrement traditionnel... avec cloches, missel et clergé... Il prétend que tous ces pauvres, et ces idiots, et ces criminels, malgré qu'ils aient été un fardeau pour la collectivité pendant leur vie, ont complètement remboursé leur dette à la société par les services qu'ils ont rendus au labo. Et qu'ils ont droit à une sépulture honorable... Un vrai bon vieux diable, ce Huber, croyez-moi ! »

La conversation s'orienta vers les activités de Nancy. Elle reconnut qu'elle était préoccupée. Une rumeur voulait que Joyce Hudson soit complètement déchaînée; que madame Hudson, apparemment, ne pouvait plus rien faire avec elle. On la voyait aux mauvais endroits, avec les mauvaises personnes.

« Crois-tu que tu pourrais faire quelque chose à ce sujet, Bobby ? Joyce est toujours ton amie, n'est-ce pas ? »

« Je présume. » Son ton dénotait un manque d'intérêt. « Je ne l'ai plus vue depuis presque un an, vous savez. »

« C'est peut-être juste une idée à moi, mais j'ai toujours cru que Joyce était un petit peu amoureuse de toi, Bobby. »

Il nia d'un geste.

« Elle ne l'est pas, mais même si elle l'était ! Cela serait-il une raison suffisante pour que je m'immisce dans ses affaires ? Je ne suis pas amoureux d'elle. Non, je ne crois pas que mes obligations envers le docteur Hudson me forcent à servir *in loco parentis* à sa fille. »

« Je n'en suis pas si sûre, rétorqua Nancy. Tu as conçu l'ambition d'achever sa vie pour lui, et Joyce représente une partie de son travail. À certains moments, Joyce représentait même tout son travail ! Tu n'as aucune idée de tout ce qu'il a sacrifié pour elle ! Tiens, il s'est même marié, pour la garder dans le droit chemin ! »

« Ça ne devait pas être un bien grand sacrifice. » Bobby souriait.

« L'as-tu revue, depuis ? »

« Jamais essayé. »

« Tu penses encore à elle, parfois ? »

« Pourquoi voulez-vous le savoir ? » Son ton laissait entendre qu'il aimerait fermer une porte entre eux, pas brusquement, mis la fermer quand même; et Nancy, saisissant cela aussitôt, renonça à son droit de s'informer.

« Excuse-moi, tu veux ? Je n'ai rien à faire, tu sais, que de m'amuser en pensant à des choses comme celles-là. »

« Alors je ne dois pas vous priver de vos occupations. »

* * *

Nancy accrocha leurs manteaux dans sa penderie, glissa un fauteuil près de lui, et de nouveau, ils se trouvèrent face au livre, ensemble; ils s'entendirent pour que Nancy lise le manuscrit, lettre par lettre, pendant que Bobby les placerait pour former des mots.

« Laissez-moi d'abord finir de vous raconter la partie que j'ai déjà décodée, dit-il en déposant son crayon. Randolph demanda, en indiquant l'épitaphe : ' Comment aimez-vous celle-ci ? '

« ' Ça ne me dit rien, répliqua le docteur Hudson. Si Dieu existe, Il n'est probablement pas plus intéressé par la soi-disant victoire de l'homme, qui peut toujours s'expliquer par les circonstances, que par la victoire d'un chou qui pousse bien dans un sol favorable. '

« ' Alors vous avez avec Dieu le même lien qu'un chou. ' Randolph riait doucement. ' C'est formidable ! '

« Il se remit au travail, tapant adroitement avec son ciseau. ' C'est aussi ce que je pensais, avant, poursuivit-il, comme se parlant à lui-même. J'ai fait une petite expérience, et j'ai changé d'idée à ce sujet.' Il déposa son maillet, se pencha vers l'avant et plaçant ses deux mains autour de sa bouche, dit sur un ton de mystérieuse confidence : ' J'ai été sur la ligne. ' »

« Il devait être fou ! » murmura Nancy.

« Tut, tut !... Où sont vos belles théories sur les génies ? Vous voulez bien que le docteur Hudson en soit un, alors pourquoi pas Randolph aussi ? »

« Très juste. Continue !... Mais il semble un petit peu toc-toc, non ? »

« Tout à fait !... Et je dirais même, dangereusement !... Le plus insensible, calculateur, sacrilège lunatique que vous ayez jamais rencontré !... Je vais vous le démontrer. Voici la copie exacte de ma traduction ! Écoutez ceci:

Il n'avait ni le ton ni l'allure d'un fanatique; parlait calmement; n'avait aucun des trucs habituels qui permettent d'identifier rapidement les aberrations; s'exprimait bien avec une indépendance absolue. « Victoire ? Eh bien, en effet ! J'ai maintenant tout ce que je désire et peux faire tout ce que je veux !... Et vous aussi vous le pouvez !... Et tout le monde le peut ! Il suffit de suivre les règles ! Il y a une formule, vous savez ! Je l'ai trouvée par accident ! » Il reprit son ciseau.

C'était un étrange bonhomme. Je me sentais gêné et embarrassé. Il était toqué, c'était évident, mais ses manières le niaient. J'essayai de me rappeler que c'était un artiste, avec la permission d'être excentrique. Mais il s'agissait de bien plus que cela. Il me faisait frémir. Je voulais m'en aller. Et donc, j'allais passer la porte lorsqu'il m'appela : « Docteur, avez-vous la victoire ? »

« Victoire sur quoi ? » demandai-je avec impatience. Je ne lui avais pas dit que j'étais découragé; n'avait pas mentionné que j'étais médecin... Je n'ai jamais pu savoir comment il avait deviné cela; la question a été éclipsée par des mystères plus importants.

« Oh, sur n'importe quoi, sur tout ! Écoutez ! » Il descendit de son échafaudage et, s'approchant de moi comme s'il avait un grand secret à me révéler, il chuchota à mon oreille, sa main s'emparant du revers de ma veste, à ma grande inquiétude : « Aimeriez-vous être le meilleur médecin de cette ville ? »

Alors, je sus qu'il était fou et j'essayai de me dégager.

« Venez chez moi ce soir, vers neuf heures, dit-il en me remettant sa carte, et je vous dirai ce que vous voulez savoir. »

Je devais avoir l'air abasourdi car, en remontant, il se mit à rire à gorge déployée. Une fois dans la rue, je me mis aussi à rire, ayant complètement oublié la question de l'épitaphe. Je n'avais jamais entendu autant de sottises de toute ma vie. « Tu parles, marmonnai-je en mettant ma voiture en marche, que je vais perdre une soirée avec ce fou ! »

« C'est bien sa façon d'écrire, Bobby. »

À neuf heures, j'étais à la porte de Randolph. Quand on lira ces mots, je serai incapable de répondre à des questions concernant mes motifs d'aller là ce soir-là. Et cela vaut mieux; car je n'ai pas d'autre explication à fournir que de dire (et quelques-uns liront sans doute cela avec méfiance, déception même) que j'ai été propulsé là contre ma volonté. Je n'avais aucune intention d'y aller; j'y suis allé en réponse à une envie sur laquelle je n'avais aucun contrôle... Je mangeais au centre-ville, ce soir-là; je suis rentré chez moi à vingt heures; je suis allé au lit immédiatement, contrairement à mes habitudes car je ne me couchais jamais avant minuit, et je commençai à lire un livre, incapable de me concentrer sur une seule ligne. Je ne pouvais pas m'empêcher de regarder l'horloge. Le tic-tac se faisait de plus en plus retentissant et mon coeur battait de plus en plus vite jusqu'à ce que les deux semblent synchronisés. À la fin, je devins si nerveux que je ne pouvais plus me contrôler. Je sortis du lit, m'habillai à la hâte, sautai dans ma voiture et me rendit à l'adresse de Randolph, ignorant les feux rouges et les agents de circulation en colère. J'avais la gorge sèche, mon coeur était sur le point d'éclater.

* * *

« Comment trouvez-vous cela jusqu'ici ? » demanda-t-il.

Nancy avait les coudes bien appuyés sur le bureau, les poings serrés très fort enfoncés dans ses joues.

« Eh bien, Bobby, n'est-ce pas tout simplement *terrible*, chuchota-t-elle. C'est même *tragique* ! »

« C'est ce que vous penserez, bientôt. Le pire est encore à venir ! » Il retourna à sa lecture.

« Vous n'aviez pas l'intention de venir, n'est-ce pas », demanda Randolph en prenant mon chapeau.

« Non », répliquai-je avec aigreur.

« C'est bien ce que je craignais, dit-il gentiment, mais j'étais si sûr que vous aviez besoin de parler avec moi que j'ai... »

« C'est justement ce que je veux savoir, lui demandai-je. *Qu'est-ce que vous avez fait ?* »

« Il eut un sourire espiègle, se frotta doucement les mains l'une contre l'autre d'un air satisfait et dit : « Eh bien, je vous voulais réellement ici; et, comme je vous l'ai déjà dit ce matin, tout ce que je veux réellement, *ça se produit ! Je vous voulais ici ! Vous êtes venu !* »

Il me fit signe de m'asseoir (j'étais plutôt content d'accepter car j'avais les jambes flageolantes) dans un petit salon meublé avec un goût exquis. Sa fille, qu'il m'avait présentée avec beaucoup de gentillesse, s'excusa rapidement et nous laissa seuls. Il m'offrit un cigare, et prit tout son temps pour remplir une longue pipe de sacristain à son intention, puis rapprocha son fauteuil. Avec sa veste de velours et son air détendu, il faisait vraiment artiste; assez grisonnant, il portait une courte barbe pointue à la Van Dyke; son regard gris, clair, net se posait sur vous avec un peu de timidité, de réticence, mais ne vous laissait aucune porte de sortie.

Il alla droit au but. Allongeant la main vers une petite table, près de lui, il prit une Bible reliée de cuir souple. Je sus tout de suite ce qui m'attendait.

Instinctivement, je décidai de m'esquiver immédiatement, même sans les honneurs de la guerre. Je levai la main dans un geste d'énergique protestation et dis avec fermeté : « Bon, si c'est ça, ça ne m'intéresse pas du tout. »

« Tu vois, s'écria Nancy. Qu'est-ce que je t'avais dit ? »

À ma grande surprise, il replaça le livre sur la table et, l'air songeur, il tira calmement quelques bouffées de sa pipe pendant un petit moment, puis répliqua : « Eh bien, moi non plus, sauf qu'il s'agit du récit important d'une grande religion. Pas mal utile, je présume; mais ça ne m'intéresse pas particulièrement, sauf pour une seule page. » Il fit quelques cercles avec sa fumée, la tête fortement renversée vers le dossier de son haut fauteuil. « Et j'ai découpé cette page... Je voulais seulement vous faire voir cet exemplaire-ci de la Bible. J'allais vous dire, lorsque vous avez lancé cette remarque d'impatience, que dans cette copie-ci de la Bible, il manque la formule secrète pour la puissance. Cette page-là, je la conserve ailleurs. »

« Qu'y a-t-il dessus », demandai-je, un peu contrarié de révéler moi-même mon intérêt.

« Oh, rétorqua-t-il négligemment, juste les règles pour obtenir tout ce que vous voulez, faire tout ce que vous désirez faire et être tout ce que vous aimeriez être. Mais cela ne vous intéresse pas; nous allons donc parler d'autre chose. »

« Qu'y a-t-il sur cette page », demandai-je d'une voix plutôt perçante.

« Voulez-vous réellement le savoir ? » me lança-t-il comme un défi, s'avançant dans son fauteuil, le regard vivement fixé sur moi.

« Oui ! » aboyai-je.

Les paroles qui suivirent furent prononcées lentement, de manière incisive, une à la fois.

« *Plus — que — vous — avez — jamais — voulu — savoir — quoi — que — ce — soit — auparavant ?* »

« Oui », confirmai-je, et je le pensais.

« Dites-le », ordonna-t-il.

« Je le répétai : *Plus — que — j'ai — jamais — voulu — savoir — quoi — que — ce — soit — auparavant !* »

Il changea aussitôt d'attitude.

« Bien ! Maintenant, nous pouvons parler ! »

Il fouilla dans une poche à l'intérieur de sa veste et en sortit un portefeuille en cuir. Du portefeuille il a extrait une feuille pliée. Je la lus et il m'expliqua consciencieusement comment en interpréter le sens.

Il fallait voir les yeux de Nancy quand Bobby cessa sa lecture pour scruter son visage.

« Êtes-vous prête pour un vrai coup de massue, demanda-t-il. Si oui, je vais vous livrer le paragraphe suivant. »

Je suis resté chez Randolph jusqu'à quatre heures du matin et quand je me suis glissé dans l'obscurité, passablement ébranlé, j'étais conscient que ma vie ne serait plus jamais la même. La réussite que j'ai pu avoir dans ma profession date de cette heure-là et peut être expliquée par les mystérieuses potentialités que Randolph m'a communiquées ce soir-là.

Ils gardèrent le silence pendant un long moment.

« C'est là que je me suis arrêté », dit Bobby.

« C'est bien assez loin, d'après moi ! » Le profond soupir de Nancy trahissait son découragement.

« Alors, arrêtons-nous là. » Il se leva et jeta un coup d'oeil à sa montre. « Vous et moi ne pouvons ignorer que tout ceci a probablement été écrit alors que le docteur Hudson était sous pression constante à cause de son travail; à moitié mort; qu'il avait des hallucinations; entendait des voix. On devrait peut-être même s'abstenir de le lire. Ça n'est peut-être pas très juste pour sa mémoire. Que diriez-vous de laisser tomber et d'oublier que nous nous sommes rendus aussi loin ? »

Nancy tapotait la table du bout des doigts, l'air songeur.

« Je me demande ce qu'il y avait sur cette page ! »

Il eut un petit rire.

« Ça ressemble au docteur Hudson ! C'est ce qu'il voulait savoir. Et maintenant, c'est vous qui posez la question ! Je dois avouer que moi aussi j'aimerais le savoir. » Il saisit son bras de ses doigts vigoureux. « Et quelle que soit l'intensité de l'opposition que nous ressentons envers ceci, il est sûr que nous y reviendrons en cachette, chacun notre tour, pour pousser l'enquête plus loin : donc, nous devrions peut-être être honnêtes l'un envers l'autre et voir à ça *tout de suite*. Êtes-vous prête à le faire ? »

Elle acquiesça sans relever la tête.

« Prenez garde. Ça va probablement nous rendre aussi cinglés qu'il l'était. »

Allumant une cigarette, Bobby se dirigea vers la fenêtre, une main dans la poche. Il se retourna et, s'adossant à la fenêtre, étudia attentivement son visage.

« Pas moi ! Je ne vais pas le faire. Je ne peux pas me permettre de patauger dans des trucs pareils. Ça ne me va pas du tout. Je ne savais pas que je pouvais être impressionnable à ce point. Vous pouvez continuer si vous voulez... Moi, je me retire. » De sa main, doigts écartés, il fit le geste de rejeter tout cela catégoriquement.

La voix de Nancy était grave.

« Tu ne pourras pas t'en sortir comme ça ! Tu es trop engagé déjà !... Et tu le sais très bien !... Tu es mordu !... Je sais que *moi*, je suis mordue. Je comprends maintenant pourquoi il est allé chez Randolph ce soir-là ! Il y a quelque chose... quelque chose d'inévitable dans ça!... Une sorte de folie, peut-être; mais une fois que ça te saisit, tu es mordu ! Aussi bien continuer... tôt ou tard. C'est une chose avec des tentacules invisibles, bizarres, qui s'élancent et s'enroulent autour de toi... et te tirent... et t'enfoncent... et te traînent... »

« Ça suffit, Nancy !... Tout cela est ridicule ! »

* * *

Le jeune Watson n'aurait pas pu choisir un plus mauvais moment pour faire son apparition. Madame Ashford avait un visiteur et il semblait clair que tant l'hôtesse que l'invité étaient soumis à une vive tension... que l'orage grondait, même ! Se rendant compte qu'il était *de trop**, il était sur le point de se retirer lorsque Nancy le rappela :

« Entrez donc ! Vous vous souvenez sûrement de monsieur Merrick ? »

« Bien sûr, dit-il, en lui tendant la main. Je me souviendrai toujours de vous comme du malade ayant soutenu la plus vaillante lutte contre la pneumonie que j'aie jamais vue ! Et maintenant si je comprends bien, c'est contre la dépression que vous vous battez. »

Se tournant vers madame Ashford, il expliqua le but de sa visite.

« L'état de votre monsieur Folsom se détériore rapidement. Dans une heure ou deux il sera tout à fait inconscient. Il vous a demandée il y a quelques minutes. Vous feriez mieux d'aller le voir rapidement. Il semble n'avoir aucune famille en ville. »

---

* En français dans le texte.

S'excusant de le quitter, Nancy se leva pour partir.

« Vas-tu m'attendre ? »

Merrick fit signe que oui.

« Je vais continuer ceci. Prenez tout votre temps. Je serai encore ici à votre retour. »

La porte se referma doucement sur eux.

* * *

Je tendis la main avidement vers la page que Randolph avait dépliée, mais il secoua la tête.

« Pas tout de suite, dit-il, riant de mon impatience. Je vais vous la laisser voir mais je dois d'abord vous dire quelque chose à son sujet. Cette page contient le moyen de générer ce mystérieux pouvoir que j'ai mentionné. En suivant ces instructions à la lettre, vous pouvez obtenir tout ce que vous voulez, faire tout ce que vous désirez faire, devenir tout ce que vous aimeriez être. Je l'ai essayé. Et ça marche. Ç'a marché pour moi et ça marchera aussi pour vous ! »

Sous l'effet de l'impatience et de l'incrédulité combinées, j'eus un petit rire, mais il ne sembla pas s'en offusquer.

« Vous avez vu la pièce sur laquelle je travaillais au moment de votre arrivée, ce matin ? »

« Magnifique », m'exclamai-je, et j'étais sincère.

« Elle vous a plu tant que cela ? » Mon enthousiasme le touchait.

« Rien de moins qu'un chef-d'oeuvre. »

« Je devrais sans doute être un peu plus reconnaissant de ce compliment, docteur, mais en réalité je n'y suis pas pour beaucoup... Vous serez peut-être intéressé de savoir que, jusqu'à il y a trois ans, je n'étais qu'un tailleur de pierres ordinaire, gravant des lettres imprimées avec un ciseau à compression. Depuis ma jeunesse, je nourrissais l'ambition de faire quelque chose d'important avec la pierre. Mais je n'avais jamais d'argent pour prendre des cours, jamais le temps de faire des expériences. Les quelques rapides et grossières tentatives que j'avais faites, de temps à autre, ne m'avaient apporté que des déceptions.

« Un jour, à l'église que ma petite fille fréquentait, j'entendis un prédicateur lire ce qui se trouve sur cette page. Ça ne voulait rien dire pour lui, apparemment, car il la lisait d'une voix monotone, ennuyante. Et les mots ne semblaient faire aucune impression sur les paroissiens qui écoutaient, les yeux dans le vague. Quant à moi, j'étais profondément troublé. La suite de l'office me parut interminable car je voulais sortir pour aller réfléchir quelque part. »

Je m'empressai de rentrer dans ma petite maison, nue et désolée, et avec quelque difficulté, car je ne connaissais pas très bien la Bible, je trouvai la page dont le pasteur nous avait lu des extraits. C'était là, noir sur blanc, le processus précis pour obtenir le pouvoir de faire, être et avoir ce que l'on veut. Je fis quelques expériences. »

* * *

Le visage de Nancy, grave et ému, apparut à la porte.

« Bobby, dit-elle doucement. Je n'aime pas te laisser seul aussi longtemps, mais mon patient semble vouloir que quelqu'un lui tienne la main. Je crains de devoir rester auprès de lui encore un petit moment. »

« C'est bien normal, dit-il, la regardant à peine. Restez avec lui et ne vous en faites pas pour moi. J'aurai peut-être quelque chose de très important à vous dire à votre retour ! Il semble que le grand mystère sera bientôt éclairci. »

Elle hésita, fut sur le point de lui poser une question mais en voyant à quel point il était absorbé par son travail, elle se retira et referma la porte doucement.

Sur ce, Randolph me tendit la page magique sur laquelle une vingtaine de lignes environ étaient soulignées à l'encre rouge. Il fuma sa pipe en silence, tandis que je parcourais des yeux les paragraphes énigmatiques; quand je levai un regard inquisiteur vers lui, il me dit:

« Naturellement, vous ne saisirez pas toute l'importance de ceci immédiatement. Ça semble simple parce que c'est présenté froidement, sans effet oratoire ni avertissement solennel qu'il est sur le point de présenter la clé du pouvoir. »

Rapprochant son fauteuil du mien, il plaça sa longue main sur mon genou et me regarda droit dans les yeux.

« Docteur Hudson, si vous aviez une petite maison de brique, pas pratique du tout, et décidiez de l'agrandir, de quel type de matériau auriez-vous besoin ?... De plus de briques... Si vous aviez une petite locomotive à vapeur, ne suffisant pas à vos besoins, il vous faudrait plus d'acier pour fabriquer des cylindres plus gros — pas un autre type d'acier pour emmagasiner un autre type de vapeur mais plutôt davantage d'espace pour permettre l'expansion... Et maintenant... si vous aviez une personnalité faible, inadéquate, et vouliez lui offrir l'occasion d'accomplir quelque chose de plus important, où trouveriez-vous les matériaux de construction ? »

Il semblait attendre une réponse, alors je décidai de lui accorder ce plaisir.

« Eh bien, si je suis votre raisonnement, je présume que je devrais les tirer des personnalités des autres. C'est à ça que vous voulez en venir ? »

« Précisément, s'écria-t-il. Mais pas *tirer... encastrer...* Je suis content que vous ayez dit cela, car ça me fournit l'occasion de vous faire voir la différence exacte entre les bonnes et les mauvaises méthodes de se servir des personnalités des autres pour améliorer la sienne... Chacun sait, presque instinctivement, que sa personnalité est influencée par les autres. La plupart des gens imitent divers aspects et facettes des personnalités qui leur ont plu... ils copient la démarche de l'un, l'accent de l'autre, le rire d'un troisième, et les gestes particuliers d'un autre encore, ne faisant ainsi que singer les autres... La théorie dont je vous parle ne vous demande pas de construire votre personnalité *d'après* celle des autres, mais *dans* la leur ! »

Les idées un peu embrouillées, je confessai : « Je crains fort que tout cela ne soit un petit peu trop profond pour moi. »

Il se leva et se promena de long en large devant la cheminée, secouant ses cheveux gris embroussaillés, agitant sa pipe au long tuyau comme s'il essayait de trouver une meilleure explication.

« Tenez. Vous savez comment se fait une transfusion de sang. C'est de votre domaine, ça. Formidable ! Une personne transmet ses éléments vitaux à l'intérieur d'une autre personne... Dites-moi, docteur, comment procédez-vous pour faire une transfusion de sang ? Expliquez-moi cela en détail ! »

* * *

Merrick leva les yeux en entendant la porte s'ouvrir.

« C'est fini ? »

Nancy fit signe que oui, d'un air grave.

« Que s'est-il passé depuis que je suis partie », demanda-t-elle en approchant un fauteuil.

Il glissa ses notes vers elle et surveilla son expression pendant qu'elle lisait.

« Quelle *est*, au juste, la meilleure méthode de faire une transfusion de sang ? Voyons un peu quelles sont vos connaissances sur le sujet ! »

« Eh bien, c'est assez simple, en somme, sauf pour une petite difficulté. Il faut éviter la coagulation du sang pendant le processus de transfusion lui-même. Même si l'artère et la veine sont reliées par une petite canule, le sang adhère vite aux parois du verre; alors pour éviter cette interruption, on insère la veine du receveur dans la canule en repliant l'extrémité de la veine sur le rebord de celle-ci. Puis la canule est insérée avec la veine du receveur dans l'artère du donneur. Le point crucial, voyez-vous, est d'éviter tout contact extérieur. »

« Bobby, qu'est-ce qui était écrit sur cette page ? »

« Je ne le sais pas encore. »

« Crois-tu qu'il va finir par nous le dire ? »

« Il le faudra bien, tôt ou tard. Continuons la lecture. J'imagine que nous allons bientôt le savoir. »

Nancy reprit son crayon et se remit à copier pendant qu'il dictait rapidement les lettres.

Je lui expliquai les principes de la transfusion, brièvement, et Randolph semblait plutôt content, surtout de ce qui concernait le problème de la coagulation.

« Brillant, Bobby, s'écria Nancy. Tu le savais, n'est-ce pas ? »

Il accueillit sa remarque avec une grimace et continua à dicter.

« Vous remarquerez ici, dit-il en indiquant la page que j'avais en main, que la première étape pour acquérir le pouvoir est une expansion, une projection de soi-même à l'intérieur de la personnalité des autres. Vous verrez que cela doit se faire dans le plus grand secret, un secret si complet en fait que si par inadvertance, il y a une fuite quelque part, tout l'effet en est gaspillé. Vous devez le faire si furtivement que même votre main gauche... »

Nancy posa son crayon sur le bureau et s'adossa au fauteuil.

« Bobby ! Je l'ai ! *Je peux trouver la page !* »

« Y a-t-il une Bible ici, quelque part ? »

« J'ai bien peur que non, mon cher. »

« Eh bien, on s'occupera de ça plus tard. Continuez ! »

Randolph reprit son fauteuil et poursuivit en baissant la voix :

« Hudson, la première fois que je l'ai essayé (je peux bien vous raconter cela car il n'en est rien sorti), malgré que ça m'ait coûté beaucoup plus que je ne pouvais me le permettre à l'époque, le type était si reconnaissant qu'il est allé tout raconter à un de mes voisins, même si je lui avais fait jurer le secret. Il avait perdu son emploi, il y avait eu beaucoup de maladie dans sa famille et ses vêtements étaient en si piteux état qu'il ne faisait guère bonne impression dans ses démarches pour trouver un emploi. Je l'équipai donc de pied en cap. Et il est allé tout raconter. Dès le lendemain un voisin venait me féliciter. Résultat : soixante dollars de mon argent durement gagné, à l'eau, gaspillé ! »

« Gaspillé, m'écriai-je, étonné. Comment cela, gaspillé ? Le type n'a pas trouvé de travail ? »

Randolph soupira.

« Eh oui, dit-il, il a bien trouvé du travail. Il en était très content, bien sûr. Mais ça ne m'a rien donné *à moi* ! Vous pouvez être sûr que, à la mise de fonds suivante, j'ai bien informé le bonhomme que si jamais j'entendais dire qu'il en avait parlé à qui que ce soit, je lui tordrais le cou. »

« Avez-vous déjà entendu quelque chose de plus diabolique, glissa Nancy avec indignation. Pouvez-vous imaginer un égoïsme aussi forcené?... Il ne le fait que pour son propre bénéfice !... N'accepte même pas que l'autre type soit reconnaissant !... Et pourtant, il croyait qu'en agissant ainsi, il se mettait en contact avec Dieu !... Ça donne le frisson !...

« Eh bien, n'oubliez surtout pas qu'il était obsédé par une illusion. »

« Possédé du démon ! Voilà ce que je serais plutôt portée à croire ! »

« Peut-être le docteur Hudson va-t-il expliquer cela... Continuons. »

Il se mit à rire gaiement à la pensée de cet incident.

« L'homme pensait que j'étais fou », ajouta-t-il, en s'essuyant les yeux.

« Et vous ne l'étiez pas ? » demandai-je sur un ton qui le ramena sur terre.

« Réellement, ça semble fou, n'est-ce pas ? Je veux dire, quand on entend ça pour la première fois. Ça ne m'étonne pas que vous soyez un peu perplexe. »

J'admis brutalement: « Plus que perplexe, je suis dégoûté ! »

« Vous et moi aussi », intercala Bobby, tout bas.

« Vous auriez bien raison de l'être, admit Randolph, si j'essayais d'obtenir du pouvoir de cette façon pour amasser de l'argent pour mon propre plaisir. Tout ce que je désirais, c'était l'épanouissement réel de mes possibilités latentes de faire quelque chose de grand !... Et quant à votre dégoût parce que j'ai demandé à l'homme de ne révéler à personne ce que j'avais fait pour lui, si cela vous choque, le Seigneur lui-même vous déplairait... Car il a souvent dit cela aux personnes qu'il avait aidées. »

« Je ne sais vraiment pas, dis-je. Je ne connais pas très bien ce qu'il a pu dire... Continuez votre histoire. »

« Merci... Mais auparavant, laissez-moi vous renseigner encore un peu plus sur la philosophie d'ensemble de tout cela... Dans la soirée du jour où je fis ma première projection réussie de ma personnalité — je ne peux pas vous dire ce que c'était (je n'ose pas) — je me cachai littéralement dans un placard chez moi et refermai la porte. C'est la prochaine étape dans le programme, comme vous avez pu le lire sur cette page. Vous voyez, je prenais cette chose bien à coeur; et ayant déjà échoué une première fois, j'étais bien décidé à suivre les règles à la lettre. Plus tard, j'ai découvert que le principe peut fonctionner ailleurs que dans un placard. Du moment que vous êtes isolé. »

Je n'arrivais plus à me contenir. « Oh, Randolph, m'écriai-je, pour l'amour du ciel ! Qu'est ce que c'est que ce langage ? »

« Bravo, interrompit Nancy. Il était temps qu'il fasse quelque chose ! »

« Je dois confesser que je ne comprends pas, dit Randolph avec impatience. Pourquoi vous avez tant de mal à accepter ceci ! Quand même, ça correspond à notre expérience de tous les autres types d'énergie, non ? Ou nous acceptons les règles du jeu, ou nous ne pouvons pas en bénéficier. C'est très simple. La pile de Volta ou la dynamo de Faraday n'étaient presque rien du tout jusqu'à ce que Du Fay découvre un type d'isolation susceptible d'empêcher le courant de se propager au contact d'objets autres que celui sur lequel on veut décharger l'énergie... La plupart des personnalités sont seulement reliées à la terre. C'est là leur seul problème !

« Donc, je me suis enfermé dans un placard; j'ai fermé les yeux; et je me suis placé dans un état de réceptivité spirituelle. Puis j'ai dit en toute confiance en m'adressant à la Grande Personnalité : *J'ai rempli toutes les conditions requises pour recevoir le pouvoir ! Je suis prêt à le recevoir ! Je le désire. Je veux la capacité d'accomplir une seule sculpture valable !*

« Bon, vous allez peut-être penser que ce que j'ai ressenti à ce moment-là n'était qu'une illusion bizarre. En tant que scientifique, vous pouvez penser que mon état mental peut facilement être expliqué par des principes de psychologie. Si vous pensez cela, je n'ai aucune objection. Le fait que le processus d'acquisition du pouvoir par l'expansion de la personnalité humaine requière une explication en des termes scientifiques, n'enlève rien du tout à sa valeur, à mon avis. Je ne crains pas d'affirmer qu'un jour viendra où la science se penchera sur le phénomène.

« Mais, qu'on puisse l'expliquer ou non, je peux vous assurer sincèrement qu'à la fin de cette expérience dans le placard j'ai reçu, aussi reconnaissable qu'un choc d'une électrode ou un éblouissement de lumière en ouvrant les volets dans une pièce sombre, une étrange illumination intérieure !

« Il était très tard. Je sortis de ce sombre placard où je suffoquais avec un curieux sentiment de maîtrise. Ça m'avait redressé les épaules, assoupli les muscles de la mâchoire, mon pas était ferme. J'avais envie de rire ! J'essayai de dormir et n'y arrivant pas, je sortis marcher dans les rues jusqu'à l'aube. À huit heures trente, j'allai voir le directeur de l'atelier et lui demandai un congé de six mois. Quand il me demanda pourquoi, je lui répondis que j'avais envie de m'essayer à une sculpture. »

« ' Quelque chose que nous pourrions utiliser ', me demanda-t-il.

« ' J'en suis sûr ', répondis-je, surpris de ma propre audace. C'était déjà bien suffisant d'avoir décidé de survivre, je ne savais trop comment, sans salaire pendant six mois; voilà que j'avais fait une promesse extravagante au directeur. Après quelques secondes de réflexion, il me dit :

« ' Je vais vous accorder la chance d'essayer. Pour l'instant, vous allez continuer à recevoir votre salaire et vous disposerez d'un studio pour vous tout seul. Si vous produisez quelque chose que nous pouvons placer, nous partagerons les profits avec vous. Vous serez complètement libre de travailler quand bon vous semblera. J'aimerais beaucoup que vous puissiez réussir. '

« Je me mis au travail immédiatement, débordant d'enthousiasme. Il me semblait que la glaise prenait vie sous mes doigts. Ce premier jour fut une véritable révélation pour moi. C'était comme si je commençais seulement à vivre. Toutes les couleurs me semblaient plus vives. J'aimerais que vous vous souveniez de cela, Hudson. Vous verrez si vous avez la même réaction. Le gazon est plus vert; le ciel, plus bleu, vous entendez les oiseaux plus distinctement. Ça aiguise les sens, comme la cocaïne.

« Ce soir-là, je retournai dans mon placard et pris conscience immédiatement d'un sentiment étrange d'intimité entre moi et Cet Autre; mais c'était moins vivace que le soir précédent. Je décidai que si je voulais obtenir plus de pouvoir de cette façon-là, il me faudrait faire quelques ajustements à ma vie spirituelle.

« C'était un vendredi, le 10 juin. Au début de septembre, j'invitai le directeur à venir voir le moulage que j'avais réalisé. Il le regarda un long moment en silence. Après quoi il dit doucement : ' Je connais des gens que ça pourrait intéresser. '

« L'oeuvre représentait un enfant, un garçonnet joufflu de quatre ans environ, appuyé sur un genou. Il se relevait après avoir joué avec un petit chien qui, alerte et vif devant lui, une balle dans la bouche, attendait que l'enfant le remarque. La chemisette du garçon était ouverte au cou. Ses culottes courtes et serrées étaient boutonnées à de larges bretelles. Ses jambes étaient nues jusqu'aux genoux. Il regardait droit devant lui, son petit visage plissé par l'étonnement, l'émerveillement, la curiosité. Sa main, petite et carrée, protégeait ses yeux d'une lumière qui l'aveuglait presque, sa tête légèrement inclinée indiquant qu'il avait entendu quelque chose qu'il n'arrivait pas à comprendre, les oreilles tendues dans l'attente que cela se répète.

« Le lendemain, dans l'après-midi, les clients du directeur se présentèrent; il s'agissait d'un homme accompagné de sa femme, toute de noir vêtue; ils avaient perdu leur petit garçon récemment. Au début, elle se mit à pleurer à gros sanglots. Mais après un moment, elle eut un sourire. Ce sourire me rendit très heureux. Je sus alors que j'avais réussi à exprimer ma pensée.

« On me demanda de poursuivre mon travail et d'exécuter la statue en marbre blanc... Et, incidemment, le couple adopta le garçon qui m'avait servi de modèle. »

* * *

Quand je quittai la maison de Randolph cette nuit-là, il était près de quatre heures. J'étais complètement mystifié. Je rentrai chez moi déterminé à tenter une expérience semblable à la sienne. Avant d'aller au lit, j'essayai de projeter mes pensées vers quelque distante source spirituelle, mais je ne perçus aucune réaction. Le matin, je décidai que j'avais été dupé outrageusement par un excentrique et, en me rasant, c'est d'un air renfrogné que je regardai ma propre image dans la glace. Seul un visionnaire pouvait faire des choses semblables avec quelque espoir de réussir, et j'étais, autant par formation que par tempérament, un matérialiste et de façon très délibérée de surcroît. Pendant toute la journée cependant, je fus conscient de me trouver dans un état de quête, patiente, constante, pour du matériel clinique approprié en vue d'une expérience sur la dynamique de la projection de la personnalité... L'aspect le plus étrange de mon état toutefois, était que le pouvoir que j'avais commencé, plutôt vaguement, à tenter de saisir, sous l'incitation de Randolph, ne représentait pas que la seule satisfaction de l'ambition de me rendre important ou de flatter mon propre orgueil... Pour la première fois, ma profession m'apparaissait non pas comme une arme pour me défendre mais plutôt comme un moyen de me libérer !

« Les dernières paroles de Randolph en m'accompagnant à la porte, furent cette mise en garde : ' Soyez bien prudent dans la façon dont vous vous lancez là-dedans, mon ami ! J'ignore quelles punitions cette énergie peut imposer si elle est mal utilisée... Je n'ai aucune idée des choses affreuses qui auraient pu survenir au Galiléen s'il avait changé ces pierres en pain !... Mais je vous préviens ! Si vous pensez vous lancer dans ceci pour faire grossir votre propre pécule, vous feriez mieux d'y penser à deux fois... Je n'en suis pas sûr, mais je pense que c'est très dangereux de faire l'idiot avec ça ! »

Mes propres expériences sont présentées ci-après à titre d'aide possible pour quiconque aura eu la curiosité de traduire ce journal. Je crois bien avoir présenté clairement les raisons pour lesquelles j'ai choisi cette méthode particulière pour les transmettre. Eussé-je tenté de faire part de mes expériences, c'eût été aux dépens de ma réputation d'homme sain d'esprit. Je ne peux penser à un seul ami à qui j'aurais pu dire ces choses sans créer une tension désagréable entre nous. Il m'a été pénible de garder ce secret. C'est dur aussi, je m'en aperçois, de le confier; même avec la conscience qu'il est peu probable que ces mots trouvent lecteur de mon vivant. L'idée de passer pour fou — mort ou vivant — me déplaît souverainement.

Toi, qui que tu sois, tu seras peut-être porté à poursuivre ta lecture, et peut-être personnellement intéressé à faire une expérience; peut-être seras-tu seulement poussé par la curiosité. Je me demande — serait-ce déraisonnable de l'exiger ? — veux-tu consentir à t'arrêter ici, si tu as envie de sourire ?... Car, vois-tu, quelques-unes de ces expériences que j'ai vécues ont compté beaucoup pour moi, émotionnellement... Je ne suis pas sûr de vouloir qu'on en rit... Si tu ne t'es pas encore senti pris par cette chose, referme le livre, je t'en prie, et n'y accorde plus une seule pensée... Si toutefois tu désires sincèrement continuer, laisse-moi te prévenir, comme Randolph le fit pour moi, que tu vas saisir un fil à haute tension ! Une fois que tu y auras touché, tu ne pourras jamais plus l'abandonner... Si, par tempérament, il te faut, pour être heureux et avoir assez confiance en toi pour accomplir ton travail, ne rien te refuser — et plusieurs personnes de très haute valeur sont ainsi et ne peuvent changer quoi que ce soit, pas plus qu'un homme de haute taille ne peut s'empêcher d'être grand — ne t'occupe plus de tout ceci et va ton chemin !... Car si tu t'aventures dans cette chose, tu auras les pieds et les mains liés ! Ceci hypothéquera tout ce que tu crois posséder et mobilisera ton temps alors que tu préférerais peut-être l'utiliser à autre chose... C'est très onéreux... Cette chose a mené l'homme qui l'a découverte, sur la croix à l'âge de trente-trois ans !

* * *

Le jeune Merrick repoussa les feuilles et se tourna lentement vers Nancy mais leurs regards ne se rencontrèrent point. Ils se sentaient étrangement mal à l'aise l'un avec l'autre, et le silence se prolongea longtemps... Ce fut Bobby qui prit la parole.

« ' Lié, dit-il. Une fois que tu t'y engages, tu es lié. ' Je suis lié par Hudson depuis qu'il est mort !... Il aurait pu se contenter de cela. »

Nancy se leva et posa ses mains adroites sur ses épaules.

« C'est un bon endroit pour s'arrêter, tu ne crois pas ? »

Il était d'accord. Peut-être pourraient-ils passer une heure ou deux ensemble, le lendemain. Il avait à moitié promis à son grand-père d'aller dîner avec lui. Il était question que Tom Masterson y aille aussi.

« As-tu l'intention de prendre le livre avec toi ? »

« Nous allons tirer à pile ou face ! »

« Face ! »

Il fit atterrir une pièce sur son poignet.

« Dommage, Nancy... Je le rapporterai demain. »

IX

« Grand-père, dit Bobby en faisant pivoter lentement le pied d'un verre, j'aimerais bien que tu racontes à Tom cette fois où monsieur Anderson égorgea les cochons au Country Club. »

La conversation avait pris un tour par trop sérieux. Masterson avait une fâcheuse tendance, lorsqu'il était survolté, à devenir didactique. C'était assez brillant, instructif, intéressant mais trop dogmatique pour l'atmosphère d'un repas de l'action de grâce.

Après bien des détours, ils en étaient venus à parler des problèmes de classes en Amérique : Masterson servait de guide et soulignait les principaux points d'intérêt le long de la route. Bobby souhaitait que l'on change de sujet. Le vieux Nicholas avait des opinions bien arrêtées sur ce point. Il ne les exprimait sans doute pas avec toute l'ardeur de ses convictions; mais il ne fallait pas encourager Masterson à laisser échapper un trop grand nombre de sentiments que son hôte sympathique ne partageait pas.

Pour quelles raisons n'y aurait-il pas une classe privilégiée ? Des fainéants, si vous préférez. C'était là le seul signe présenté par l'Amérique qu'elle fût en train de mûrir, un tant soit peu, dans quelques domaines très restreints. Notre type de démocratie n'était-il pas dangereux ? Un référendum ? Bah ! Que savait l'électeur moyen ? Chaque nation ayant manifesté quelque grandeur avait atteint cette distinction grâce au leadership de petites minorités sociales et intellectuelles.

Masterson parlait toujours comme ces orateurs du dimanche qui haranguent la foule du haut de leur tribune de boîte à savon à Hyde Park, les tempes un peu brûlantes. Bobby décida de changer de sujet.

Le vieux Nicholas n'était pas d'accord avec plusieurs des opinions de Masterson, mais ces opinions lui plaisaient encore plus que la façon dont elles étaient présentées, et il aimait mieux et les opinions et leur présentation que la façon dont il buvait son vin.

On avait demandé à Meggs de monter une bouteille trop long-temps négligée d'un Bourgogne de grand crû. De l'avis de l'aîné des

Merrick, un vin semblable devait être caressé, sa robe admirée, son bouquet humé, son histoire reconstituée. Il fallait le boire lentement, goutte à goutte. Bobby semblait s'y connaître et cela plaisait bien à Nicholas. Un rayon de soleil liquide, voilà ce que c'était; de ce soleil qui avait réchauffé les rives charmantes du Rhône, dans les jours calmes de l'avant-guerre. Ce n'était pas un vin à boire d'un trait. Masterson l'avalait à grosses lampées. Comme c'était agréable de voir Bobby fermer les yeux dès que ses lèvres touchaient le rebord du verre, comme s'il imaginait de joyeuses bandes de fillettes aux jambes nues fouler le raisin dans quelque coin d'ombre d'un vignoble provençal. Le jeune homme mûrissait bien, se dit le vieux Nicholas. Il avait l'attitude et les gestes d'un homme, déjà.

« Bobby insiste de temps à autre pour que je raconte cette histoire, dit Nicholas d'un ton obéissant. Je l'ai déjà répétée, à sa demande, de nombreuses fois. »

« Et elle s'améliore chaque fois », ajouta Bobby, flatteur.

« Il faut à tout prix nous la raconter, alors ! » cria Masterson un peu plus bruyamment qu'il n'en avait eu l'intention, erreur qu'il s'empressa de corriger en adressant un salut très solennel, très digne, en signe d'acquiescement à la requête muette de Meggs qui penchait la bouteille à nouveau, timidement, au-dessus de son verre. Meggs avait essayé d'accompagner son geste du degré exact de réserve, mais cette finesse était un peu trop subtile pour son client.

* * *

« Eh bien, dit Nicholas, s'éclaircissant la voix, voici comment les choses se sont passées. Vous voyez, sur le site actuel de la ville d'Axion, se trouvaient autrefois des pâturages. Quand nous étions gosses, Jos Paterson et moi, nous avions un contrat avec la plupart des villageois pour y conduire leurs vaches, chaque matin durant l'été, et pour les ramener le soir pour la traite. Chaque vache nous rapportait à chacun un dollar par mois. »

« Là-bas, dans ces champs où, le visage constellé de taches de rousseurs, les pieds calleux blessés par les pierres, nous passions nos journées à tailler des morceaux de bois pour fabriquer des cerfs-volants, à jouer à la « carotte », nous vantant des équipes dont nous étions les capitaines à l'école. On jouait à chat perché; vous n'avez jamais joué à ça ni l'un ni l'autre. Dans ces champs donc, Jos et moi avons bâti plus tard quelques grandes usines qui ont passablement modifié le paysage.

« Ces usines ont aussi apporté des changements au mode de vie des gens. Plusieurs hommes, qui autrement se seraient contentés de revenus modestes toute leur vie, ont fini par amasser des fortunes assez importantes. Ils ont fait construire de grandes maisons, leurs enfants sont devenus prétentieux. Après un certain temps, on ne reconnaissait plus l'endroit et encore moins certaines personnes.

« Eh bien, même si nous étions très absorbés par nos affaires, Jos et moi, nous sommes restés, à travers les années, de simples enfants l'un pour l'autre. Je suppose que c'était un sujet de plaisanterie pour beaucoup de gens. Nous avons conservé le type de relations que nous avions dans notre jeunesse : nous vantant toujours de nos records de vitesse, de force, d'endurance, à chacune de nos rencontres et inva-riablement, avec les même expressions que nous utilisions dans l'ancien temps. Comme ' Diantre de diable ! ' et ' Mince, alors ! ' et ' Pour l'amour du ciel ! ' J'admets que c'était un peu ridicule; mais ça nous faisait plaisir.

« Jos et moi avions l'habitude de donner un coup de main à nos pères pour la boucherie des cochons en novembre. Dans ce temps-là, chaque famille élevait quelques cochons dans un enclos. Vint un temps où, vers la fin de notre adolescence, nous étions à peu près seuls responsables de la boucherie annuelle; habituellement, nous combinions nos énergies — nous faisions cela chez les Anderson, mieux équipés pour ce genre de travail. Nous devînmes assez experts en boucherie et plutôt fiers de nos exploits. Je crois bien que nos pères nous flattaient dans l'espoir de nous rendre si vaniteux que nous ne verrions pas à quel point ils étaient heureux de se décharger de cette besogne. »

« Eh bien un jour, peu de temps après avoir pris notre retraite, Jos et moi, nous lunchions ensemble au Country Club : il était flambant neuf, l'ouverture datant d'une semaine à peine. Le petit ruisseau où, dans notre jeunesse, nous pêchions les écrevisses et les vairons, constituait le seul accident naturel du terrain de golf. Sur le tertre où l'on avait construit le chalet du club se trouvait autrefois un ravis-sant bosquet. Jos et moi avions l'habitude d'aller nous asseoir au milieu de ces arbres, sur une bûche, écrasant les moustiques, tout en observant les jeux des écureuils gris. Jos possédait un vieux fusil de chasse, du type qui se charge par le canon, un jouet passablement dangereux aussi. Étonnant qu'on ne se soit pas fait tuer une bonne douzaine de fois. »

« Nous nous amusions à ressasser nos souvenirs. C'était assez étrange d'être assis là, juste à cet endroit, mangeant à une table d'acajou massif, garnie de napperons de dentelle de Venise glissés sous des couverts en argent avec armoiries. Les membres de ce club avaient tous beaucoup d'argent et on avait construit et décoré le chalet sans égard aux coûts; l'ensemble était plutôt cossu. Les serviteurs semblaient avoir été prévenus qu'il s'agissait là d'un des clubs les plus sélect. L'institution menaçait de devenir assez snobinarde, à notre grand regret. Presque tous les gens de la place qui en étaient membres avaient eu d'humbles origines, tout comme Jos et moi, et nous nous inquiétions un peu du déclin de la bonne vieille démocratie. Nous pensions que le simple fait d'avoir amasssé accidentellement un peu d'argent, ne nous obligeait pas à prétendre que nous étions des pairs de l'empire britannique. »

« Aux tables voisines étaient assis quelques représentants d'Axion de la seconde génération — hommes et femmes — dont la conversation tournait autour du polo, des régates, de Biarritz et de la chasse à la grouse en Écosse et nous étions d'avis qu'un coup de barre s'imposait pour améliorer l'atmosphère de la maison. Nous nous mîmes donc à parler des bonnes vieilles distractions d'autrefois qui amusaient les garçons et les filles d'Axion avant que les automobiles fassent leur apparition et chassent les chevaux apeurés des routes et les vaches de leurs pâturages pour faire place aux golfeurs. Puis, l'un de nous se rappela les boucheries.

« Jos se souvenait de la fois où nous avions organisé un concours pour savoir lequel de nous pouvait dépecer un cochon le plus rapidement. Je me rappelais très bien l'incident, mais j'étais sûr d'avoir remporté le défi et gagné le petit enjeu. Jos contestait si fort que, des tables voisines, on s'intéressa à notre conversation et bientôt, on s'inquiéta. Nous rendant compte que nous avions recueilli tout un auditoire, nous continuâmes gentiment le débat, principalement à leur intention. Tant et si bien que Jos et moi finîmes par parier mille dollars pièce que chacun pouvait dépecer un cochon en moins de temps que l'autre. Quand la nouvelle parvint aux vieux membres du club, ils insistèrent pour que l'épreuve se déroule dans la rôtisserie; on accepta les paris et, je le sus par la suite, quelques-uns atteignirent des sommes scandaleuses.

« La manifestation fut inscrite au calendrier du club. Je ne suis pas certain que les plus jeunes membres en aient tiré grande fierté; mais nos vieux copains semblaient y tenir et comme on devait tenir compte de leurs désirs, plus ou moins, la bande du polo retira ses objections. Le mardi suivant, après le lunch, aucun des membres ne retourna au bureau — s'il en avait un. On apporta deux cochons vivants — d'assez bonne taille en plus — dans un cageot. Le parquet de la rôtisserie fut recouvert d'une bâche et Jos et moi, après avoir retiré tous nos vêtements, enfilâmes des fringues de boucher. Et nous avons fait le dépeçage au complet, des cris jusqu'à la saucisse. On me raconta, par après, que l'on avait dû refaire tout l'intérieur du chalet, du sol au plafond. On trouva de la graisse sur les marches de l'escalier et des poils dans la soupe sans compter les morceaux de couenne dans le tapis, pendant des semaines. »

« Est-ce que cela a amélioré le climat démocratique du club ? » demanda Masterson en riant.

Le vieux Nicholas secoua la tête et sourit.

« Non. Je ne le pense pas. Une fois qu'on a pris ses distances avec les choses simples de la vie, il est difficile d'y retourner ou de se les rappeler avec quelque plaisir. Il n'y a pas loin, tu sais, du pain de maïs au plum pudding, mais il faut beaucoup de temps pour s'y remettre. »

« Que pensez-vous de la deuxième génération, monsieur Merrick », demanda Masterson.

« Vous voulez dire la vôtre et celle de Bobby, peut-être ? La vôtre est la troisième, vous savez, à partir de la mienne. Eh bien, je suppose qu'on peut espérer davantage de la vôtre que de celle immédiatement avant. »

Nicholas tourna son regard vers Bobby et il poursuivit : « Voilà un jeune, par exemple, qui se prépare à être médecin. À son âge, son père était un tueur de cerfs novice. Quand Clif a entendu parler de l'incident du dépeçage de cochons, il en a été tout bouleversé. 'Mais Clif, lui dis-je, je t'ai déjà entendu te vanter d'avoir dépouillé et découpé un chevreuil. ' ' Oh ! mais ça n'est pas la même chose du tout ', me répondit-il. Et ' Je suppose que oui ', ajouta-t-il, magnanime, après une pause. »

« Notre famille, dit Masterson, avec une légère pointe de cynisme, a été fort peu touchée par les problèmes reliés à l'accumulation d'une grosse fortune. Mon père est rédacteur en chef d'un petit journal local dans l'Indiana. Son père était médecin de campagne et son grand-père, évangéliste itinérant de l'Église méthodiste. Le seul ennui que nous ayons jamais eu à propos de l'argent fut d'en avoir assez pour payer nos comptes... Mais, en ce qui concerne Bobby, il n'est pas conforme du tout... C'est une variété anormale, ou, peut-être devrions-nous dire, améliorée ? »

Nicholas était songeur.

« Eh bien, en effet, Bobby est un cas... assez particulier, comme vous dites. »

Le front plissé de Masterson indiquait qu'il ajustait ses canons et qu'il se lancerait bientôt sur cette voie à moins d'en être empêché rapidement.

« Ne perdons pas de temps à analyser mon cas, dit Bobby en protestant d'un ton aimable. De plus, je n'ai encore rien fait et ce n'est pas le moment des conversations sérieuses... Grand-père, pourquoi ne racontez-vous pas à Tommy cette histoire du pari entre monsieur Anderson et vous-même pour savoir lequel des deux pourrait faucher le plus de foin en une heure. »

Masterson consulta sa montre furtivement; le vieux Nicholas surprit son geste et repoussa immédiatement sa chaise, ne tenant pas compte de la suggestion de Bobby, et les conduisit vers le grand salon où il s'arrêta un instant pour feuilleter les partitions posées sur le piano.

« Qu'est-ce que c'est que cette Symphonie Inachevée, Bobby ?... Tu veux bien la jouer pour nous ? »

« Je n'en ai pas beaucoup envie, grand-père. J'ai trop mangé. Il nous faudrait quelque chose d'un peu plus gai. »

« Et ceci, Soirées napolitaines ? »

« Pas mal, mais c'est un peu trop mou et sentimental pour une soirée de célébrations. »

« Quelque chose de bien rythmé alors », dit Nicholas, se calant confortablement dans un profond fauteuil avec un soupir de satisfaction.

Masterson s'approcha de Bobby et murmura à voix basse : « Dis-moi, crois-tu que ton grand-père s'offusquerait si je m'éclipsais ? J'ai promis d'aller faire un tour chez Gordon, plus tard. Il y a une petite fête spéciale ce soir... une revue... Ça ne te tenterait pas de te joindre à nous ? »

« Qui sera là ? »

« Oh ! tout le monde ! La bande habituelle... que tu as si terriblement négligée depuis des mois. »

Bobby réfléchit quelques secondes puis, tout à fait impulsivement et à la grande surprise de Masterson, déclara : « Je crois bien que oui, Tommy. Ça me plairait assez de me retrouver dans cette ambiance. Ça fait déjà un bon moment. »

Masterson tapotait nerveusement sur le dessus du piano... Se ressaisissant soudainement, il dit avec enthousiasme : « Bravo, vieille taupe ! On avertit grand-père et on se sauve... Juste le temps d'attraper le train de vingt heures vingt-cinq... On sera là à minuit... C'est une bonne heure. »

« Tu n'y allais pas avec quelqu'un d'autre, j'espère ? »

« Euh..., oui, admit Tom après un instant d'hésitation. C'est-à-dire que... il a été question que je passe prendre Joyce Hudson, vers minuit, si vous n'aviez aucune objection à me laisser partir. Mais il n'y a pas de raison pour que tu ne viennes pas avec nous, tu sais. »

« Ça n'est pas la même chose... Je ne voudrais pas m'imposer... Mais je vais quand même descendre en ville avec toi et je coucherai au club de grand-père... Il faut que j'y sois demain matin, de toute façon... J'irai peut-être faire un tour chez Gordon... Nous verrons. »

Le vieux Nicholas n'était pas fâché de les voir partir tous les deux. Tant qu'ils étaient là, il devait se préoccuper constamment de ne pas manquer à ses obligations d'hôte attentif. En fin d'après-midi, il en était arrivé à une situation très délicate dans sa lecture de « La tragédie de la cabine 33 », et il brûlait d'impatience de découvrir si le pilote, enfermé dans le placard pieds et poings liés par le comte, arriverait à se libérer à temps pour prévenir la jeune Américaine avant le retour du yacht des conspirateurs.

« Si je vous permets de partir, ronchonna Nicholas alors qu'ils grimpaient l'escalier. Grand dieux ! »

X

Gordon... Gordon... Ruisselant de lumières ! Gordon, l'exotique ! Gordon à deux heures du matin. Brillamment illuminé, suffocant sous la foule, étouffant dans la fumée, moite de sueur; voix stridentes de gin, affreux mélanges concoctés dans des caves humides et présentés fièrement dans des flacons d'argent garnis de monogrammes; vibrant d'une musique nouvelle mais récemment importée, sans frais de douane, des grands fleuves du Congo, et amenée à une haute perfection par l'orchestre le mieux payé des État-Unis — qui arrivait directement de New York où le cadenas avait mis une fin abrupte à son engagement... les jardins de Gordon !

Les violons grinçaient, les saxophones crissaient, les hautbois ricanaient, les clarinettes se lamentaient, les tubas mugissaient, les triangles cliquetaient... « Lamentations des damnés », peut-être ?... Pas du tout !... « J'ai le cafard en pensant à toi ».

Bobby Merrick, attendant son ticket de vestiaire dans le vestibule rococo, prêtait l'oreille comme un Martien, en esquissant un sourire contraint.

Il s'était décidé à venir sur un coup de tête. Bien avant l'arrivée du train à Détroit, il avait pris la décision de ne pas aller chez Gordon. Il remarqua que l'annonce de sa décision avait contribué à soulager la tension qui régnait entre eux. Tom s'était animé visiblement, même s'il faisait de vaillants efforts pour simuler la déception.

« J'ai un livre qui m'intéresse beaucoup, expliqua Bobby. Je préfère aller continuer ma lecture au club que d'aller traîner avec une bande de sheiks du collège. »

« Et puis, tu dois penser à tes rhumatismes, tonton Jojo, dit Masterson en faisant la grimace. À ton âge, tu devrais être prudent... Ah ! pourquoi tu ne te secoues pas un peu ? »

« Non, j'ai dépassé ce stade. C'est du bluff ! C'est trop déprimant, Tommy... Tout le monde fait semblant... Le petit bonhomme à la table voisine qui chipote de temps à autre avec le bout de sa fourchette dans un repas froid qui lui coûte presque, pour lui et son amie, la moitié de son salaire de la semaine... Se levant la bouche pleine pour traîner Suzie encore une fois dans la foule qui se tortille, s'en voulant de ne pas avoir le courage de la demander en mariage et se demandant où il pourrait dénicher trois cents dollars pour un diamant... Suzie n'accepterait jamais d'en porter un qui vaille un sou de moins... Et cette triste musique, un gémissement plutôt, sur laquelle ils dansent; quoique — Dieu m'en garde — on ne puisse pas blâmer Clarence d'aimer la musique triste. C'est un jeune homme triste. Son père lui refuse de l'argent et il a bu trop de piquette... »

« As-tu déjà pensé à te joindre à la W.C.T.U.* ? »

« Ne fais pas le grincheux, Tommy. Allez, va chez Gordon dépenser ce qu'on t'a donné pour ton dernier article et je vais aller lire mon livre. »

« Ça doit être un sacré bon livre. Ça s'appelle comment ? »

« C'est un traité écrit par un médecin. Tu n'arriverais pas à lire ça. »

« Tu te prends plutôt au sérieux, non ? »

« Esculape est aussi jaloux que Jéhovah, mon fils. »

D'un commun accord, ils cessèrent de se taquiner et Bobby prit des nouvelles de différents membres du groupe dont il avait récemment détourné son attention.

En entendant le nom de Joyce, il demanda, d'un ton banal : « Tu l'as vue pas mal, ces temps-ci, Tommy ? »

Masterson fit signe que oui.

« Sérieux ? »

« J'aimerais qu'on le voie comme ça. »

« Elle est un peu froide avec toi, non ? »

« Plutôt... Et tu sais diablement bien pourquoi. »

« Sottises ! Il y a plus d'un an que je ne l'ai vue ! »

« Eh bien, ça n'est pas des sottises... pas pour elle. Elle pense beaucoup à toi, doc. »

Bobby écarta l'idée d'un geste.

« Brave fille !... Te souhaite bonne chance, Tommy ! »

« Merci ! Disparais de la circulation et peut-être que j'en aurai. »

---

* N.d.T.: Women's Christian Temperance Union

« Au fait, Tommy, est-ce qu'il t'arrive de voir la jeune madame Hudson à l'occasion ? »

« Bien sûr... Magnifique... Irréprochable et intouchable... Ne va nulle part... En deuil, tu sais... Vieilles notions du Sud à propos des vêtements de deuil et tout ça... elle y mettra fin un de ces jours et fera sensation !... Belle ? Sapristi !... Tu ne la connais pas, hein ? Eh bien mon vieux... tu n'es jamais allé nulle part et tu n'as rien vu, alors ! »

« Tant que ça ? J'irai faire un saut un de ces jours et m'offrirai un régal. »

« Il vaudrait mieux pas... Tu as beaucoup de travail et il ne faut pas te déranger. »

Dans un gémissement, le train s'arrêta à la station la plus laide entre Bombay et l'aurore boréale et ils se quittèrent pour héler un taxi en se promettant de se revoir bientôt.

* * *

Accueilli cordialement, puis confortablement installé au club Columbia, Bobby retira ses vêtements, passa une robe de chambre et poursuivit son travail sur le journal de Hudson. C'était le début d'un nouveau chapitre dans lequel le lecteur était autorisé à pénétrer plus avant dans l'intimité de l'auteur, comme si, après avoir rencontré ce dernier à mi-chemin du seul fait de s'être astreint à la traduction, l'héritier de ce livre se trouvait maintenant sur un nouveau pied de camaraderie.

Il m'importe que vous sachiez combien sérieuses sont les conditions que doit remplir tout homme désireux d'accroître son propre pouvoir au moyen de la technique que j'ai explorée sous les directives de Randolph.

Il me faut en parler, ici, car il est fort possible que ces lignes soient lues par quelque impulsif rempli d'enthousiasme qui, impatient de se procurer les fortes récompenses promises, tentera des expériences dont il ne tirera ni joie ni avantage; et qui, accablé par son échec, se retrouvera dans un état pire que le précédent.

Et effectivement, telle fut ma première expérience, Randolph ne m'ayant pas prévenu que certaines conditions étaient indispensables à la réussite. Ce ne fut qu'après plusieurs tâtonnements que je les découvris enfin.

Il faut se rappeler dès le début qu'aucune entreprise altruiste — quel qu'en soit le prix — ne peut rapporter d'avantages au donneur, s'il a négligé de quelque manière les obligations normales et naturelles auxquelles il se doit d'être sensible. Non seulement doit-il être juste avant de tenter d'être généreux mais il doit aussi considérer cet investissement particulier de son être comme un altruisme d'ordre supérieur, bien autre chose que de la simple générosité.

Une personne doit avoir rempli toutes et chacune de ses responsabilités avant de se lancer à la poursuite de l'occasion de rendre des services secrets qui seront utilisés dans le but exprès de développer sa personnalité afin qu'elle s'ouvre à cette inexplicable énergie qui garantit le pouvoir personnel.

Ma propre vie était très limitée. Je n'avais eu que peu d'occasions de blesser ou de tricher, même en supposant que j'aie eu des dispositions pour l'intrigue. Mon programme ne comportait qu'un minimum de transactions commerciales. J'avais été strictement surveillé presque toute ma vie — à l'école, au collège, comme interne — de sorte que j'avais eu peu d'occasions de commettre des bourdes graves ou irréparables.

Une fois que j'eus commencé à me décharger de mes obligations toutefois, je fus étonné de découvrir à quel point j'étais endetté. Ainsi, par exemple, je constatai qu'un grand nombre d'hommes, ici et là, avaient été rayés de mes listes soit en fait, soit en intention, ce qui revenait au même; je leur avais dit d'aller au diable. Dans certains cas, les provocations étaient suffisantes pour justifier mon geste, pensais-je. Mais, plus souvent qu'autrement, je me souvenais d'elles comme de personnes avec qui j'avais été en contact assez étroit, suffisamment rapproché pour rendre une rupture possible. Je découvris que, presque sans exceptions, les personnes que j'avais éloignées de moi — précipitées en enfer si vous voulez — avaient été, dans le passé, intimement associées à moi... En ce qui me concernait, elles étaient allées en enfer en emportant avec elles une très importante partie de moi-même !

Je découvris que perdre un ami en qui on a investi quelque chose de sa propre personnalité équivaut à perdre une partie de soi-même.

Pour poursuivre avec succès la philosophie qui t'est présentée ici, il importe que tu rassembles ces parties de ta personnalité qui ont été dispersées, emportées par les autres. Si une fraction de son énergie essentielle a été disséminée, il faut la recouvrer.

La personne qui fut la première à formuler cette théorie, consciente de l'importance de se prémunir contre ces pertes, a recommandé que tous les malentendus soient résolus sur-le-champ. Lorsqu'une mésentente éloigne un ami de toi, c'est avec une partie de toi-même dans sa main qu'il s'éloigne. Coûte que coûte, il te faut recueillir ces fragments de ton être, afin d'avoir au moins toute la personnalité qui t'appartient de droit, avant de tenter de la projeter davantage.

Ensuite : tu commettras peut-être l'erreur de chercher par monts et par vaux les occasions de t'encastrer dans les personnalités des autres au moyen de leur réhabilitation. Un heureux hasard m'a empêché de le faire. Assez bizarrement, le premier service réellement important qu'il me fut permis de rendre, je le rendis à la fille de celui qui m'avait indiqué comment m'y prendre... Je risquai le peu de renom que j'avais déjà, et hypothéquai tout ce que je pouvais espérer acquérir, pour procéder à l'opération qui lui sauva la vie et qui, tout à fait par hasard, me valut trois pages de commentaires élogieux dans le numéro suivant de l'encyclopédie médicale.

Bobby ne se donna pas la peine de ranger ses notes, s'habilla avec soin, appela un taxi et se fit conduire chez Gordon. Il n'avait aucune réponse précise à offrir pour la soudaineté de sa décision. Si on le lui avait demandé, il aurait été forcé de répondre qu'à un moment, il avait eu l'impression que sa présence était nécessaire chez Gordon. Il n'y allait certainement pas en quête d'amusements.

* * *

Son arrivée au célèbre cabaret n'aurait pas pu être mieux calculée. Une heure plus tôt, il aurait été reçu par des cris et des plaisanteries à une table d'amis ridicules, excités et désireux de le voir bien vite aussi ivre qu'eux et même un peu envieux de le voir aussi sobre.

En ce soir de festival, le programme du cabaret était plus élaboré que de coutume.

Les filles de la troupe, à qui l'hospitalité de ce congé ne valait rien de bon — en effet les clients leur offraient force consommations durant l'intermission — miaulaient doucereusement le refrain d'un air d'opéra bien connu, tandis qu'un énorme bonhomme jouant le brigand, chemise à col ouvert, culottes de velours, un foulard à pois autour de la tête, exécutait un solo de danse sous les feux des projecteurs.

Aleppo tenait la tête d'affiche. D'abord acrobate et homme fort, il complétait ses exploits d'agilité et de force par quelques pas de danse compliqués et quelques refrains à roucoulades. Un tonnerre d'applaudissements accueillit la démonstration de ses divers talents. La satisfaction béate et la pleine confiance en soi se lisaient sur chaque trait de son visage basané tandis qu'il tournait et virevoltait.

Debout à côté de la porte, Bobby attendait la fin du numéro. Il était trop loin de la scène pour entendre l'annonce que fit Aleppo. Quelques instants plus tard, il apprit que celui-ci avait demandé à une volontaire dans l'auditoire de venir danser avec lui. Une grande blonde, vêtue de chiffon bleu, se faufilait vers la scène d'un pas incertain. Elle se précipita dans les bras du gros danseur qui la fit virevolter avec lui au rythme endiablé d'un fox-trot. Joyce Hudson était la danseuse.

La foule les encourageait à qui mieux mieux; l'orchestre eut un sursaut d'énergie; la troupe s'écarta pour leur faire de la place.

Désireux de procurer un ultime frisson à son auditoire, Aleppo, énorme et massu, se saisit de sa partenaire amateur et la glissa sur son épaule. Personne, autre qu'un acrobate chevronné, n'aurait pu faire face à la situation gracieusement. Aleppo continua de tourner et de virer à petits pas autour de la scène. Son fardeau ne lui pesait guère. Ivre, étourdie, Joyce était ballottée, cherchait à se retenir en agrippant les cheveux ébouriffés d'Aleppo, puis retombait mollement sur son épaule, pendant que lui, ses bras musclés et forts encerclant les genoux de Joyce, pirouettait comme une toupie, comme si le numéro avait été bien répété et mis au point, et qu'il n'eût pas à se préoccuper de la sécurité de sa partenaire. Les cheveux de Joyce étaient dressés droit sur sa tête et ses bras s'agitaient dans le vague tandis que les révolutions rapides du danseur la faisaient tourbillonner dans l'air.

Par la suite, Bobby n'arriva pas à se rappeler comment il s'était retrouvé sur la scène. Il y eut quelques coups de coude violents pour fendre la foule, des chaises renversées, des tables bousculées, tandis qu'il se frayait un chemin. Il grimpa les marches quatre à quatre, et se plaçant devant le danseur, les bras étendus, lui ordonna de s'arrêter. Son visage était pâle et sévère. Avec un sourire ironique, Aleppo réussit à échapper à l'intrus et Bobby lui donna une poussée. Il y eut un véritable tohu-bohu autour des tables et les spectateurs se bousculèrent au pied de la scène.

Tom Masterson se fraya un chemin à travers la foule, grimpa l'escalier et agrippa la manche de Bobby.

« Qu'est-ce qui te prend, cria-t-il. Si Joyce veut s'amuser un peu avec ce bonhomme, ça ne te regarde pas ! »

L'orchestre avait cessé de jouer. Aleppo posa Joyce sur le plancher où elle s'écroula aussitôt. Quelques filles de la troupe l'entourèrent et l'une d'elles courut chercher un verre d'eau.

Aleppo s'avançait, de l'air d'un pugiliste qui entame un combat de boxe : ses petits yeux de fouine brillaient sournoisement; son menton batailleur semblait le précéder; il tenait ses poings énormes bien serrés. Avec un sourire de travers qui lui découvrait les dents comme un vilain dogue, il lança d'une voix rageuse : « Bon. Puisque tu es si pressé de te lancer dans la bataille... »

« Attention, s'écria Masterson, ne faites pas cela ! »

« Cogne dessus ! » hurlèrent quelques jeunes parmi la foule.

D'un air menaçant Aleppo s'avança jusqu'à ce qu'il soit assez près pour recevoir une surprise.

Trois coups rapides et percutants atterrirent sur son visage : droite à l'oeil gauche, gauche à l'oeil droit, autre droite sur le bout du menton. Les genoux du colosse fléchirent sous lui et il s'affaissa sans l'ombre d'un soupir.

Pendant quelques secondes, on entendit passer un ange chez Gordon. La foule était stupéfaite de la tournure rapide des événements.

Repoussant Masterson d'un geste brusque, Bobby se tourna vers Joyce, se pencha pour la prendre dans ses bras et commença à descendre de la scène. La foule s'écartait pour le laisser passer.

« Juste un instant, s'écria Masterson, se lançant à sa poursuite. Je vais m'occuper d'elle. Pas besoin d'être si empressé. »

Bobby se tourna vers lui et dit à voix basse : « Tu aurais dû t'occuper d'elle un peu plus tôt ! »

De se voir humilié de la sorte, Masterson fut plongé dans une rage d'ivrogne.

« Eh bien si tu penses que tu peux t'en tirer comme ça... »

Il sauta à la gorge de Bobby, arracha le col de sa chemise, lui tira les cheveux, ses boutons de manchettes lacérèrent la joue de son ami, et le sang se mit à couler, dégoulinant de la mâchoire de Bobby jusque sur sa chemise.

Supportant son fardeau inerte de son bras gauche, Bobby décocha de son avant-bras droit un superbe direct dans le creux de l'estomac, déjà pas très solide, de Masterson, ce qui eut pour effet d'expédier celui-ci dans les rangs des non-combattants. Reprenant Joyce dans ses bras, Bobby continua à avancer, bousculant les chaises et les tables de leurs corps.

À la porte, un maître d'hôtel costaud lui barra le chemin.

« C'est toi qui as amené cette fille ici ? »

« Non, mais c'est moi qui la ramène. »

« Holà ! Pas si vite ! On va regarder ça ! »

De nouveau Bobby fit glisser Joyce sur le parquet, tout en la soutenant de son bras gauche, et grogna : « Ouvre cette porte ! Je n'ai pas du tout l'intention de me chamailler avec personne d'autre ici ce soir, mais si tu essaies de m'arrêter, je vais t'envoyer au pays des anges comme j'ai fait avec ton petit copain, là-bas. »

Le cogneur hésita. Quelqu'un cria : « Laisse-le passer avant que la boîte se fasse pincer ! Il va la ramener chez elle. Tiens, voici son manteau. »

* * *

Dans l'air froid et vif du dehors, Joyce reprit vaguement conscience.

Un taxi qui attendait s'avança jusqu'à la porte cochère. Bobby souleva Joyce pour la glisser à l'intérieur et dit au chauffeur qui souriait de se diriger vers l'est sur le boulevard, après quoi on lui indiquerait l'adresse exacte, puis il s'installa à côté d'elle sur la banquette.

Confusément, Joyce le reconnut, leva avec peine les yeux vers lui et marmonna d'une voix pâteuse : « Oh Bobby, tu es venu enfin, n'est-ce pas ? J'ai attendu si longtemps ! Je te désirais tellement ! »

Elle blottit sa tête contre son épaule et il passa un bras autour d'elle, s'épargnant la nécessité de lui répondre, car son réveil fut bref. Une seconde après, elle s'affaissa et s'endormit.

Maintenant qu'il l'avait, que devait-il en faire ? Pendant un moment il envisagea l'idée de l'amener quelque part afin de la dégriser avant de la ramener chez elle, idée qu'il rejeta aussitôt. Il lui faudrait des heures avant d'être à peu près normale. Joyce était bien ivre, pas d'erreur possible !... Lui avait-il vraiment rendu service en s'immisçant ainsi dans ses affaires comme un fanfaron ? Peut-être cela aurait-il comme résultat de nuire davantage à sa réputation que s'il l'avait laissée à elle-même... Tom Masterson et lui pourraient-ils jamais redevenir des amis ?... Hum... Douteux.

Le chauffeur tourna la tête pour demander des directives précises et Bobby donna l'adresse de Joyce. Il fallait la ramener chez elle. Peut-être pourrait-il la faire entrer dans la maison sans alerter personne. Comme la voiture tournait le coin de la rue, il la secoua pour la réveiller.

« Joyce ! Où est ta clef ? »

Elle se mit à tripoter son manteau et, mis sur la piste, il la trouva dans une poche intérieure. Le taxi s'arrêta au bord du trottoir et le chauffeur obéit à l'ordre de son passager d'éteindre son moteur et d'attendre.

Tirée de son sommeil par le courant d'air froid qui pénétrait par la portière ouverte, Joyce passa ses bras autour du cou de Bobby et l'embrassa sur la joue. Il saignait mais elle était beaucoup trop partie pour le remarquer.

Bobby jugea qu'il serait plus facile de la porter que de la traîner : la porte d'entrée fut vite atteinte, ouverte et refermée doucement. Il se rappelait la disposition des pièces. La déposant sur le canapé du salon, il lui retira ses sandales et la couvrit d'une épaisse couverture. Elle avait du sang sur le visage : cela demanderait sans doute des explications qui feraient sortir toute l'histoire, ajoutant encore plus de discrédit à son sort et plus de chagrin à une autre personne dont la dignité méritait d'être mieux protégée.

Présumant qu'il devait bien y avoir des toilettes quelque part au rez-de-chaussée, il partit à leur recherche. Après deux tentatives infructueuses qui le menèrent chaque fois au fond d'un placard, il découvrit enfin la petite pièce, voisine de la bibliothèque; il mouilla une serviette et retournait vers Joyce lorsqu'il entendit une voix de gorge qui n'avait jamais vraiment quitté son esprit. Elle abolit si complètement les semaines écoulées qu'elle semblait reprendre la conversation exactement à l'endroit où celle-ci avait été interrompue : « Alors bonsoir; je vous remercie vraiment beaucoup ! » ... « Joyce, tu as été blessée ! »

Pas de réponse... et un moment de silence. Elle avait sûrement remarqué les lumières allumées dans la bibliothèque. Peut-être même avait-elle vu son paletot, lancé sur un fauteuil. Il décida de ne pas se cacher... Ils se rencontrèrent à la porte.

Elle lui parut un peu moins grande que dans ses souvenirs, peut-être parce que les petites mules rouge et noir avaient des talons plus bas. Ses cheveux courts décoiffés, sa frange ébouriffée lui donnaient l'air d'une enfant brusquement tirée de son sommeil, et cet aspect juvénile était encore accentué par son pyjama japonais, en tissu noir et motifs de coquelicots rouges, avec col montant boutonné au cou. Bobby était conscient de l'aspect ravissant de son ensemble mais tout ce qu'il vit distinctement fut ses yeux bleus, étonnés, cherchant les siens avec perplexité.

En l'apercevant, elle poussa un cri de surprise, porta le dos de sa main à ses lèvres comme pour repousser un coup et regarda d'un air interrogateur sa joue barbouillée de sang.

« Mais... c'est *vous* ! murmura-t-elle. Qu'est-ce que vous faites ici ? »

« J'ai ramené Joyce à la maison... Je suis désolé de vous avoir fait peur... J'espérais ne pas avoir à vous déranger. »

« Mais je croyais qu'elle sortait avec monsieur Masterson. A-t-il été blessé ? Je vois que vous, vous l'êtes. Y a-t-il eu un accident ? »

« Quelque chose comme ça... Pas grave du tout... Et Joyce n'est pas blessée... elle est seulement... seulement très fatiguée... et elle a envie de dormir. »

« Elle a du sang sur le visage... Vous alliez faire quelque chose à ce sujet d'après ce que je vois. »

Il lui tendit la serviette.

« Vous verrez qu'elle n'a rien. C'est moi qui l'ai tachée de sang en l'amenant ici. Je voulais le faire partir avec de l'eau afin que vous ne vous inquiétiez pas en la voyant. »

Ils restèrent un long moment, l'un en face de l'autre, se regardant dans les yeux — ceux d'Helen agrandis par la curiosité, blessée par la déception, mais mi-bienveillante; ceux de Bobby plaidant avec éloquence pour une sentence suspendue; incapables, l'un et l'autre, de trouver les mots qui convenaient à la circonstance, incapables aussi de se défaire de cette reconnaissance muette des liens de leur brève camaraderie.

« Alors, vous saviez donc que c'était chez moi que vous veniez... Peut-être allez-vous me dire qui vous êtes... Vous ne l'avez pas dit, l'autre fois. »

L'ombre d'un sourire flotta dans les yeux d'Helen et se profila sur ses lèvres quelques secondes après. Bobby hésita puis lança : « Merrick. »

« Ainsi, vous êtes Bobby Merrick ! » Ses yeux se plissèrent. Elle enfonça ses petits poings sur ses hanches d'un air de défi qui eut paru absurde dans une situation moins sérieuse; elle n'était pas du tout taillée pour les rôles tragiques et son costume n'avait vraiment rien de militaire. « Vous ne nous avez pas apporté assez d'ennuis, je suppose ? Ce que nous avons traversé n'était pas suffisant ! Il faut encore que vous y ajoutiez une petite dose d'humiliation ! Vous me ramenez Joyce à la maison, ivre-morte ! Et il me semble bien que vous avez bu, vous aussi. Vous vous êtes battu, non ?... Ah ! si vous pouviez seulement voir la tête que vous avez, mon pauvre ami ! »

« Oui, oui, je sais. Je ne suis pas très joli à regarder, et les apparences sont contre moi. Joyce vous racontera tout cela demain matin... Je voulais bien faire... Je regrette. »

« Vous feriez mieux de partir maintenant. »

Il ramassa son pardessus.

« C'est dommage », marmonna-t-il comme il passait devant elle.

Comme s'il eût déjà quitté la maison, Helen se laissa crouler aux pieds de Joyce sur le canapé, et le visage dans les mains, se mit à pleurer comme une enfant menacée de punition. C'était une scène désolante; elle semblait si pitoyablement seule et avoir si désespérément besoin d'un mot d'amitié.

Bobby s'arrêta et la regarda avec une compassion d'une profondeur telle qu'il n'en avait jamais éprouvée auparavant, saisi de nouveau par l'étrange sentiment de leur appartenance. Il se retourna et fit un pas hésitant vers elle. Prenant soudain conscience de sa présence et devinant sa pensée, elle secoua lentement la tête.

« Non... vous ne pouvez rien faire pour nous... que de vous en aller ! »

« Je ne peux pas vous laisser ainsi », dit Bobby. On sentait de la pitié dans sa voix. « Est-ce là l'image que je devrai garder de vous... assise, affaissée plutôt, et pleurant parce que je vous ai blessée ? » Main tendue, il se pencha vers elle.

« Vous ne voulez même pas me dire bonsoir ? »

Elle leva ses yeux vers lui.

« Vous saignez encore, dit-elle d'une voix lasse. Il faut faire quelque chose... Allez à côté et nettoyez ça. »

Déposant son manteau, Bobby retourna à la petite salle de bains, nettoya distraitement les traces de sang et lança rageusement la serviette... Se retournant, il la vit qui attendait, appuyée mollement contre le montant de la porte, la tête penchée vers l'arrière, les yeux fermés, un rouleau de gaze, du sparadrap et des ciseaux à la main.

« Vous êtes très gentille. » Il étendit le bras pour saisir les pansements.

« Pas du tout, dit-elle d'un ton égal, ne prêtant pas attention à son geste. J'en ferais autant pour un chien blessé... J'étais trop bouleversée pour remarquer que vous aviez vraiment besoin de soins... Venez ici à la lumière. Je vais essayer de vous arranger cela. »

Il la suivit vers la table. D'une main adroite, elle façonna une compresse de gaze, découpa des bandes de sparadrap et s'occupa de sa joue déchirée avec autant d'intérêt impersonnel qu'une infirmière d'expérience dans un dispensaire de charité... Quand elle leva les bras, les manches de sa veste glissèrent, découvrant ses bras... Le contact de ses mains sur son visage, la chaude intimité de sa présence, sa façon de respirer, avec un petit frisson dans la gorge, eurent pour effet d'accélérer les battements de son coeur.

« Voilà », dit-elle enfin, levant vers lui les cils les plus longs qu'il eût jamais vus, et le regardant d'un air interrogateur. « Ça va mieux, comme cela ? »

* * *

Des heures plus tard, quand, d'épuisement, les vagues de son indignation se furent apaisées, le remords commença à éclipser le mépris qu'elle éprouvait pour lui.

Elle avait revécu la scène des douzaines de fois, comme une douce torture, chaque seconde de la scène — car tout s'était déroulé très rapidement — comme quelqu'un qui suit les menus détails des mouvements dans un film au ralenti.

Peut-être que si elle s'était détournée à ce moment-là, il se serait contenté de bafouiller des remerciements puis s'en serait allé... Quelle imprudence de sa part d'avoir levé les yeux, si près de lui, pour demander, avec une sincère sollicitude : « Ça va mieux, comme ça ? »

Ça allait tellement mieux, apparemment, qu'il crut devoir exprimer ses remerciements en lui prenant la main, quand elle eut fini de le panser, et en la portant vivement à ses lèvres. Dans un geste de colère, elle dégagea sa main de la sienne... Plus tard, quand elle y repensa, plongée dans un tumulte de colère et de honte, elle se dit qu'elle aurait mieux fait de se soumettre avec dignité à son geste impulsif de gratitude... puis de lui demander tout bonnement de partir.

Il se sentait humilié, abaissé comme si elle lui eût donné une gifle. Puis, d'une voix rauque, pesant bien ses mots, il dit : « Je me demande si vous auriez fait *cela* à un chien blessé, qui manifeste sa reconnaissance pour un geste inattendu de bonté. »

Quelle façon mesquine de profiter de sa gentillesse, de sa courtoisie innée !

« C'était très impoli de ma part... Il y en a eu trop, ce soir... Je ne suis plus moi-même... Je vous en prie, partez; tout de suite. »

Elle aurait dû ordonner, pas implorer.

« Je sais que vous avez traversé de cruelles épreuves... et ça me brise le coeur », avait-il dit.

Tandis qu'elle ruminait tout cela, son visage fiévreux enfoui dans les oreillers, elle essayait de s'expliquer comment c'était arrivé. L'espace d'un instant, lorsqu'il avait passé ses bras tendrement autour d'elle, elle avait oublié qu'il était Bobby Merrick. Bobby Merrick n'était plus qu'un personnage mythique qu'elle n'avait nulle envie de connaître. Elle se souvenait de lui seulement comme du jeune homme calme, songeur, adorable qui, un soir, l'avait conduite par la main comme une enfant, sur une petite route de campagne... Elle était si terriblement seule et si privée de tendresse.

Avec son mouchoir, il essuya doucement ses yeux mouillés... Comment avait-elle pu rester là, acceptant sans broncher ses insolentes attentions ?... Où avais-je donc la tête, de me laisser coincer dans une aussi fâcheuse situation ?... Et lui, quelle brute, de profiter ainsi de son aspiration à un peu de bonté humaine... au moment où, il ne l'ignorait pas, tout son univers s'écroulait autour d'elle !... Eh bien, elle n'y était pas allée par quatre chemins pour lui faire savoir, avant son départ, ce qu'elle pensait de la façon ignoble dont il l'avait traitée !... Ne le lui avait-elle pas dit, avec des mots si remplis d'amertume, si acerbes qu'il avait eu un mouvement de recul ?... Mais cela n'était qu'une piètre consolation pour son orgueil blessé... Elle était restée, en fait, le front appuyé sur son bras, incapable de se ressaisir, tandis qu'il lui caressait les cheveux, de ses longs doigts effilés... et elle, voyant comme en un rêve l'image d'un mince filet de sable qui s'écoulait jusqu'à former un amoncellement rougeâtre sous le sablier... se demandait comment le renverser... Eh bien, elle devait être hypnotisée !

Il murmura : « N'allez-vous pas me pardonner, maintenant ? »

Pourquoi ne s'était-elle pas dégagée et, avec le sourire, n'avait-elle pas dit d'un ton neutre : « Je ne vous en tiendrai pas rigueur. Bonsoir. » Elle répéta à son oreiller plusieurs variantes de cette phrase banale, souhaitant ardemment pouvoir se rappeler les avoir vraiment dites; essayant de se persuader qu'elle l'avait réellement fait.

Mais il avait plaidé sa cause avec tant de tristesse !... Elle avait levé les yeux, ses lèvres étaient entr'ouvertes pour prononcer un simple mot de réconfort amical lorsque... ça s'était produit... Et elle n'avait offert aucune résistance !... Oh ! comme il devait la prendre pour une femme facile ! Comme il avait manifesté peu de respect pour elle — devenue veuve par sa faute à lui — et, le pire, c'est qu'il serait probablement assez goujat pour s'imaginer qu'elle lui avait rendu son baiser... C'était la peur constante qu'il pût croire qu'elle l'avait partagé qui la torturait le plus.

Bien sûr, elle avait fait ce qu'elle avait pu, rapidement, brutalement, pour regagner son estime. Se libérant, elle l'avait repoussé; lui avait interdit de jamais plus lui adresser la parole, après quoi elle avait quitté la pièce dans un état de grand tumulte intérieur sans même s'arrêter pour jeter un regard à Joyce, assommée, profondément endormie, pendant toute cette scène qui, l'eût-elle vue, n'aurait pas manqué de l'intéresser.

Assise devant son miroir à neuf heures du matin, contemplant, pleine de remords, ses traits hagards, elle se redressa et dit à voix haute : « Eh bien, quoi qu'il pense, je suis certaine que je ne l'ai pas fait. »

* * *

Tout somnolents, les serviteurs du club Columbia échangèrent des sourires et des clins d'oeil entendus lorsque Bobby rentra, la mine renfrognée et les vêtements en désordre, à quatre heures du matin.

« Teddy, grogna-t-il au garçon d'ascenseur, apportez-moi une bouteille de Scotch et un siphon d'eau gazeuse. »

Il se déshabilla, se prépara un grand verre de scotch, puis un autre, et un troisième, rapidement, l'un après l'autre, contempla avec dégoût son visage renfrogné dans la glace de la salle de bains et marmonna : « Minable, va ! »... La chose qu'il désirait le plus, il l'avait perdue — la seule chose qu'il désirait au monde !... Jamais plus elle ne consentirait à le revoir désormais... Elle l'avait dit et elle le pensait. Il avait abusé de sa bonté; l'avait forcée à réagir impétueusement à sa sympathie, geste qu'elle se reprocherait sans doute, en le détestant. Plus rien n'avait de sens maintenant.

Le journal de Hudson était sur le bureau, là où il l'avait abandonné, à côté d'une pile de feuilles portant l'en-tête du club, et couvertes de rangées de lettres.

Du revers de la main, il le repoussa dans un geste de mépris et le journal alla atterrir dans la corbeille à papier.

« Damnées sottises ! grogna-t-il. Au diable tous ces boniments ! »

XI

« Veuillez vous asseoir, monsieur Merrick, lui avait dit la secrétaire d'un ton sec, vingt minutes plus tôt. Monsieur le doyen Whitley est occupé en ce moment. »

Une analyse qualitative de la mine de monsieur Merrick pendant qu'il s'agitait sur sa chaise aurait donné ceci : deux parts de curiosité, trois parts de tension, et du mécontentement pour le reste... Plus un soupçon de déception.

La note précisait onze heures et à son arrivée la pendule sonnait les onze coups. On n'avait pas précisé pour quelle raison le doyen souhaitait le rencontrer : c'eût été trop demander sans doute, la courtoisie et la considération ne faisant pas partie des règles officielles de conduite des doyens.

Les grandes universités, tout comme les services publics monopolisateurs et les bureaux de perception des impôts, aiment bien traiter de haut leurs visiteurs; elles adorent faire étalage de leur autorité; se délectent de voir attendre, se morfondre, s'inquiéter les pauvres gens; se plaisent à leur imposer le plus de tracasseries possibles.

Monsieur Merrick lançait des regards noirs à la ronde : d'abord à la grande photo d'une autopsie suspendue au-dessus du bureau de la secrétaire, dans un coin de la pièce... Semblables à des hiboux, sept médecins se penchaient au-dessus d'un cadavre. Leurs grosses panses à tous, leurs mentons pendants leur donnaient l'aspect d'une compagnie de pélicans blancs. Ils avaient des poches sous les yeux... une bande de gras fantômes enveloppés de linceuls. Jusqu'au cadavre qui était trop gras. À quoi bon faire une autopsie sur cet oiseau ? N'importe quel profane pouvait voir à l'oeil nu ce qui l'avait ruiné — la gloutonnerie. Puisse ce grassouillet cadavre servir de leçon à ces puits de science; qu'ils se lancent dans un régime de lait caillé et d'épinards avant que quelque comité les dépose à leur tour sur une plaque de pierre et se mette à farfouiller dans leurs énormes ventres froids pour rehausser la gloire de *materia medica*... Tous des bluffeurs — toute la bande de ces empâtés.

En ayant fini pour l'instant avec l'autopsie, l'impatient client du doyen Whitley porta ses regards noirs sur les titres des gros volumes de l'étagère près de lui... *Les maladies nerveuses* de Simpson... cette vieille cruche. Il fallait un dictionnaire pour lire ses idioties; pas dix mots dans les douze kilos de pâte à papier qui eussent moins de sept syllabes... *Les obsessions* de Mount... Pourquoi tous ces bonhommes croyaient-ils indignes de leur haut savoir de se montrer intelligibles et intéressants ? Et quant aux obsessions, le vieux Mount était plutôt toqué lui-même, un de ces cinglés qui frappait de sa canne un poteau de téléphone sur trois, qui crachait sur les bouches d'incendie... S'il en ratait une, il se croyait obligé d'y retourner, disait-on... À peu près la même mentalité que Fido... Eh bien, Mount était sûrement une autorité sur les obsessions.

Un grand et svelte étudiant sortit de la tanière du doyen, le visage rouge mais le pas rapide, traversa la pièce en quatre enjambées et claqua la porte... Cette porte en avait sûrement vu d'autres !

Distrait un instant de son inspection des étagères de la bibliothèque, monsieur Merrick tourna ses regards noirs vers la maigre jeune fille qui faisait cliqueter la machine à écrire. Elle était suffisante et renfrognée, la bouche toute plissée en une affreuse petite rosette, clignant des yeux sans cils, reniflant de son nez pointu... Facile à voir ce qu'elle était en train de faire : elle écrivait une lettre à un pauvre bougre pour l'inviter à venir rencontrer le doyen à neuf heures... Elle aurait dû y ajouter un post-scriptum le prévenant qu'il devait sacrifier la moitié d'une belle matinée de juin dans ce trou lugubre à attendre que Son Altesse ait fini de lire *La Presse Libre*, de se faire les ongles, puis qu'il veuille bien enlever ses jambes de la table et appuyer sur une sonnette pour faire entrer le pauvre mendiant.

« Monsieur le doyen va vous recevoir maintenant, monsieur Merrick. »

* * *

« Monsieur Merrick », dit le doyen Whitley après que Bobby se fut installé sur la chaise qu'on lui désignait, « je dois avoir une jasette amicale avec vous. Au cours des premières semaines du dernier semestre, on m'a dit que vous aviez fait montre de promesses d'une carrière exceptionnellement brillante dans la profession médicale.

Peu de temps après les examens du mi-semestre, où je vois que vous avez récolté les meilleures notes de la classe, vous avez commencé à vous relâcher. Vous avez rapidement utilisé toutes vos autorisations d'absence aux cours; vous avez manifesté peu d'intérêt pour vos études, vous êtes devenu maussade. Qu'est-ce qui se passe ? »

« Je crois que vous verrez que j'ai fourni un travail moyen, monsieur. »

Le doyen secoua un long doigt maigre.

« Justement ! Du travail moyen ! C'est là votre ambition, devenir un médecin moyen ? »

« Eh bien, si vous présentez les choses de cette façon, bien sûr que non. »

Le doyen se cala dans son fauteuil pivotant et joignit ses mains derrière sa tête.

« Votre cas est assez inhabituel, Merrick. Vous êtes l'héritier présomptif d'une grosse fortune et vous n'aviez pas à vous chercher une vocation. Vous avez étonné tous vos amis en venant ici car vous aviez d'abord choisi le polo comme solution de facilité. Et pourtant vous vous êtes lancé dans votre travail avec un enthousiasme qui a constitué un défi pour tous les étudiants de première année et qui a forcé le corps professoral à donner le meilleur de lui-même. Cela dit, qu'est-il arrivé exactement à votre moral ? Pouvons-nous faire quelque chose pour vous remonter ? »

Bobby, la tête penchée, tordait les anneaux d'une chaîne de montre en platine.

« Vous avez tout à fait raison, monsieur le doyen. Je suppose qu'au début, c'est la nouveauté qui m'a stimulé. »

« Oui, mais regardez bien. » Le doyen retourna une feuille de tableaux et la glissa vers lui. Suivez cette ligne depuis la rentrée jusqu'au congé de l'action de grâce et il n'y a pas une seule absence; vous n'avez manqué aucun cours ! Continuez à suivre la ligne et vous verrez ce que vous avez fait à votre dossier !... Que vous est-il arrivé le jour de l'action de grâce ou autour de cette date ? Peut-être devriez-vous vous faire soigner pour ça, quoi que ça puisse être. Vous avez trop de promesses pour qu'on vous laisse aller sans tenter de vous sauver ! »

« J'en ai eu assez, c'est tout. C'était devenu une corvée. »

« Ça n'était pas une corvée avant. »

« Eh bien, je crois que j'ai commencé à m'apercevoir que ce l'était, vers cette époque. »

« Vous avez déjà pensé à tout laisser tomber ? »

« Oh non, monsieur ! Je ne peux pas faire ça ! »

« Pourquoi pas ? Vous n'aspirez pas à être un médecin de deuxième ordre, n'est-ce pas ? »

« Je suppose que je vais devoir me contenter de cela. Je ne serai pas le seul, non ? »

Le doyen tripotait un coupe-papier et baissa la tête d'un air triste.

« Tout cela est très très décevant... Sûr que vous ne voulez pas me faire pleine confiance et me laisser essayer de vous donner un coup de main ? »

Bobby s'avança sur le bout de sa chaise et ramassa son chapeau.

« Vous n'y pouvez rien, monsieur. Merci de vous être intéressé à mon sort. Je vais tâcher de faire mieux. »

* * *

En descendant l'escalier, il croisa Dawson, un étudiant de première qu'il connaissait de vue seulement. Dawson était un garçon un peu négligé, au visage étroit, aux yeux caves, qui avait beaucoup de mal à suivre. Comme il était plus âgé que la moyenne, on lui demandait plus qu'il ne pouvait donner. Très souvent, ses instructeurs lui tapaient dessus avec mépris, semblant prendre un malin plaisir à le voir tressaillir sous leurs traits d'ironie. Par exemple, une question sur laquelle deux ou trois étudiants avaient déjà séché, lui était adressée avec un : « Et naturellement, *vous* ne sauriez pas la réponse, n'est-ce pas monsieur Dawson ? » Et sept fois sur dix, il ne la savait pas. À l'occasion, Bobby avait ressenti un peu de sympathie pour lui... Que tentaient-ils de faire au pauvre diable ?... L'amener à se jeter à l'eau ?

« Bonjour, Merrick !... On courtise le doyen ? »

« Oh oui, répondit Merrick gaiement. Mais pas dans le sens où tu l'entends. Tu vois, le doyen et moi nous rencontrons assez souvent pour une petite partie d'échecs. Il joue pas mal bien, aussi. Je présume que tu t'en vas prendre le thé avec lui ? »

Dawson avait l'air déprimé.

« Non. Je vais le voir pour lui dire que je laisse tout tomber et qu'ils peuvent tous aller au diable ! »

« Ça serait une grave erreur, Dawson. » Bobby prit un ton didactique comme un vieux sage. « Ils pourraient bien y aller, et à quoi cela t'avancerait-il ? Tu vois, mon fils, chaque fois que tu envoies un homme au diable, quelqu'un avec qui tu as été en relation étroite, il prend une partie de toi-même avec lui. Et puis, un beau jour, quand la situation s'est replacée pour toi et que tu as besoin de rassembler tous les éléments éparpillés de ta personnalité en vue d'une noble cause, il en manque un morceau assez considérable... et... et tu dois aller en enfer le récupérer. »

« Qu'est-ce qui te prend ? Essaies-tu de rire de moi? Si oui, cesse ! Je n'ai pas le coeur à ça... Je suis dans le trente-sixième dessous... si ça ne te fait rien que je pleure sur ton épaule ! »

« Qu'est-ce que tu dirais qu'on prenne une bouchée ensemble, proposa Bobby, étonné lui-même de sa propre invitation à ce bonhomme morose et fauché. Tu veux le voir uniquement pour lui dire d'aller au diable. Remets ça à demain. Il n'aura pas d'objections à attendre. »

Cédant avec un sourire de travers aux arguments de Bobby, Dawson le suivit.

« Veux-tu te soulager de quelques petites choses que tu as sur le coeur ? lui demanda son hôte après qu'ils eurent commandé le repas. Ça te ferait peut-être plaisir de chanter quelques couplets de ta chanson de haine. Si oui, ne te gêne pas, et j'entonnerai le refrain avec toi pour les malédictions bien choisies. »

« Merci, Merrick. Tu es un chic type. Ça ne serait peut-être pas mauvais que je me défoule un peu. Je vais t'en raconter une petite partie... J'ai toujours voulu être chirurgien... j'en parlais déjà quand j'étais tout jeune... je n'ai jamais pensé à rien d'autre... j'y pensais comme un novice au séminaire pense à sa vocation !... Après le collège, j'ai travaillé pendant trois ans, essayant de ramasser assez de sous pour continuer mes études... Je me suis découragé; j'ai abandonné; je suis devenu amoureux; me suis marié... Ma femme a ranimé ce vieil espoir en moi... Nous avons travaillé comme des chiens; tous les deux : elle dans un bureau, moi à vendre des obligations... Alors, nous sommes venus ici en septembre dernier... Elle s'est trouvé du travail... Puis le bébé est arrivé... beaucoup de dépenses. Le coût de la vie était plus élevé que nous ne l'avions cru... Je me suis mis à travailler en ville le soir, dans une salle de quilles... plaçant les quilles pour que les étudiants du collège les fassent tomber une à la fois... Pas fameux pour soulager un complexe d'infériorité, n'est-ce pas ? »

« Eh bien, ça ne risque certainement pas de conduire un homme à des illusions de grandeur, c'est certain ! »

« Une petite chenille aux idées embrouillées !... Voilà ce que je suis devenu... Pas étonnant que je sois un âne ! Et maintenant, comme si je n'en avais pas assez de... Mais, zut, à quoi ça sert d'en parler ? »

« Avance ! commanda Bobby. Ça ne prend pas plus de temps à te rendre au bout qu'à reculer. Raconte-moi la suite. Tu étais une chenille puis un âne, et maintenant tu es encore autre chose ?... Que s'est-il passé récemment ? »

« Ma femme est malade. Non, rien de grave. Seulement fourbue et sous-alimentée et névrosée; elle raconte qu'elle n'est qu'un poids mort pour moi et qu'elle aimerait mieux être morte. Elle ressasse ça continuellement. J'ai presque peur de rentrer chez moi de crainte de découvrir qu'elle s'est supprimée. »

« Elle devrait aller à la campagne pour l'été, conseilla Bobby. De l'air pur, du bon lait, du soleil. »

« Aussi bien suggérer un voyage en Europe, tiens, grommela Dawson. Nous n'avons pas un sou. »

« Elle n'a pas de parent chez qui elle pourrait aller passer l'été ? »

« Personne... Il y a un beau-père radin qui l'a jetée à la porte quand elle m'a épousé. Il avait choisi un péquenaud du quartier pour elle... Ma mère est veuve, elle habite avec ma soeur, assez loin d'ici. Elles sont pauvres elles aussi et à l'étroit. »

« Qu'est-ce que tu dirais d'un petit prêt ? Tu ne vas pas toujours être dans le creux de la vague. À peu près n'importe qui considérerait cela comme un investissement sûr, je pense bien. »

« Je ne connais personne que je pourrais approcher avec une telle proposition. »

L'invité de Bobby mangeait avec appétit; sa main tremblait quand il coupa sa viande.

« J'ai un peu d'argent qui ne fait rien en ce moment. »

Dawson secoua la tête.

« Non. Bon Dieu, je ne t'ai pas raconté mon histoire dans l'espoir de te demander l'aumône. Tu es probablement comme tous les autres étudiants en médecine; on se débrouille tout juste... Merci quand même, vieux frère... C'est vraiment généreux de ta part... Non, je vais laisser tomber et me chercher du travail. »

« Tu m'as mal compris, Dawson. Je ne te proposais pas de te donner assez pour tes provisions de la semaine prochaine. J'aimerais te prêter, disons, cinq mille dollars. »

Il avait en face de lui un type qui l'avait pris pour un compagnon de mauvaise fortune... assez naturel, malgré tout. Dawson travaillait sans répit, et conservait ses distances. Il n'avait probablement pas entendu dire qu'il y avait un étudiant fortuné dans la classe... Et ce n'était pas lui qui avait sollicité cette rencontre.

« Tu es sérieux ? »

« Bien sûr... Tu ne pensais pas que je badinais au sujet d'une transaction d'affaires de l'ordre de cinq mille dollars, j'espère bien ? »

Bobby n'aurait jamais soupçonné que le type puisse être aussi spontané et avoir un esprit aussi pétillant. Il s'épanouit comme si on avait opéré un miracle sur lui.

« Merrick, dit-il d'un ton solennel, quand ils se retrouvèrent sur la rue. Tu peux dire que tu as sauvé deux vies, aujourd'hui !... Je vais courir chez moi, si ça ne te dérange pas... Il faut que j'aille lui raconter cela!... Dis donc, pourquoi ne viendrais-tu pas avec moi ? »

* * *

Ils habitaient un deux pièces délabré au troisième étage d'un immeuble de troisième catégorie, au nord du grand hôpital; les pièces étaient en désordre et encombrées suite à leur tentative d'installer une chambre à coucher, une salle à manger, une chambre d'enfant et une cuisine dans des locaux aussi exigus.

Marion Dawson ne tenta pas d'excuser l'état de sa maison et cela eut l'heur de plaire à Bobby. Il fut tout de suite conquis par cette jeune femme pâle, aux cheveux roux, aux yeux noisette qui lui donna une poignée de mains virile et débarrassa une chaise pour lui sans paraître gênée le moins du monde. Le bébé, qu'on alla dénicher pour le lui montrer, accueillit le visiteur avec de grands yeux pétillants ressemblant drôlement à ceux de son père. Bobby, qui n'avait aucune expérience des bébés, le regarda avec le même intérêt grave que celui-ci lui manifestait. Marion riait.

« Ce n'est pas comme ça que tu vas faire connaissance avec lui, s'exclama-t-elle. Tu dois lui faire hou ! ou quelque chose du genre ! Il s'attend à ça, tu sais. Il ne lui viendrait pas à l'idée de se rendre ridicule en te faisant la même chose; mais il sera terriblement déçu si tu ne lui fais pas quelque bruit idiot. »

Bobby sut que cette jeune fille allait lui plaire.

« Marion, dit Dawson d'une voix tremblante, monsieur Merrick va nous prêter un peu d'argent. Il dit que nous constituons un bon risque; pour ce qui est de moi, je n'en suis pas sûr, mais je sais que toi, tu l'es. »

Elle abandonna son ton de plaisanterie et regarda leur invité pendant un long moment, essayant de saisir le sens de ce que son mari venait de lui annoncer; puis elle dit avec émotion: « Bon ! Après tout ce que nous avons traversé, Jack va avoir sa chance, enfin ! » Elle plaça sa main sur l'épaule de son mari. « Mon chéri... Ce fut si long, si dur pour toi ! »

Elle tendit sa main gauche à Bobby et serra la sienne dans ses doigts, avec reconnaissance. « Quelle chose merveilleuse vous faites là », dit-elle.

« Oh, chacun a ses petits ennuis », bredouilla Bobby, espérant que la situation n'allait pas dégénérer en une débauche de sentimentalité. « Le manque d'argent est bien le plus petit problème qui puisse exister. »

« À moins de ne pas en avoir du tout », s'esclaffa Dawson.

* * *

Cet après-midi là, Bobby arriva en retard au petit amphithéâtre de la clinique de chirurgie. L'opération était d'un intérêt exceptionnel. Il se surprit à se pencher pour mieux observer. Le soir, il s'amusa presque à étudier dans ses bouquins. Avant d'aller au lit, à une heure, il écrivit à Nancy Ashford, à qui il devait une lettre depuis des semaines.

« J'ai fait une visite très intéressante chez un jeune étudiant en médecine et sa femme, les Dawson », ainsi commençait sa deuxième page; mais après avoir regardé les mots d'un oeil critique pendant un moment, il froissa la page et en commença une nouvelle sans faire mention des Dawson.

« Avez-vous déchiffré le reste du journal ? »

Il le lui avait retourné avec un petit mot disant qu'il ne tenait pas à se donner la peine d'aller plus loin... Il n'était pas le type qu'il fallait pour poursuivre une telle philosophie avec l'espoir d'en tirer du plaisir ou du profit, écrivait-il, et ça n'était pas honnête de le lire uniquement par curiosité; surtout après la requête du docteur Hudson de s'arrêter si l'intérêt personnel du lecteur s'était émoussé.

« Si vous l'avez terminé, vous me donnerez peut-être une idée générale de ce qui en resssort. Dans mes lectures sur les obsessions inhabituelles, j'ai appris qu'il arrive parfois qu'une tendance prononcée au mysticisme se manifeste dans l'esprit de personnes très matérialistes qui, autrement, traitent toutes leurs affaires d'une façon très pratique. J'ose affirmer que le docteur Hudson est un cas typique. »

Deux jours plus tard, il avait la réponse de Nancy.

« Le journal est entre les mains de madame Hudson en ce moment, le journal et tous les autres documents que nous conservions dans le coffre-fort à son intention. Je doute qu'elle se soit donné la peine de découvrir ce que c'était. Peut-être n'a-t-elle pas ouvert le carton dans lequel elle a reçu le tout. De toute façon, elle ne m'a pas posé de questions comme elle l'aurait fait si elle avait été intriguée par le code... Je crois bien qu'elle consentirait à te laisser le livre, maintenant que tu t'y intéresses à nouveau.

« Oui j'ai décodé le reste... Tout un exploit ! Si on le publiait sous forme de livre, on le vendrait par centaines de milliers ! Les gens diraient que c'est incroyable, bien sûr; mais ils le liraient, et souhaiteraient de tout coeur que ce soit vrai. Et j'ai comme l'idée qu'ils essaieraient furtivement de faire des expériences, même s'ils en rient dans leurs discussions avec leurs amis.

« J'aimerais bien pouvoir te raconter... tu sais pourquoi je ne le peux pas... les expériences assez étonnantes que j'ai réalisées moi-même récemment... Tout est vrai, Bobby. On obtient vraiment ce qu'on veut de cette façon, si ce qu'on veut contribue à une plus vaste expression de soi-même, dans une oeuvre constructive... On reçoit même des lettres qui avaient tant tardé qu'on se demandait si la personne nous avait oublié... Est-ce que ça semble ridicule ? »

Ça semblait ridicule.

« C'est dommage, songea Bobby en repliant la lettre. Nancy était une femme si intéressante. Maintenant, elle va être maboule pour le reste de ses jours... Content d'avoir arrêté les satanées idioties avant d'avoir été mordu. »

Il eut un sourire amer devant la suggestion de Nancy de demander le journal à madame Hudson... Il n'avait pas reçu de réponse à son mot d'excuses, daté du premier décembre. Pendant les deux premières semaines, il avait guetté l'arrivée du facteur tous les jours.

* * *

Le dimanche matin où la jeune madame Dawson et le bébé partirent pour la campagne, Bobby se joignit au groupe à leur invitation pressante.

L'endroit qu'ils avaient choisi était un cottage tranquille, propriété d'une veuve d'âge mur, et situé à quelques centaines de mètres des rives ombragées du lac Pleasant — un voyage d'une heure en train, vers le nord.

Soulagé de son inquiétude prolongée, Jack Dawson avait repris des couleurs. Son pas était plus élastique; ses épaules s'étaient redressées; quant à Marion, elle était radieuse.

Leur sortie se transforma en pique-nique et ils prirent leur repas sur le bord du lac. Jack junior fut laissé à la garde de madame Plimpton qui, une fois seule avec lui, décida que si elle le berçait à l'ancienne mode en lui fredonnant quelques chants liturgiques, il ne s'en porterait pas plus mal.

« Ah non, pas de cela, déclara Marion en sortant le contenu du panier. Vous deux, les vieux médecins, avez bien assez d'occasions durant la semaine de discuter sérieusement des estomacs handicapés. De toute façon, ça me rend malade de prendre mes repas sur la table d'opérations. »

Apparemment, ils ignoraient tout de la fortune de Bobby avant qu'il ne s'intéresse à eux. Ils étaient sans doute au courant maintenant. Mais l'attitude des Dawson à son égard était restée la même. Il n'y avait aucune trace de timidité ni de flatterie. Pure race — voilà ce qu'ils étaient. Il aurait aimé avoir une soeur exactement comme Marion Dawson.

Les deux hommes rentrèrent en ville par le train, en fin d'après-midi, et se quittèrent à la gare.

« Au revoir, Bobby, dit Dawson. Merci beaucoup de nous avoir accompagnés. Je te reverrai bientôt. Content que ça aille mieux pour toi. Tu m'a certainement donné un bon coup de fouet. »

« Ça nous a fait du bien à tous les deux », répondit Bobby.

* * *

Ce soir là, il mit à exécution une décision qu'il avait prise la veille. Randolph avait semblé obtenir toutes les informations qu'il désirait d'une certaine page importante dans le compte rendu des Galiléens sur le seul homme qui apparemment connaissait les principes essentiels à l'expansion de la personnalité. Bobby se considérait tout à fait capable de poursuivre par lui-même la même recherche que Randolph.

Il n'avait jamais eu d'exemplaire de la Bible en sa possession et la veille il s'en était procuré un. Le vendeur lui en avait présenté tout un assortiment et Bobby avait choisi un exemplaire qui ressemblait plus à un livre ordinaire que tous les autres, reliés en cuir noir souple. Son choix reposait sur le fait qu'il entendait le traiter comme tout autre livre.

Il le feuilleta longtemps du début à la fin avant de trouver la thèse particulière, considérée importante par le sculpteur pour quiconque est en quête d'une personnalité dynamique. Il la lut avec une concentration aussi intense que s'il eût étudié la carte d'un pays étranger où voyager.

La formulation bizarre l'intrigua et retint son attention. Il poursuivit sa lecture bien avant dans la nuit, sans fatigue. Le petit livre l'étonnait. Quand il lui était arrivé de penser à la Bible — pas très souvent, il faut dire — il avait considéré ce document ancien comme un mélange de platitudes aux vertus soporifiques, flottant dans une solution de superstitions juives, accepté par les gens simples d'esprit comme une panacée pour leurs petits soucis et un narcotique paralysant servant à atténuer leur sentiment de chercher à atteindre l'impossible.

Il prit vite conscience qu'il s'agissait là d'un des livres les plus passionnément intéressants qu'il eût jamais lus. Non seulement était-il dépourvu de l'ennui qu'il avait cru y trouver mais on y faisait constamment allusion à des secrets au sujet d'une source d'énergie incroyable, accessible à tout homme sensé pour accepter son existence comme il le ferait de toute autre hypothèse scientifique, pour lui accorder la même valeur et lui faire subir les mêmes épreuves que dans un laboratoire de chimie ou de physique.

Il était extraordinaire de penser qu'il avait entre les mains le manuel authentique de la science s'occupant de l'expansion et du développement de la personnalité humaine. Étrange que les gens soient portés à mettre ces paroles en musique, à afficher des visages de carême en les entonnant pieusement ! C'était ridicule ! Et vraiment dommage ! Ce livre n'était pas le livret d'un grand opéra ou du matériel de tragédie à transformer en hymnes larmoyants. C'était une thèse scientifique approfondie. Le seul fait de la chanter était la preuve qu'on n'y avait rien compris.

* * *

Une des plus importantes découvertes que fit Merrick, ce soir-là, fut le fait que, au contraire des dissertations scientifiques habituelles auxquelles seuls les initiés peuvent avoir accès, ce livre-ci contenait une dose suffisante de conseils simples susceptibles de profiter même aux personnes les moins cultivées. Bien que l'ouvrage ne fût pas un traité pour intellectuels, il était clair cependant que ses lecteurs potentiels avaient été classifiés en diverses catégories. Avec la plus grande franchise, le Galiléen avait posé comme principe trois groupes de capacité différente reliés entre eux, du type 5:2:1. Il n'avait pas hésité à dire à ses intimes, lors d'une séance d'études intensive, que certains mystères qu'il pouvait et allait leur confier, il n'avait aucune intention de les présenter au grand public pour la simple raison que la majeure partie des gens n'y comprendraient rien.

Il remarqua aussi avec beaucoup d'intérêt les nombreuses circonstances où après avoir rendu service à quelqu'un, le Galiléen lui demandait, par faveur spéciale, de n'en rien dire à personne.

« Je vois qu'il met bien ses propres théories en pratique. »

Il était clair, d'après les récits, que c'était par différentes voies que les hommes en étaient venus à s'intéresser à cet étrange et troublant pouvoir. Les uns en voyaient la beauté et la puissance remarquables entre les mains d'un autre et décidaient de se le procurer pour leur propre usage, dussent-ils y laisser leur dernier sou. La question était présentée de façon imagée dans une fable au sujet d'un homme qui voit une perle entre les mains de son voisin et décide de vendre tous ses biens pour se l'offrir. On ajoutait que pour certains la découverte de cette chose inouïe avait été purement accidentelle. On racontait aussi l'histoire du voyageur qui, prenant un raccourci à travers champs, trouva par hasard un trésor. Le livre ne parle pas du contenu du coffre et se contente de dire que le voyageur décide alors de mettre fin à ses excursions, rentre chez lui, convertit tous ses biens en argent liquide et à son retour, achète le champ.

Mais rien ne frappa Bobby davantage que le conseil, répété sans cesse, d'approcher la vie avec audace. Tout ce qu'un homme désirait réellement, il pouvait l'avoir s'il frappait assez longtemps aux portes derrière lesquelles la chose était gardée. S'il ne l'obtenait pas, c'était parce qu'il ne l'avait pas désirée avec assez d'ardeur ! Même si la futilité de continuer à frapper à la porte était des plus patentes, tout homme désirant suffisamment une chose pouvait ouvrir toutes sortes de portes.

« Faut avoir les jointures en sang, dit Bobby, songeur, avant de pouvoir dire qu'on a essayé et que ça n'a pas marché ! »

La fable jointe à cette théorie racontait l'histoire d'une pauvre veuve, démunie et sans relations, qui désirait obtenir gain de cause contre un homme riche. Le juge était une véritable canaille et de son côté la pauvre femme n'avait ni avocat, ni ami, ni véritable cause, mais elle persista jusqu'à ce qu'elle ait le juge à l'usure.

Bobby s'aperçut qu'il se pénétrait de plus en plus de l'esprit de l'homme qui avait proposé ces principes en vue de ce qu'il appelait une vie plus abondante. Il fut surtout frappé de l'assurance et de l'audace de cet homme.

* * *

Il referma enfin le livre et ferma les yeux. Il n'eut pas conscience d'avoir formulé une demande précise. Si on lui avait dit qu'il priait, il en aurait été très étonné. Il tentait de se construire une image mentale du type d'homme susceptible d'avoir conçu une telle philosophie.

Ce qui lui arriva se produisit sans aucune autre incitation que celle-là.

Plus tard, lorsqu'il tenta d'analyser la sensation qu'il avait éprouvée — de loin l'expérience la plus vivace et la plus vitale de sa vie — c'était comme si une paire de grandes portes doubles, quelque part à l'extrémité d'un sombre couloir dans son esprit, dans son coeur, dans son âme — quelque part à l'intérieur de lui — s'étaient écartées sans bruit, diffusant une douce et éclatante lumière sur le plafond, les murs et le parquet de l'interminable pièce. Les murs étaient recouverts de cartes, de tableaux, de diagrammes, d'armes et de toutes sortes d'instruments et d'appareils scintillants, posés sur des étagères de verre.

Ce ne fut qu'une vision fugitive. Les portes ne s'entrouvrirent que très légèrement et se refermèrent aussitôt, plongeant le couloir dans une obscurité telle qu'il ne savait plus où il était.

Émergeant de sa vision, dérouté, il prit conscience d'un curieux sentiment d'exultation. S'était-il endormi ? Il ne le croyait pas.

Il se leva et fit quelques pas hésitants dans la pièce, essayant de recouvrer le plus de fragments possible de son illusion momentanée.

« Des portes... De la lumière derrière les portes... La lumière filtrait à travers !... Je me demande si le couloir était toujours là — attendant que je le découvre !... Peut-être puis-je faire quelque chose pour ouvrir ces portes davantage... Il le faut... Je suis sûr d'une chose : je l'ai vu ! C'est là ! C'est réel ! Je n'irai peut-être pas bien loin avec ça, mais c'est possible... Randolph n'était pas aussi fou que je le croyais ! »

\   * * *

Le lendemain matin, il s'apprêtait à partir pour le bureau du doyen afin de prendre des dispositions pour ses cours d'été — le vieux Nicholas insistait pour qu'il arrête jusqu'en septembre et retourne à Windymere — lorsque le facteur lui apporta une note de Nancy Ashford.

« Tu l'as peut-être lu dans les journaux mais je ne prends pas de chance car je sais que ça va t'intéresser. Vendredi soir, Joyce Hudson et Tom Masterson ont fait un saut jusqu'à Toledo où ils se sont mariés. Madame Hudson doit s'embarquer pour l'Europe, samedi, le dix. Elle vient tout juste de me téléphoner pour me faire part de ses projets... Léviathan... j'ai cru que tu aimerais être au courant. »

À différents moments au cours de la journée, il se demanda si ce serait une bonne chose de faire envoyer des fleurs au bateau mais il décida de s'abstenir. Elle interpréterait probablement son geste comme une impertinence. Non; il avait irrémédiablement coupé les ponts... Il ne lui restait plus désormais que son intérêt croissant pour son travail dans lequel il se plongea avec un regain d'enthousiasme.

XII

Il était neuf heures du matin, début septembre...

Les derniers touristes de l'été étaient repartis, hésitant à s'arracher à toute cette beauté et promettant de revenir bientôt... Les bras chargés d'énormes bouquets de fleurs du jardin, offerts gracieusement par les vieux domestiques qui semblaient regretter sincèrement leur départ, ils s'étaient tassés le long des coussins glissants de l'autocar pour faire place aux retardataires revenant à la course après un dernier coup d'oeil, de la terrasse, à l'immense baie toute bleue. Ils allaient descendre la côte vers Bellagio, contourner la baie jusqu'à Menaggio, et prendre un drôle de petit funiculaire pour traverser la montagne et suivre la route vers l'est pour rentrer chez eux.

La villa Serbollini était très calme, ce matin... Non que ce fût jamais un endroit bruyant, même lorsque toutes les chambres étaient occupées. Quelque chose dans l'ineffable tranquillité de la vieille maison invitait à adopter son rythme lent; adoucissait la voix, brouillait la vision.

L'atmosphère qui y régnait semblait étrangement sédative, chargeant toute la région d'une étrange irréalité. On avait ici l'impression de se promener dans un tableau de Corot. Les ombres changeantes projetées par les nuages sur les montagnes et sur la baie, au même rythme que le souffle tiède de la brise d'automne, brouillaient, sans qu'on sache pourquoi, l'évaluation des distances et des heures qui passaient. Était-ce mardi ou jeudi? On n'en était jamais sûr — et on s'en souciait peu.

Quelqu'un avait dit que le paysage était comme flou, comme si l'image n'était pas au point. Nul angle, nulle aspérité ni dans les collines violacées ni dans le lac turquoise plus bas. Même les cailloux de l'allée étaient irréels, recouverts chacun d'une fine auréole scintillante de la pâle couleur de l'opale... Dans les grappes surchargées suspendues au treillis abritant le coin où l'on servait le petit déjeuner, chaque raisin était nimbé d'ambre, comme rutilant de quelque rayonnement intérieur... Un excellent endroit pour rêvasser.

Pour l'apprécier à sa juste mesure toutefois, l'invité devait se présenter à la petite tonnelle l'esprit calme et libre de tout souci, à défaut de quoi la quiétude immuable de l'endroit ne ferait qu'accentuer le tumulte intérieur... À moins d'être en paix avec soi-même ici, on pouvait se sentir aussi désespérément seul et déprimé que dans le désert.

La tonnelle était presque déserte. À l'exception du couple d'Anglais d'un certain âge assis à la dernière table le long du muret à côté de la terrasse, tout absorbés dans leur correspondance, allongeant la main sans regarder, de temps à autre, vers l'anse de leur tasse de café, Helen Hudson disposait de l'endroit pour elle seule. Elle était si seule qu'elle surveillait, d'un oeil presque amical, les voltiges d'une abeille ambitieuse qui disputait son droit au petit pot de miel.

On ne saurait peut-être jamais quel était le deuxième lieu le plus beau sur la terre... La Jolla ?... Le lac Louise ?... La grand'route de la rivière Columbia ?... Royal George ?... Le Grand Canyon ?

Au cours de ses trois années à l'étranger, Helen avait opté successivement pour le Grand Canal un soir de pleine lune, la route de la Grande Corniche, le circuit autour de la baie d'Amalfi, le Neckar entrevu à travers les cimes des arbres, du haut des balcons en ruines du château de Heidelberg.

Mais il n'y avait aucun doute sur le plus beau paysage au monde. Elle l'avait sous les yeux — le lac de Côme — de la petite tonnelle sur le flanc est de la villa Serbollini, du haut de la colline surplombant Bellagio... aujourd'hui, elle le contemplait sans le voir, car son regard était préoccupé...

* * *

Le courrier du matin avait presque confirmé certains soupçons qui la tracassaient. Il était raisonnablement sûr, maintenant, que Monty avait tripoté son héritage, la désavantageant sérieusement. Comment se protéger contre ce grand malheur — en supposant que ce malheur ne se fût pas déjà produit — sans attirer une publicité déshonorante sur sa famille, c'était là un problème trop compliqué à résoudre.

Depuis qu'elle avait confié toutes ses affaires à Monty, un an plus tôt, après un nouvel assaut de sa part pour l'en persuader, en aucun moment ses versements avaient-ils correspondu à ses attentes.

Lorsqu'il lui avait écrit en janvier que la Northwestern Copper était au milieu d'une « réorganisation » ayant entraîné une baisse momentanée de leur valeur et une diminution des dividendes, elle avait été prête — bien peu intriguée — à prêter foi à ses déclarations. Elle ne fit pas semblant de comprendre ses explications, offertes avec une infinité de détails embrouillés et exprimées dans un jargon tout à fait incompréhensible. La situation l'inquiétait et la dérangeait même, mais elle avait tenté de croire ce que Monty lui disait. Personne autour d'elle à qui s'informer; personne qu'elle désirait ou osait consulter par correspondance. Elle avait fait de Monty son agent d'affaires avec pleine délégation de pouvoir. Elle était à sa merci. C'était très préoccupant.

À la mi-juillet, il lui avait écrit une longue lettre exprimant ses profonds regrets et sa déception que le redressement de la Northwestern Copper soit si lent; encore des difficultés au sujet de la « réorganisation », des problèmes de « refinancement », et les « interminables délais causés par des litiges idiots » — Monty avait un don imcomparable pour les redondances et les ambiguïtés. Bref, à la date où, semi-annuellement, la Northwestern Copper présentait son rapport aux actionnaires, ceux-ci avaient appris qu'ils ne recevraient aucuns dividendes... Il était désolé, plus qu'il ne saurait dire, mais, bien sûr, il n'y était pour rien.

Éprouvée par la conscience qu'elle se trouvait seule en pays étranger, sans revenus ni assurance d'en avoir de nouveau, elle avait passé des journées entières à se ronger les sangs, se demandant comment se sortir de cette fâcheuse situation.

Elle pensa soudain qu'il serait peut-être possible de liquider une partie de ses avoirs à Brightwood. Elle savait bien que les actions de l'hôpital, dont elle avait hérité, n'avaient aucune valeur marchande. Ce n'était pas du tout comme les titres industriels et commerciaux ordinaires. Les revenus étaient faibles et incertains et les actions elles-mêmes ne valaient que ce qu'un acheteur un peu philanthrope voudrait bien en offrir.

De plus, une certaine valeur sentimentale leur était attachée dans son esprit. À moins d'être pressée par le besoin, jamais elle n'aurait consenti à s'en départir, sous aucun prétexte. Mais, sentiment ou pas, elle devait bien vivre. Il lui restait fort peu d'argent.

Au bout d'un mois d'inquiétude, elle avait décidé d'écrire à Nancy Ashford. Après y avoir bien réfléchi, elle choisit de ne pas lui faire part de la situation exacte de ses affaires; elle s'informait simplement de la possibilité de convertir ses actions de Brightwood en argent liquide, aussitôt qu'un acheteur se manifesterait. Madame Ashford serait sans doute étonnée et déçue mais elle pouvait penser ce qu'elle voulait : quant à elle, il lui était impossible de divulguer la véritable raison de sa démarche.

* * *

« Vraiment, je me demande pour quelles raisons elle veut faire cela, avait dit Nancy au docteur Merrick en recevant la lettre. Elle a sûrement assez d'argent pour vivre... Les revenus provenant de la Northwestern Copper tournent, au bas mot, autour de six mille dollars par année... Des actions privilégiées... solides comme le roc... Crois-tu qu'elle puisse avoir été victime d'une escroquerie ? Elle s'y connaît si peu en affaires. »

« Qui s'occupe de ses affaires en son absence ? »

« Personne, à ma connaissance... Ses affaires n'ont rien de bien compliqué... Il me semble qu'elle a dit que son frère — son cousin plutôt — lui donnerait un coup de main pour ses déclarations d'impôts. »

« Vous savez quelque chose sur son compte ? »

« Rien du tout... C'est lui qui s'occuperait de son argent, tu penses ? »

« Peu probable... Pour quelles raisons le ferait-il ?... À moins qu'elle ne lui ait donné carte blanche pour acheter et vendre; et elle ne ferait pas cela. »

« Que vais-je lui dire, Bobby ? »

« Combien valent ses actions de Brightwood ? »

« Un chiffre conservateur ? » Nancy souriait.

« Non, optimiste ! Une évaluation à la Candide ! »

« Je dirais, environ vingt mille... Tu les veux ? »

« Oui... Dites-lui que vous vous êtes engagée à les vendre pour... vingt-cinq mille dollars... et aussi que l'acheteur désire les payer en vingt-cinq versements mensuels... Ça lui évitera de se retrouver sans le sou, là bas; et d'ici là...

« Oui ? D'ici là ? »

Le docteur Merrick se dirigea vers la porte.

« Oh, je ne sais pas. Je crois... C'est elle que ça concerne. »

* * *

Helen regarda encore une fois la longue lettre qu'elle venait tout juste de recevoir de madame Ashford, contenant une véritable bouée de sauvetage et la promesse ferme que d'autres suivraient. Mais d'avoir cela entre les mains la remplissait d'inquiétudes. Elle avait tranché le lien important qui la reliait au centre d'intérêt le plus précieux du docteur Hudson. C'était comme de fermer la porte à quelque chose qui avait été le centre de sa vie.

La lettre ne contenait aucun reproche, ni direct ni voilé, mais il était facile d'y déceler une petite nuance d'inquiétude cependant.

« J'espère que la vente de vos actions de Brightwood ne signifie pas que vos revenus provenant d'autres sources sont épuisés de quelque façon... Aimeriez-vous que nous fassions quelque démarche pour vous ? »

Après un bref exposé de la transaction qu'elle avait effectuée et des conditions de la vente, Nancy Ashford lui avait servi un véritable pot-pourri des nouvelles locales... « Vous ne reconnaîtriez plus Détroit... De nouvelles boîtes de nuit, de nouveaux théâtres, des hôtels chic, des boutiques luxueuses !... » On ajoutait même une nouvelle aile à l'hôpital; les plans étaient déjà prêts.

« Le jeune docteur Merrick est avec nous, maintenant. Ou peut-être le saviez-vous déjà. Bien sûr, je suis ravie de voir les progrès rapides qu'il accomplit car je me suis toujours intéressée à lui... Évidemment, il possède un grand avantage sur l'interne typique puisque, ayant toujours su depuis le début de ses études de médecine qu'il voulait s'orienter vers la chirurgie du cerveau, il vient ici avec des connaissances et une expérience beaucoup plus spécialisées que tout autre jeune docteur qui se soit joint à l'hôpital... Le docteur Pyle le traite déjà avec une déférence qui m'amuse (le docteur Pyle est *si* tranchant avec les nouveaux). Bobby a obtenu la permission de monter ici son propre petit laboratoire. Il y a une petite alcôve

— vous vous en souvenez peut-être — juste à côté du solarium au dernier étage. Nous y avons fait construire des cloisons. Vous devriez voir tous les appareils qu'il y a installés. Je crois que c'est un laboratoire de physique plutôt que de chimie... Tout ce qu'il faut pour le soufflage du verre !... Une forge... Un haut fourneau... Toutes sortes d'équipement électrique !... On ne peut lui tirer aucun renseignement... J'y étais hier et je lui ai demandé s'il fabriquait un nouvel appareil radio; il m'a répondu : ' Quelque chose du genre. ' Mais ça ne veut pas dire grand chose de sa part sauf qu'il voudrait bien qu'on le laisse travailler en paix.

« Je n'ai jamais eu autant d'émotions de ma vie que le jour de sa graduation ! Pendant toutes ses études, j'avais fondé tellement d'espoirs sur lui... Et quand le grand jour est arrivé... avec son nom en bonne place dans le programme des cérémonies (il ne m'avait même pas dit qu'il avait eu la mention bien...) eh bien, j'étais là sur ma chaise à pleurer comme une idiote... Sa mère ne pouvait pas venir alors j'ai fait semblant d'être sa mère... Et vous auriez dû voir son grand-père ! Fier ? Quand les étudiants de sa classe sont montés sur l'estrade pour recevoir leurs diplômes, le cher vieux Merrick s'est mis debout sur son siège, essayant d'agiter son mouchoir et de se moucher dedans en même temps jusqu'à ce que quelqu'un le fasse descendre en le tirant par les pans de sa veste. »

Les feuilles tremblaient dans les mains d'Helen tandis qu'elle lisait.

La dernière ligne sur cette page — elle portait le numéro huit — avait été effacée mais restait encore lisible :

« Le jeune docteur qui a — »

La page suivante avait d'abord été numérotée douze; et ce chiffre avait été effacé, de façon pas bien réussie, pour être remplacé par neuf.

Nancy Ashford, après y avoir repensé, avait dû retirer une bonne partie de sa lettre.

* * *

« Voici la traite pour mille dollars », avait dit Bobby Merrick debout à côté du bureau de Nancy.

« Merci. Je viens juste de finir ma lettre. Je vais la poster aujourd'hui. »

« Parfait !... Dites donc, vous n'avez rien dit au sujet des Dawson, n'est-ce pas ? »

« Eh bien, oui. Tu préfères que je n'en fasse rien ? »

« Enlevez cette partie... Je ne crois pas que ça l'intéresse beaucoup... et puis... eh bien, j'ai mes raisons. »

« Comme tu voudras », fit Nancy en retirant rapidement les feuillets sur lesquels elle avait écrit :

« eu la mention très bien est le meilleur ami du docteur Merrick... Damon et Pythias... le genre d'amitié dont on parle dans les romans ! Ils ont travaillé ensemble durant toutes leurs études — la même spécialité tous les deux. L'étudiant qui obtient la mention très bien reçoit maintenant un prix offert par monsieur Owen Simmons (la compagnie des turbines Simmons) : séjour d'un an à Vienne toutes dépenses payées, bourse, généreuse allocation, etc. Les Dawson étaient ici, jeudi dernier — le jour où j'ai reçu votre lettre. Elle s'en allait à New York, dire au revoir à son mari.

« En fait les trois sont comme des frères et soeur; je ne pouvais pas m'empêcher d'être un peu jalouse. Ils se sont enfermés ici dans mon bureau pendant une bonne heure; quand ils en sont ressortis et que je les ai croisés dans le couloir, madame Dawson était tout excitée. Elle avait l'air tellement heureuse que j'ai dit : ' Vous avez une tête de matin de Noël. ' ' Et pourquoi pas, a-t-elle répliqué en riant. Je pars aussi !... ' ' En Europe ?... ' ' C'est bien ça ! '

« Ils ont un mignon petit garçon — presque quatre ans. Je n'ai jamais vu un enfant si bien élevé. Le docteur Merrick les a accompagnés à New York et a ramené le petit Jack avec lui; il restera à Windymere jusqu'au retour de madame Dawson. Je ne crains pas de me tromper en disant que le vieux monsieur Merrick est certainement, à l'heure présente, en train de conduire le poulain qu'il a acheté à son intention... »

* * *

Il y avait aussi une lettre de Joyce :

« Non ma chérie, je suis sûre que tu ne vas pas t'amuser à penser où à dire ' Je te l'avais bien dit ', car ça ne te ressemble pas... Il ne se passe pas de jour que je ne me fouette moi-même pour la façon abominable dont je t'ai traitée cet hiver-là alors que tu faisais tant d'efforts pour m'empêcher de faire une folle de moi.

« Au cours de cette période, j'étais injuste envers tout le monde — même avec le pauvre Bobby. Je n'ai jamais rétabli les faits à son sujet. J'en avais l'intention mais, tu vois, je lui ai téléphoné le lendemain matin, lui demandant de passer me voir. J'avais la vague idée qu'il avait été — eh bien — plutôt gentil pour moi, la veille, et je croyais que nous pourrions renouer des liens d'amitié. Il a trouvé un prétexte pour ne pas venir; ça m'a blessée... humiliée. Je savais qu'il s'était passé quelque chose qui avait produit un froid entre vous parce que — me pardonneras-tu, chérie ? — j'ai remarqué que tu avais reçu une lettre de sa part peu de temps après et je l'ai lue. Il voulait se faire pardonner de t'avoir causé beaucoup de peine. Je savais ce que cela voulait dire : il ne t'avait pas dit toute la vérité. Tu croyais qu'il avait assisté à cette beuverie chez Gordon et je n'ai rien fait pour te détromper — après qu'il eût refusé de me revoir. La vérité c'est qu'il n'avait pas bu un seul verre et qu'il s'est battu avec tout le monde dans la place pour me sortir de là quand j'étais si ivre qu'il m'a fallu trois bonnes journées pour savoir ce qui s'était passé. Je sais que Bobby n'est rien pour toi et que tu le détestes mais ce n'est que justice à son égard que tu saches comment il se fait qu'il m'a ramenée à la maison, le soir de l'action de grâce.

« Non, chérie, ça ne va pas mieux. Ça n'ira jamais mieux. Je le sais, maintenant. Tommy ne peut pas s'en empêcher. Un soir, il rentre à la maison ivre, grognon et obstiné; le lendemain, ivre, ridicule et sentimental; le surlendemain, ivre, querelleur et prêt à tout critiquer; le soir suivant, ivre, brutal et grossier — mais toujours ivre. Ça, je peux y compter ! Je ne sais jamais quelle sera son humeur — si je serai morigénée pour ma prétendue indifférence envers lui et son travail (le peu qu'il en fait !) ou importunée avec une affection simulée que ni l'un ni l'autre ne ressent — mais je peux toujours être sûre d'une chose : il sera ivre.

« Au début, il prétendait qu'il écrivait mieux quand il était stimulé et je le croyais : je buvais avec lui à toute heure du jour, en toutes sortes de lieux, avec toutes sortes de gens. Il disait que ça contribuait à lui fournir la couleur locale nécessaire aux récits qu'il écrivait. Je le croyais sur parole. Puis je me suis rendu compte que c'était en train de le détruire; il perdait ses contrats avec les magazines; ses histoires lui étaient retournées avec des petits mots brefs. Je n'aimais pas le harceler, mais un beau jour j'ai tout simplement refusé de suivre plus longtemps sa bande de saoûlards, de pseudo-talents littéraires ou artistiques; des soi-disant artistes ou des ex-artistes !

« Maintenant, il est tout seul et il ne fait rien ou presque rien. Dieu merci, on n'a pas à s'inquiéter du loyer ou du prochain repas. Mon cher vieux papa avait pris des précautions. Aussi longtemps qu'on continuera à extraire le cuivre dans la péninsule, Tommy et moi pourrons faire semblant de vivre mais le coeur n'y est plus et la vie est moche. Je le quitterais demain si ce n'était que je me sens une espèce d'obligation à son égard. Je suis aussi responsable que quiconque de ses vilaines habitudes. Que ferais-tu à ma place ? »

* * *

Alors — la Northwestern Copper n'avait aucune espèce de difficultés sinon Joyce aurait aussi des ennuis avec ses dividendes. Elle écrirait à Monty et lui poserait de sérieuses questions. Monty lui aurait-il proposé de s'occuper de ses affaires dans l'intention de s'approprier ses revenus ? Pourquoi n'avait-elle pas demandé conseil avant de se mettre à sa merci ? Les sociétés de fiducies fiables ne manquaient pourtant pas... Peut-être y avait-il une explication... Eh bien, il fallait lui offrir la chance de les fournir... et rapidement, aussi ! Elle écrirait dès aujourd'hui... Non — demain. Elle s'en sentait incapable, aujourd'hui... Alors il prenait Brightwood d'assaut, n'est-ce pas ?... Soufflage du verre... Dans quel but au juste ?... Que venait faire le soufflage du verre avec la chirurgie ?... Pourquoi n'avait-il pas dit la vérité au sujet de l'épisode chez Gordon ? Elle était bien contente que sa lettre d'excuses ait été trop vague pour que Joyce y comprenne quelque chose... Pauvre Joyce !

Ramassant son courrier, elle se leva de table, adressa un sourire au vieux Martino qui retirait sa chaise et alla se promener lentement dans l'allée. Le petit parasol aux vives couleurs refusa de partager ses ennuis et illuminait son visage. Elle descendit l'escalier étroit jusqu'au niveau suivant de la route de montagne qui, montant en spirales du village, y faisait là un arc gracieux; elle s'y engagea et atteignit le deuxième long escalier qui allait s'élargissant jusqu'à la rue bordée de ravissantes petites boutiques.

La veille elle s'était promis de faire une excursion à la villa Carlotta, ce matin. Située de l'autre côté de la baie, en diagonale, sur une rive d'une incroyable beauté, ombragée d'arbres nombreux, la célèbre maison d'un prince — toujours absent — était ouverte aux touristes... Quelques Canova importants, quelques orchidées rares, une grande variété d'arbres exotiques... Elle devait y aller. Tout le monde y allait.

Elle ne manqua pas d'attentions lorsqu'elle monta à bord du canot automobile à toiture bleue et rouge... Et sur le petit quai, devant la villa Carlotta, il fallut plusieurs assistants pour l'aider à descendre... Pour commencer, le minuscule parasol fut tendu au membre du comité de réception qui se trouvait le plus près, ensuite le Beadecker à reliure de cuir fut passé à un autre, puis les jumelles avec leur courroie furent détachées de son épaule par un troisième; enfin, exprimant ses regrets, d'un geste de déception, qu'il n'y eût plus rien à distribuer, elle tendit les deux mains et permit aux deux représentants inoccupés — qui firent l'envie de tous — de l'aider à franchir le plat-bord.

Reprenant possession de ses biens avec un sourire, elle monta vers les énormes grilles de fer et pénétra dans la fraîcheur de la grande salle — recouverte de marbre blanc du sol au plafond et jusque sur les murs.

Une jeune femme américaine, ayant environ son âge, — peut-être un peu plus — était assise sur un magnifique banc de marbre — le seul siège dans la pièce — perdue dans la contemplation du célèbre Cupidon et Psyché. Elle était vêtue d'un tailleur gris, très mode, et coiffée d'un chapeau ajusté, du même ton, bordé de boucles rousses.

D'un rapide coup d'oeil, elles virent l'une et l'autre à qui elles avaient affaire, échangèrent un salut, un sourire. Helen s'assit à côté d'elle.

« C'est sa meilleure oeuvre, vous ne croyez pas ? », avança la jeune femme en gris.

« Exquise ! »

Eh bien, se dit Marion. Elle devait sûrement s'y connaître en choses exquises. Le mot la décrivait bien elle-même... Quelque part dans les environs, elle s'attendait à rencontrer une jeune femme aux yeux bleus, aux cheveux d'un noir de jais, probablement avec la coiffure appelée « ébouriffée par le vent », avec un sourire aussi séduisant que celui de Mona Lisa, et une voix qui faisait penser à un violoncelle. (« Bobby, pour l'amour du ciel, avait-elle protesté. Tu es sûr qu'elle n'est pas plutôt comme les harpes célestes ? »... « Eh bien, quelque chose du genre », avait-il répondu.)

« Qu'est-ce qu'il y a d'autre à voir ? », demanda-t-elle après un long silence.

« C'est la première fois que je viens ici, répliqua Helen. Les jardins, je suppose, et quelques arbres et fougères importées. On y va ? Vous êtes seule, non ? »

« Tout à fait — seule et solitaire. »

Le bruit de leur pas se prolongeait en échos dans le spacieux couloir tandis qu'elles se dirigeaient vers le jardin, à la recherche du soleil d'automne. Sur la terrasse, elles eurent un moment d'hésitation, s'informèrent auprès d'un préposé et s'engagèrent dans le large sentier vers le nord à travers les jardins aménagés avec un art consommé.

« Vous êtes venue de Bellagio ? »

C'était bien ça. Elle était arrivée la veille au soir de Lugano et s'était arrêtée dans un petit hôtel de village... Elle pensait rester une semaine, peut-être.

« Oh ! dans ce cas vous devez venir vous installer à la villa Serbelloni. Ça me ferait tellement plaisir ! »

Dès qu'elles se furent présentées, leur amitié naissante s'épanouit avec une rapidité toute naturelle pour deux compatriotes solitaires qui se rencontrent en pays étranger. La jeune madame Dawson en eut vite terminé avec son histoire.

« Ça sera beaucoup mieux pour lui s'il n'a pas à se préoccuper de moi tant qu'il ne sera pas bien installé », expliqua-t-elle. « Et, de toute façon, c'est ma première expérience en Europe et je veux visiter un peu, voir des choses. »

« C'est étrange que vous soyez venue à Bellagio directement de Paris. Je m'en réjouis, bien sûr; mais, à part la vue exceptionnellement belle, il n'y a vraiment rien à voir ici !... Ce n'est pas ce que les gens font d'habitude, vous savez... Ils vont, oh, dans la région des châteaux ou le long de la Riviera; Rome, Naples, Florence... Comment se fait-il que vous soyez venue ici ? »

« J'ai déjà lu quelque chose à propos de l'endroit... il y a très longtemps... J'ai toujours voulu venir ici ! »

Elles s'amusaient à découvrir leurs points d'intérêt communs. Le docteur Dawson avait terminé ses études de médecine en juin. Sa mention très bien lui avait valu le séjour à Vienne. La chirurgie du cerveau — c'était sa spécialité... Tiens ! Le matin même Helen avait reçu une lettre d'une amie de Détroit qui connaissait intimement le jeune docteur s'étant classé deuxième dans cette promotion. Le docteur Dawson devait sûrement le connaître.

« Merrick ? » Marion fronça les sourcils comme pour tenter de se souvenir. « Oh oui, un grand type, sérieux, c'est ça ? Mais vous ne l'avez jamais rencontré... »

« Je l'ai déjà entrevu... Je crois que ça le décrit... assez bien. »

« Quelle merveilleuse grotte !... Descendons ! »

Elles descendirent dans l'enceinte moussue tapissée de fougères et se reposèrent sur un siège circulaire en pierre, en face d'un Pan en stuc posé sur un élégant piédestal.

« Pourquoi était-il si sérieux ? demanda Helen. Les choses devaient être assez faciles pour lui ! »

« Vous trouvez qu'il a l'air sérieux ?... Voyons, il a la tête la plus espiègle que j'aie jamais vue !... Sérieux ?... Avec ce sourire malin ? »

« Oh ! vous voulez parler de Pan ! ... C'est un véritable petit diable ! »

« Et vous, vous pensiez encore au jeune docteur Merrick. » Marion retroussa sa lèvre inférieure en un sourire de compréhension et fit un clin d'oeil malicieux. « Peut-être qu'il n'était pas sérieux du tout. Il n'avait pas besoin de l'être. Terriblement riche, non ? »

Elles continuèrent leur promenade et firent d'heureuses découvertes; quelques marches rongées par le temps auprès d'un mur recouvert de roses Banksie menant à une vannelle ombragée; un petit pavillon de lignes classiques, au dallage jonché de fragiles feuilles jaunes. Marion laissa vagabonder son imagination, inventant des histoires d'amour et les intrigues qui s'étaient tramées dans l'ombre de ces coins isolés, au cours des ans.

« Il est à Brightwood, maintenant, dit Helen à la première pause complète que fit sa nouvelle amie dans son envolée. C'était l'hôpital du docteur Hudson; alors, naturellement, ça m'intéresse. »

« Bien sûr, je le comprends. » Marion eut un sourire énigmatique.

Midi était passé depuis longtemps. Le petit bateau qui avait amené Helen était amarré au quai. On les aida à monter à bord. Pendant plus de cinq minutes, ni l'une ni l'autre ne dit mot : Helen regardait le sillon argenté de leur bateau dans l'eau calme; les yeux de Marion contemplaient les superbes terrasses et les portails de la villa.

« Je crois, dit Marion, que cet endroit est un des plus ravissants que j'aie jamais vus ! »

« Ce que je n'arrive pas à comprendre (le visage d'Helen exprimait la plus complète perplexité), c'est comment ils ont pu ne pas se connaître... intimement... Décrochant les meilleures places tous les deux... et se spécialisant dans le même domaine... un domaine très restreint, à part ça. »

Marion se retourna et lui adressa un sourire, doucement.

« Si j'avais su que je rencontrerais un jour quelqu'un qui s'intéressait autant à lui, je me serais fait un devoir de faire sa connaissance... Allons fureter dans ces amusantes petites boutiques avant de monter... Ça vous plairait ? »

* * *

Lorsque Marion Dawson se retira dans sa chambre ce soir-là — elle s'était installée à la villa — de nombreuses inquiétudes la tenaillaient. Quant à sa mission, le succès en était assuré. Bobby l'avait envoyée afin de découvrir toute la vérité au sujet des déboires financiers d'Helen et aussi pour lui fournir quelques indices sur la façon d'y remédier. Il lui avait confié que des motifs surtout philanthropiques l'animaient. Le docteur Hudson eût-il été encore vivant, elle n'aurait pas à subir ce désastre; et la mort du docteur Hudson lui était plus ou moins imputable : il en portait, tout au moins, une grande responsabilité; le bien-être d'Helen le concernait donc.

« Sûr qu'il n'y a rien de plus que ça, Bobby ? » avait-elle dit pour le taquiner.

« J'aimerais bien qu'il y eût autre chose, avait-il confessé, mais ce n'est pas possible... J'ai totalement écarté cette idée de mon esprit... Franchement, ma vue même la fait frémir ! »

Il ne lui avait pas fallu une bien grande dose d'intuition féminine pour découvrir que l'évaluation de Bobby sur l'attitude d'Helen à son égard était tout à fait fausse... Elle aurait pu, si elle l'avait voulu, lui causer une grande joie en lui faisant un récit subjectif de la conversation de ce jour... Mais ça ne serait pas juste... À qui exactement devait-elle fidélité dans cette affaire ?... C'était déjà assez traître de gagner la confiance d'Helen sur ses problèmes d'argent — mais c'était pour son bien, éventuellement. Quand elle apprendrait — si jamais cela arrivait — comment ses problèmes financiers avaient été réglés, elle ne s'objecterait pas à la méthode... Mais elle ne pardonnerait jamais un abus de confiance au sujet de son intérêt pour Bobby... La vie d'espionne avait des aspects vraiment très déplaisants.

Tout l'après-midi, elles étaient restées ensemble, se promenant ici et là dans les petites rues tortueuses; à seize heures, elles avaient grimpé laborieusement la côte dans un vieux fiacre avec de hautes roues aux pneus d'acier; à dix-neuf heures, elles s'étaient attardées à leur repas sous la tonnelle, chacune consciente de leur amitié naissante, amitié destinée, elles le croyaient, à leur devenir très précieuse. Helen avait insisté pour que sa chambre soit près de la sienne du côté sud où, des grandes portes fenêtres avec balcons, on avait vue sur la baie. Le lendemain, elles prendraient le petit déjeuner tôt afin d'attraper le petit bateau pour son premier voyage de la journée vers Côme.

« Je démissionnerais de ce travail dès ce soir, avait écrit Marion, et rentrerais directement à la maison, si je n'étais pas persuadée que ma mission de détective lui sera bénéfique. Elle a été terriblement seule, affreusement inquiète et elle va me raconter tout cela au cours des prochains jours. Je n'aurai pas à lui poser une seule question. Elle va tout me dire d'elle-même. Mais je me sens réellement hypocrite, Bobby, de jouer cette supercherie. Quelle adorable personne elle est ! Je n'ai jamais rencontré quelqu'un vers qui je me sois sentie attirée aussi rapidement. Je t'en prie, ne lui laisse jamais découvrir quel rôle je joue dans tout cela. Si jamais elle apprenait que j'ai cultivé son amitié avec une idée derrière la tête, je ne crois pas que je pourrais le supporter. »

* * *

Les marchands de la petite ville de Bellagio s'accoutumèrent vite à voir ces deux jeunes Américaines, remarquablement belles, déambuler dans les environs, et les commandants des bateaux de plaisance qui faisaient la navette sur le lac de Côme étaient ravis de les compter souvent au nombre de leurs passagers. Chaque matin, elles déjeunaient ensemble sous la tonnelle; chaque soir, elles se promenaient, bras dessus, bras dessous, dans les jardins de l'hôtel aménagés avec tant d'art.

Elles savaient à peu près tout l'une de l'autre; elles s'étaient livrées à des confidences tendrement, comme des petites filles, sans réserve aucune. Leur amitié était vraiment exceptionnelle. Dès le premier instant, elles avaient été attirées l'une vers l'autre, et c'est sans effort qu'elles renoncèrent à la réticence qu'elles auraient dû éprouver naturellement devant une étrangère.

Pendant tout l'après-midi de ce mardi tragique dont elles se souviendraient toujours avec un serrement de coeur, elles avaient marché le long d'une route tortueuse dans la montagne, au-dessus de Menaggio. Ouvrant son coeur, Helen avait fait part de ses inquiétudes concernant ses transactions avec Monty. Marion lui avait conseillé d'attendre un peu et de ne rien faire avant son retour aux États-Unis, d'autant plus que, pour l'instant, elle avait un revenu assuré... Maintenant qu'il n'y avait plus aucune barrière entre elles, Helen se laissa aller à des confidences au sujet de Bobby, trahissant par son ton tout ce qu'elle hésitait encore à exprimer.

Après le déjeuner, il se mit à pleuvoir et elles décidèrent de faire une sieste, chacune se retirant dans sa chambre. Une heure plus tard, Helen, s'étant réveillée, décida d'écrire quelques lettres. Elle se rappela que son guide était resté dans la chambre de Marion. Tournant doucement la poignée et voyant que la porte n'était pas verrouillée, elle s'avança sur le bout des pieds, souriant à la vue de Marion, plongée dans le sommeil, et prit son Baedecker sur le secrétaire. À côté du guide, timbrée et prête à poster, se trouvait une enveloppe épaisse, adressée au docteur Robert Merrick, hôpital Brightwood, Détroit, Michigan, E.U.

Elle fut saisie de stupeur... comme si quelqu'un lui eût porté un coup au coeur. Respirant à peine, elle sortit péniblement de la chambre et laissa la porte légèrement entrebaillée, tellement elle craignait de faire du bruit en la refermant et de réveiller Marion.

Elle resta un long moment assise sur le bord de son lit, les épaules affaissées, les mains mollement posées sur ses genoux. Le monde venait de s'écrouler. Les joues brûlantes, elle se rappela quelques-unes des choses qu'elle avait chuchotées à Marion, des confidences que même des tortures dignes de l'Inquisition n'auraient pu lui arracher... Ces confessions impulsives avaient sans doute été couchées sur le papier pour satisfaire la curiosité de Bobby Merrick ! Tout devenait clair maintenant ! Quelle coïncidence étrange, avaient-elles pensé toutes les deux, de se rencontrer ainsi par hasard, et de découvrir l'amitié la plus précieuse que l'une et l'autre aient jamais connue !... Toute une coïncidence, en effet !

* * *

Marion dormit profondément jusqu'à cinq heures et se réveilla avec la pénible sensation que quelque chose de désagréable était survenu. Il pleuvait à torrents. La chambre était sombre et un violent courant d'air traversait la pièce. La porte était ouverte et pourtant elle se rappelait clairement l'avoir fermée.

Elle eut tout à coup le souffle coupé et porta ses deux mains à sa gorge; à contrecoeur, lentement, elle se dirigea vers le secrétaire. Le Baedecker d'Helen avait disparu ! Impossible qu'en le prenant elle n'ait pas aussi aperçu la lettre. Elle se jeta sur son lit et, saisie de remords, éclata en sanglots.

Une demi-heure plus tard, se tapotant nerveusement le front du bout des doigts, elle décida d'apporter la lettre à Helen et de la supplier de la lire. Elle confesserait toute l'histoire et tenterait d'expliquer comment elle en était venue à s'impliquer dans cette super-cherie bienveillante.

Le coeur battant à se rompre, le visage brûlant, elle alla frapper doucement à la porte d'Helen; ne recevant pas de réponse, elle essaya de l'ouvrir et vit qu'elle était verrouillée.

Elle retourna à sa chambre. Tremblante d'émotions, elle s'habilla pour le dîner et descendit lentement le grand escalier en spirale; elle jeta d'abord un coup d'oeil au bar puis à la salle à manger; finalement, ramassant tout son courage, elle décida de s'informer auprès du concierge.

« Madame Hudson est-elle descendue ? » demanda-t-elle, la gorge sèche.

« Elle est partie, madame... Vous ne le saviez pas ? »

« Partie ?... Vous voulez dire qu'elle a... quitté l'hôtel ? »

« Vers seize heures, madame. »

« Mais où est-elle partie ? »

« Elle n'a pas laissé d'adresse, madame... Elle a dit qu'elle ferait prendre ses malles plus tard. »

Marion se retourna lentement et, découragée, rebroussa chemin jusqu'au pied de l'escalier; puis, après un moment d'hésitation, revint vers le bureau du concierge.

« Voulez-vous voir s'il y a un message pour moi ? »

Avec docilité, il fit semblant d'inspecter quelques casiers sur le mur derrière lui, jeta un coup d'oeil à une pile de lettres, cherchant quelque chose que ni l'un ni l'autre ne s'attendaient à lui voir trouver.

La pluie n'arrêta pas de tomber et cette nuit-là, la villa Serbelloni était certainement l'endroit le plus désolé de la terre, distinction que lui disputait l'Hôtel Continental, à Milan.

XIII

La jeune fille aux cheveux roses, aux cils langoureux barbouillés d'une demi-bouteille de mascara, avec d'affreuses tartelettes noires sur les oreilles, était en train d'informer monsieur Brent qu'un docteur Merrick était dans le hall d'entrée de l'hôtel et désirait le voir... Non, il ne l'avait pas dit.

« Monsieur Brent s'habille pour le dîner et ne peut pas descendre pour l'instant, dit-elle avec coquetterie, la main sur le combiné. Il dit que vous pouvez lui dire au téléphone l'objet de votre visite. Allez dans la cabine numéro deux, s'il vous plaît. »

« Dites-lui que je monte immédiatement. »

Elle relaya le message, tandis que de ses longs doigts effilés, le grand jeune homme avec les épaules d'un lanceur de disques et la taille mince d'un escrimeur pianotait impatiemment sur le haut comptoir devant le standard.

« Il dit que ça ne l'arrange pas », rapporta-t-elle, semblant hésiter à transmettre cette grossière impolitesse.

« Quel est le numéro de sa chambre », demanda le docteur Merrick sans se départir de son calme.

« Trois cent soixante-dix-huit; mais il a dit qu'il ne pouvait pas vous recevoir, vous savez. »

« Voilà, garçon, dit-il au groom qui se trouvait à ses côtés, portez d'abord ces bagages à la consigne et montrez-moi ensuite la chambre trois cent soixante-dix-huit. »

Monsieur Brent n'était pas en train de s'habiller pour le dîner. Il était en train de faire ses bagages : les fauteuils, le lit, la table étaient encombrés de vêtements, papiers, livres, articles de toilette, linge défraîchi. Un grand désordre régnait dans la chambre. C'est avec une tête très peu engageante qu'il ouvrit la porte pour examiner son visiteur.

« Merrick, dites-vous ? Jamais entendu parler de vous. Qu'est-ce que vous voulez ? » D'un geste de défi, il planta sa carrure imposante dans l'entrebaillement de la porte, les mains sur les hanches.

« Invitez-moi à entrer et je vous le dirai », dit Merrick, calmement.
Bien à contrecoeur, Brent recula.

« Oh ! très bien, dit-il avec mauvaise humeur. Mais faites ça vite.
Je suis occupé, comme vous le voyez... Il me semblait avoir demandé
qu'on ne me dérange pas. »

Il débarrassa une chaise d'un veston à carreaux de couleurs
voyantes, appareillé à son pantalon, et le lança sur le lit.

« Asseyez-vous, si vous y tenez. »

Le jeune Merrick ne tint pas compte de cette peu gracieuse invitation et exposa le but de sa visite.

« J'habite à Détroit où j'ai des liens avec l'hôpital Brightwood. »

Le visage de Brent, blafard et hérissé d'une barbe de deux jours,
pâlit davantage.

« Ouais ? »

« Vous vous rappelez peut-être que l'hôpital Brightwood a été
rendu célèbre par le défunt mari de votre cousine : le docteur
Hudson. »

« Oui, et puis après ? » grogna Brent avec insolence.

« On m'a signalé, il y a une trentaine de jours, que madame
Hudson, qui se trouve en Italie comme vous le savez, avait été forcée
de se défaire des actions qu'elle détenait dans l'hôpital. »

« Et en quoi est-ce de vos damnées affaires, demanda Brent,
s'avançant vers Merrick, l'air menaçant. Vous n'êtes qu'un médecin,
non ? Est-ce qu'elle n'a pas le droit de vendre ses actions, si elle le
veut, sans vous consulter ? »

« Fort juste, répliqua Merrick, résolu à ne pas se départir de son
calme. Elle n'avait pas à se confier à moi, et elle ne l'a pas fait. Mais si
je m'intéresse à son bien-être, je crois que vous ne devriez pas vous
objecter à ça. Vous vous occupez de ses affaires, n'est-ce pas ? »

« Ouais ! Et je n'ai pas besoin de votre aide. »

« Il se trouve que je sais que vous en avez besoin. C'est de ça que je
suis venu vous parler. »

« Et pour quelles raisons vous intéressez-vous de si près à ma
cousine ? dit Brent avec un sourire de mépris. Vous essayez de mettre
la main sur son argent ? »

Cette main devenait impatiente.

« Je vous conseille de ne pas abuser de ma patience, Brent. »

« Quand vous aurez perdu patience, vous pourrez toujours partir !

Vous voulez épouser ma cousine, je suppose, mais vous voulez être bien sûr avant qu'elle aura assez d'argent pour vous faire vivre ! »

« Ne parlons pas de madame Hudson pour l'instant, conseilla Merrick. Parlons plutôt de vous !... Et des actions de la Northwestern Copper ! »

« Qu'est-ce que vous voulez dire, espèce d'espion de bas étage ? »

« Je veux dire que, au cours des douze derniers mois, vous avez perdu plus de cent mille dollars à boursicoter et à parier aux courses... La dernière équipée dans le pétrole — vers le mois de mai, non ? — a liquidé tout ce qui restait de la Northwestern Copper !... Je suis venu, à titre d'ami de madame Hudson, pour découvrir exactement ce que vous avez l'intention de faire à ce sujet. »

Le visage de Brent était livide. Il courut à la porte et l'ouvrit toute grande.

« Ça suffit ! Dehors ! Partez immédiatement ou j'appelle le détective de l'hôtel ! »

Merrick se dirigea vers le bureau en désordre et se saisit du téléphone.

« Je vais vous épargner cet effort », dit-il calmement, décrochant le récepteur.

« Remettez ça sur le bureau », s'écria Brent, claquant la porte.

Merrick sourit et obéit.

« Vous ne tenez pas beaucoup à parler à un détective, n'est-ce pas, Brent ? Mais vous allez me parler à moi. Voulez-vous vous décharger la conscience maintenant et tout me raconter, ou va-t-il falloir que je vous casse en deux sur cette table ? J'en suis capable, vous savez, et ça me ferait plaisir ! »

Fou de rage, Brent fonça brutalement le poing levé vers Merrick qui, s'écartant pour éviter le coup, se saisit, de sa main gauche, du poignet tremblant qu'il serra comme dans un étau; de sa main droite, il agrippa Brent à la gorge, le traîna jusqu'à la table et le coucha par-dessus, plus bas, encore plus bas jusqu'à ce que les veines distendues de Brent dans son cou tout rouge et sa respiration haletante lui indiquent qu'il était temps de relâcher sa poigne.

« Aimerais-tu parler sérieusement, maintenant ? »

Brent se souleva avec peine sur un coude et allongea la main pour fouiller dans le tiroir du bureau.

« Laisse tomber ce pistolet ! » Merrick serra le poignet jusqu'à ce que les doigts de Brent relâchent le pistolet qui glissa sur le parquet. « Ce petit exercice de tir va te coûter un peu plus cher. » Une fois de plus, la pomme d'Adam de Brent fut comprimée jusqu'à ce que son souffle ne soit plus qu'un râle pénible.

Merrick se pencha, ramassa le pistolet, le vida de ses balles qu'il glissa dans ses poches et attendit que son hôte se remette de ses émotions.

Après quelques minutes, Brent se releva, de ses poignets frotta gauchement ses yeux injectés de sang et se tâta le cou précautionneusement.

« Eh bien, dit-il d'une voix rauque, maintenant que tu as prouvé que tu étais plus fort que moi, qu'est-ce que tu veux ? »

« Je ne suis pas plus fort que toi, Brent. Ton problème, c'est que tu t'es lancé sur moi les yeux fermés. Tu as pris une vague chance que peut-être, d'une manière quelconque, ton coup allait atterrir au bon endroit. C'est probablement ça, ton problème, sur toute la ligne. Tu fermes les yeux et tu fonces, espérant frapper quelque chose, par hasard... Cette petite idée que tu as eu après coup, au sujet du pistolet... Tu serais dans de beaux draps si je t'avais laissé tirer sur moi... Tu prends de jolis risques, mon ami. »

« J'aime mieux prendre une chance sur la chaise que sur le pénitencier. »

« Ça prouve ce que je disais... Et... parlant de chaises, traîne-toi jusqu'à ton bureau et assieds-toi. Je vais te demander d'écrire quelque chose pour moi. »

« Si tu crois que tu vas m'extorquer une confession, Merrick, tu n'es pas au bout de tes surprises. »

« Confession ? Ridicule ! J'ai assez de preuves dans mes poches pour te faire boucler pendant vingt ans... Je veux que tu écrives une lettre à ta cousine; je vais la dicter. Ne t'avise pas de faire des erreurs, parce que je vais m'occuper moi-même de la poster. »

Brent se laissa tomber de la table et débarrassant le bureau des objets qui l'encombraient, prit un stylo dans ses mains.

« Commence par son adresse et par ton entrée en matière habituelle. Puis continue comme ceci : À cause des incertitudes concernant tes revenus sur les actions de la Northwestern Copper, je les ai vendues... »

Lançant le stylo, Brent s'exclama : « Est-ce que tu te rends compte de ce que tu me forces à écrire ? »

« Oui, plutôt ! C'est justement pour ça que tu l'écris ! Continue, s'il te plaît. »

« Sais-tu comment on appelle ça ?... Me forcer à écrire une lettre ? »

« Comment ? »

« Eh bien c'est... c'est... »

« Tu trouveras le nom quand je serai parti... Allez ! Ramasse ce stylo !... Tu as écrit ça à propos de la vente d'action de la Northwestern Copper ? Maintenant, continue. J'ai acheté l'équivalent pour toi en actions privilégies de la Société des moteurs Axion... »

Brent hésita et leva un regard interrogateur.

« Je ne comprends pas. »

« Ça n'a pas d'importance, fit Merrick, sèchement. Ça ne te regarde pas, en fait. Tu n'es que mon commis, pour l'instant. Après avoir écrit cette note, tu n'auras plus rien à voir aux affaires de ta cousine : ...actions privilégiées de la Société des moteurs Axion : cinq cents actions cotées aujourd'hui à deux cent vingt-six. Ces actions sont entre les mains de la Société de fiducie de la Banque Nationale de Détroit qui te fera parvenir tes dividendes régulièrement à compter de maintenant. »

« Comment puis-je savoir que c'est bien vrai », grommela Brent.

« Tu ne peux pas le savoir; mais, comme je l'ai déjà dit, ça ne te regarde pas. Tu l'as écrit ? Bon, un dernier paragraphe : ...Des affaires urgentes m'obligent à partir immédiatement pour Buenos Aires... »

« Mais je ne pars pas pour Buenos Aires ! »

« Oh si, tu y vas !... Tu t'embarques samedi... Tu es en train de faire tes bagages en ce moment pour t'en aller à Washington, te procurer le passeport que j'ai fait préparer pour toi. De là tu vas à New York où tu t'embarques sur le *Vigo*... Allez, continue ta correspondance : ...J'ignore combien de temps je serai absent, alors je transfère l'entière responsabilité de tes affaires à la Société de fiducie de la Banque Nationale de Détroit. Monsieur T. P. Randall va vérifier le tout et te fera parvenir sous peu un relevé détaillé de tes affaires... Ajoute maintenant toutes les gentillesses que tu auras le toupet d'écrire à une femme que tu as filoutée, et signe ton nom... et adresse aussi une enveloppe. »

Tandis que Brent écrivait, Merrick sortit son portefeuille, en tira un ticket de bateau et compta deux mille dollars en gros billets.

« Voilà ! » Il désigna le tout à Brent qui achevait la lettre. « Ça, c'est pour toi. Prends-le et déguerpis ! Et si tu es intéressé à recevoir un conseil, je te suggère de cesser de jouer au sportif, car tu n'es vraiment pas doué; fais-toi de nouvelles relations; trouve-toi quelques amis honnêtes; décroche un travail respectable; grouille-toi et fais un homme de toi ! »

Le visage distordu, Brent tripota les billets et tendit une main à tâtons devant lui. Merrick fit mine de ne pas voir le geste; il n'était pas très porté sur le mélodrame.

« Tu peux sortir du pays, n'est-ce pas ?... J'ai tout arrangé pour toi afin que tu n'aies aucun problème pour le passeport, à moins que tu ne sois recherché pour un autre délit. Sûr qu'on ne va pas t'empêcher de partir ?... Tu n'as filouté personne à part ta cousine, dis-moi ? »

« Non ! Non !... Bon Dieu ! Mais j'ai vraiment été un sale type ! » S'affaissant dans son fauteuil, Monty enfouit sa tête ébouriffée entre ses mains.

« Tu n'as pas besoin de rester un sale type, Brent... Prends un nouveau départ !... Sois honnête !... Tu peux y arriver !... Je m'en vais, maintenant. Si tu as quelque difficulté à partir, communique avec moi. Voici ma carte. Et je présume que je n'ai pas besoin de te dire que madame Hudson ne doit jamais savoir quoi que ce soit au sujet de notre petite transaction. »

« Tu veux dire, fit Brent, l'air perplexe, qu'elle ne saura pas que tu lui as donné tout cet argent ? Qu'est-ce que tu t'attends à recevoir en retour ? »

« Ça me regarde !... Mais je crois que je vais te le dire... juste pour t'enlever de la tête les petits soupçons que tu pourrais avoir que ma dette envers elle puisse nuire à sa réputation... Tu te rappelles l'histoire de la mort de son mari ? »

Brent fit signe que oui.

« Te souviens-tu que pendant que le docteur Hudson était en train de se noyer, on ranimait un jeune homme ? »

« Ouais, je me rappelle... un bonhomme riche... Bon sang ! C'était toi ? »

« Oui ! Ma vie a été sauvée ce jour-là grâce à un appareil qui aurait pu ranimer le docteur Hudson si on l'avait eu sous la main pour lui... Si Hudson n'était pas mort, tu n'aurais pas dilapidé l'argent de sa femme... Comprends-tu, maintenant ? »

« Et c'est aussi pour cette raison-là que tu es devenu médecin ? » demanda Brent, les yeux écarquillés.

« Ça serait une assez bonne raison, mais laissons cela... Je voulais uniquement que tu saches pourquoi je m'intéresse à ta cousine... ce que tu penses de moi, ça m'est bien égal, mais j'aimerais mieux que tu aies une bonne opinion d'elle ! »

« Donc, tu t'es dit que c'est lui qui t'avait rendu la vie — en quelque sorte — et que tu devais la faire servir à quelque chose; c'est ça ? »

« Quelque chose comme cela. »

Brent resta un long moment sans bouger, les yeux dans le vague, et lorsqu'il parla sa voix semblait venir de très loin.

« Seigneur ! Je n'ai jamais entendu rien de semblable !... Et tu viens de me rendre la vie, à moi... Si j'étais le même genre de personne que toi, je suppose que je devrais la faire servir à quelque chose, c'est bien ça ? »

« Oh, pas nécessairement... J'ai mis pas mal de temps à me décider à agir, dans mon cas... J'étais pas mal tordu moi-même, Brent... Si j'avais pu m'en dispenser, je l'aurais bien fait. »

« Qu'est-ce que tu veux dire, tordu ?... Tu n'avais rien volé, j'espère ? »

« Jamais eu besoin de voler quoi que ce soit... J'avais tout ce qu'il me fallait... Même un peu trop !... J'ai corrompu beaucoup de gens avec mon argent !... Toi, tu n'en as pas eu assez. Je suppose que c'est la principale différence entre nous. »

« Penses-tu que je pourrais faire quelque chose... pour compenser pour ce que tu as fait pour moi ? »

« Peut-être, si ce genre de trucs t'intéresse. »

« Quoi, par exemple ? »

Merrick se leva et prit son manteau.

« Il va falloir que tu le découvres par toi-même. »

« Je le voudrais bien, tu sais », fit Brent avec sincérité.

« Tu es vraiment sincère ? » fit Merrick, le défiant; il mit ses deux mains sur les épaules de Monty et le regarda droit dans les yeux.

« Oui, plus sincère que je ne l'ai jamais été dans ma vie. »

Monty eut l'impression que son jeune bienfaiteur athlétique ne sortirait jamais de la profonde rêverie où ses paroles l'avaient plongé. Il était debout, appuyé contre la table, mains dans les poches, oublieux de ce qui l'entourait.

« Dans ce cas, dit-il lentement, je présume que je vais devoir t'aider. Je ne le veux pas ! Mais il y a une petite chance pour que... Écoute-moi ! Rase-toi et habille-toi pour le dîner. Quand tu descendras, je serai en bas dans le hall d'entrée. Nous irons manger et je te dirai tout ce que je sais sur le sujet. Après, ce sera à toi de jouer... Tu ferais mieux de mettre un peu d'iode sur tes égratignures... Je regrette de t'avoir blessé. »

Ils prirent un taxi pour se rendre dans un restaurant du centre-ville. L'heure du dîner étant déjà passée, ils purent choisir une table dans un coin, ce qui leur permit de parler sans être dérangés par les voisins : Monty, à qui Bobby avait conseillé d'oublier les incidents désagréables des deux dernières heures, avait retrouvé son assurance et c'est avec une profonde attention qu'il écoutait son hôte. Ce n'était peut-être pas là une bonne terre pour y semer une idée nouvelle, mais ce n'était pas faute de hersage et de labourage suffisants.

« C'est une étrange histoire que je vais te raconter au sujet d'un sculpteur du nom de Randolph. Si elle te semble incroyable, ça ne m'étonnera pas du tout car c'est ainsi que j'ai réagi moi-même quand je l'ai entendue pour la première fois. »

L'histoire était longue. Les plats furent apportés et retirés. En l'espace d'une heure, Monty n'ouvrit la bouche qu'une seule fois.

« Il avait complètement perdu la tête, non ? »

Les coupes à dessert furent mises de côté; on alluma un cigare.

« Naturellement, disait Merrick, si tu décides de tenter des expériences de cette projection de toi-même en investissant dans les autres, tu dois aussi te préparer à toutes sortes d'échecs, de désillusions, de déceptions. Il va t'arriver de te donner un mal fou et de dépenser de fortes sommes pour quelqu'un pour t'apercevoir, en fin de compte, que c'est un minable casse-pied. On va abuser de toi, on va te mentir, on va mentir à ton sujet ! Tu vas rencontrer des cas d'ingratitude si grossière que ça va te rendre malade. Mais il va t'arriver aussi d'atteindre ton but de temps à autre... et quand ça arrivera, tu découvriras que ça compense pour tous les échecs que tu as connus. »

Il fit une pause et sembla perdu dans ses souvenirs.

« Je suppose que tu te demandes, avança Monty, si tu n'as pas perdu ton temps et ton argent avec moi. »

« Pour ce qui est de l'argent, je n'ai pas vraiment pensé à investir en toi. Je voulais uniquement me débarrasser de toi. Mais, tu as bien raison, je me demandais si ça valait la peine que je te fasse part de cette théorie de la projection de la personnalité. »

« As-tu des objections à ce que je te pose une question ? Crois-tu que tu disposerais d'un pouvoir personnel plus grand si j'arrivais à racheter mon passé ? »

« Oh ! sans aucun doute ! »

« Et, si jamais ça se savait, que tu m'as mis le pied à l'étrier, alors tout ton investissement en ma faveur serait une perte totale pour toi ? »

Merrick sourit et, l'air préoccupé, se mit à jouer avec son cendrier.

« Eh bien, non !... Randolph était un peu obsédé, tu sais. Il préconisait de casser le cou des gens s'ils parlaient des investissements qu'il avait faits en eux. Il y allait un peu trop fort... Hudson a pris bien soin d'avertir ses protégés de ne rien dire et il a entouré ses investissements de toutes les précautions possibles pour éviter qu'on les découvre; mais à mon avis, si les choses se savaient, il ne croyait pas avoir perdu son temps à les faire... Le point réellement important est le suivant : si tu réussis à développer ta personnalité, j'en serai bénéficiaire dans la même mesure où j'en ai été responsable... C'est une chose à peu près sûre que, pendant que tu développes ta propre personnalité, tu aideras quelqu'un d'autre à se développer lui-même, et lui, à son tour, va fournir l'énergie à d'autres personnes... Si tu t'y connais un peu en chimie, ça t'aidera de considérer ceci comme un processus de catalyse... Sa projection de la personnalité est comme tout autre investissement. Ça s'accumule, ça rapporte de l'intérêt composé. Si tu as été l'agent qui a tout fait démarrer, tout le crédit t'en revient à toi... Une partie va continuer de s'accumuler à un rythme effréné longtemps après ta mort. En réalité, le vrai toi sera peut-être plus vivant, pour ce qui est de l'énergie de la personnalité, cinquante ans après ta mort, que quand tu sembles être au pinacle du pouvoir. »

« Mais si ton bénéficiaire ne réussit pas à faire profiter ton investissement ?... »

Merrick haussa les épaules.

« Dans ce cas, tu peux bien voir par toi-même qu'il n'en sortira rien. »

« Mais tu as essayé, non ? Est-ce que ça ne procure pas une certaine satisfaction ? »

« Oh, c'est une expérience, je suppose... Mais si tu avais dépensé vingt mille dollars et six mois de ton temps à explorer un puits de pétrole pour n'en récolter qu'un trou bien sec, aurais-tu beaucoup de satisfaction à te dire que, de toute façon, tu as essayé ? »

Quand ils se quittèrent, au coin de la rue, Brent dit : « Pourrais-je t'écrire de temps à autre et te dire où j'en suis ? »

« Ça me ferait plaisir... Mais tu n'as pas besoin d'essayer de me dire ce que tu fais pour les autres. C'est toi que ça regarde. Écris-moi et dis-moi si ça marche, mais pas ce que tu as fait pour que ça marche. Tu me comprends ?... Au revoir... et... bonne chance ! »

* * *

Bobby se rendit au Ritz pour y passer la nuit; il resta un long moment au comptoir de la Western Union, dans le hall d'entrée, à tenter de rédiger un câble pour Vienne; finalement, il y renonça, s'acheta quelques magazines et monta à sa chambre.

Après avoir passé une robe de chambre confortable, il s'assit au bureau et écrivit :

« Chère Marion : Je me suis creusé la cervelle pour trouver une solution à ton problème et je n'y suis pas arrivé. Tu as perdu une amie et, pour l'instant, je ne vois pas comment tu pourrais la retrouver. Ce soir, j'ai appris qu'elle se trouvait à Nice. Mais je ne veux pas que tu ailles là pour tenter une réconciliation car tu ne pourrais y arriver qu'en aggravant toute la situation. Tu serais bien obligée d'avouer que c'est à titre d'agent pour moi que tu es allée à Bellagio pour tenter de découvrir ce qu'il était arrivé à son argent. J'ai pris des mesures, en me basant sur ton rapport, pour démêler complètement ses affaires. Elle a récupéré toutes ses pertes. Mais le mécanisme mis en marche pour recouvrer son bien sans lui nuire est assez fragile. Je crois et j'espère que ça va marcher, mais il ne faut pas y jeter trop de grains de sable.

« Le post-scriptum à ta lettre m'a complètement bouleversé. Elle a quitté Bellagio vers seize heures, dis-tu... sous une pluie torrentielle... la mort dans l'âme et se sentant trahie... par toi et moi — qui pourtant serions prêts à nous faire tuer pour elle ! Elle a dû prendre le petit bateau bondé pour Côme... et y a probablement passé la nuit à moins qu'elle n'ait pris le train pour Milan... se demandant où aller... que faire, maintenant ! Ma chère Marion, a-t-on jamais vu quelque chose de plus triste ?... Demande conseil à Jack. Demande-lui s'il n'a pas une autre solution à te proposer. Si ni lui ni toi ne pouvez penser à un plan pour communiquer avec elle sans tout compromettre ce que nous avons tenté de faire pour elle, il vaut mieux vous abstenir ! La situation me brise le coeur mais que veux-tu... »

Il écrivit ensuite une lettre à Helen, qu'il n'avait nulle intention de poster, la déchira en mille morceaux, se déshabilla, se glissa dans son lit, essaya de lire, éteignit les lumières, et se détendit enfin.

Depuis longtemps déjà, il avait pris l'habitude de tenter un regard intérieur, juste avant de s'endormir. Son couloir — comme il l'appelait — n'était, bien sûr, qu'une hallucination, née et développée du désir qu'il en avait. Il avait décidé depuis longtemps aussi que le couloir n'était qu'un produit extravagant de sa propre imagination, situé quelque part dans cette zone mal définie entre l'état de veille et le sommeil.

Ça l'amusait de le chercher et, grâce à la pratique, il était maintenant capable d'arrêter l'obscurcissement de son état de veille à cet endroit précis où logeait son curieux fantôme.

La clarté de l'image dépendait de son humeur; et son humeur — concernant le couloir — était déterminée par les projets sur lesquels il travaillait à ce moment dans le domaine de la projection de la personnalité.

Habituellement, un pâle et très mince filet de lumière jaune luisait, plein de promesses au milieu du dallage grossier du couloir — le dallage était toujours grossier, et comme recouvert de gros pavés. Cela ne durait qu'un instant très bref. Les grandes portes s'entrebaillaient, la lumière filtrait à travers... juste assez pour alimenter un bel espoir.

Ce soir-là, peut-être à cause de l'investissement qu'il avait fait, de son intense concentration sur le sujet afin de tenter de le rendre clair pour Brent et de la tension émotionnelle liée à ces deux incidents, il lui sembla que son humeur était exceptionnellement propice à une matérialisation du couloir.

Comme il approchait de ces brumes grisâtres qui précèdent le sommeil, l'image se précisa, avec une grande netteté. Au lieu de s'ouvrir un peu, lentement, timidement presque, les portes s'ouvraient toutes grandes ! Le couloir fut inondé d'un rayonnement éblouissant.

Après cela, les événements se précipitèrent avec une incroyable rapidité. Le couloir sembla soudain prendre forme — se concrétiser en un objet hors de lui-même — et il y marchait. Un grondement assourdissant se fit entendre... Le reflet aveuglant autour des grandes portes étant trop pénible à supporter, il tourna son attention vers les objets posés contre le mur, clignant des yeux dans un effort pour s'accommoder de l'éclat de la lumière.

Toutes ses tentatives de se rappeler, par la suite, ce qu'il vit là, furent futiles. Ces objets appartenaient à une phase très restreinte de semi-conscience et ne pouvaient être reconstitués nulle part ailleurs. Il ne lui resta que l'impression très floue d'avoir vu son propre laboratoire — le four, le tableau de distribution noir, le petit étau vissé à la table. Son minuscule haut fourneau chauffait à fond de train. Des flammes blanches venaient lécher les gonds. C'était de là, sans doute, que provenait le grondement. Il avait un souvenir très nébuleux que la porte de son grand cabinet, long de deux mètres cinquante, où se trouvaient tous les appareils qu'il avait eu tant de mal à fabriquer lui-même depuis plusieurs mois, était grande ouverte... Quelques jours auparavant, il avait presque décidé de le démonter et de le faire enlever avant que quelque collègue trop fouineur de l'hôpital ne découvre quelle chose audacieuse il avait en vue, et ne le taquine à ce sujet.

Eh bien — peu importe qu'il soit éveillé ou endormi, sain d'esprit ou fou — le fait était là !

Dans le compartiment inférieur se trouvait un coffre contenant ses tubes à vide; *mais ils n'étaient pas disposés dans le même ordre que les tubes dans son cabinet.*

Il rassembla tous ses efforts pour se concentrer sur ce coffre à tubes illusoire et la fatigue le tira de sa vision, l'éveillant tout à fait.

Rejetant ses couvertures, il sortit du lit trempé de sueurs et tremblant à un point tel qu'il tenait à peine sur ses jambes. Il travailla à son bureau pendant une heure, traçant des diagrammes pour disposer différemment ses tubes. Saisi d'une étrange sensation d'exultation, il ne pouvait se défaire de l'impression qu'il était à la veille d'une découverte.

Machinalement, il enfila ses vêtements, descendit dans le hall d'entrée désert à cette heure et sortit prendre l'air. Il marcha pendant des kilomètres et des kilomètres, ignorant où il se trouvait et ne s'en inquiétant pas; il marchait à longues enjambées, ne voyant rien autour de lui; entièrement absorbé par la curieuse expérience qui lui collait encore à la peau comme un vêtement... Quand l'aube se leva, il vit qu'il s'était rendu jusqu'aux quais.

Il retourna à l'hôtel, prit sa douche, déjeuna et se rendit à la gare où il loua une chambrette; puis il se coucha et dormit d'un sommeil de plomb, sans rêver, toute la journée. Quand il s'éveilla, le soir était déjà tombé et pendant un moment, il fut incapable de deviner où il était. Puis il se rappela tout et il eut un large sourire. Il se sentait porté par un étrange sentiment de maîtrise. Il rit, et se souvint de Randolph : Randolph aussi avait ri. Randolph avait trouvé que le gazon était plus vert, que toutes les sensations étaient plus aiguës, plus intenses. Il rit tout comme Randolph avait ri.

« Et dire que j'ai cru qu'il était fou. »

Il s'assit sur le bord de sa couchette et fixa les murs en acajou brillant de sa chambrette, les yeux écarquillés d'intérêt par cette agréable auto-analyse. Il riait, il riait.

« Et dire que j'ai cru que Hudson était fou ! »

La secousse des wagons en fin de convoi, le bruit métallique des chaînes et le gémissement des patins torturés par une courbe abrupte, le tirèrent de son enthousiasme. L'écho de son propre rire se répercutait encore dans sa tête. Il se frotta le front brusquement du revers de la main et sa gorge se serra.

« Mon Dieu, gémit-il, je me demande si je suis en train de devenir fou ! »

XIV

Dans les quelques jours qui suivirent, le jeune Merrick découvrit que quand un homme soupçonne qu'il est en train de perdre la raison, son mal s'alimente de lui-même.

Il devint morbidement introspectif, exagéra la portée de ses petites manies, se surprit à faire des gestes d'une manière automatique et se demanda quoi d'autre il avait bien pu faire dont il n'avait plus le moindre souvenir.

Puis, un vendredi matin, dans le court espace de deux heures, il se vit interpeller successivement par Pyle qui lui dit : « Vous n'avez pas l'air dans votre assiette, ces jours-ci. Quelque chose ne va pas ?... » Ce fut ensuite le tour de Watson : « Je vais m'occuper du cas Webster, Merrick. Elle a l'impression que vous êtes trop jeune. C'est ridicule, mais il faut lui faire plaisir... » Et pour finir, Nancy Ashford : « Qu'est-ce qui se passe, Bobby ? Fatigué ? »

Ce fut la goutte qui fit déborder le vase. À midi, il avisa Pyle qu'il s'en allait à la campagne pour quelques semaines. Il passa l'après-midi à démonter son petit laboratoire avec l'aide d'un infirmier qui rangea les appareils dans des cartons. Sa première intention fut de tout remiser dans son appartement près de l'hôpital, mais en y repensant, il expédia plutôt le tout à Windymere. S'il trouvait le temps trop long, il pourrait toujours s'amuser un peu.

Dans les petits chemins autour du lac Saginack, les fermiers s'accoutumèrent à voir passer ce grand et mince jeune homme en jean et chandail blanc qui marchait à grandes enjambées sur la route; ils s'informèrent de son nom; et se perdirent en conjonctures sur les raisons de son inactivité. Une histoire voulait qu'il ait été renvoyé de l'hôpital pour cause d'ébriété, une autre qu'il ait décidé d'abandonner la médecine et de flâner. Meggs, dont la curiosité avait atteint ce point de compression où il devait soit imploser ou exploser, se risqua à demander à Bobby la raison de son retour à la maison : son jeune maître lui répondit qu'il « souffrait de la lèpre ».

Au cours de cette première semaine, le vieux Nicholas accusa son âge encore davantage, mais il fit de vaillants efforts pour masquer son inquiétude : cette tromperie bien intentionnée ne fit pourtant qu'ajouter aux soucis de son petit-fils. La sollicitude excessive du vieillard, qui acceptait toutes ses idioties d'un air solennel, lui tapait sur les nerfs et il se reprocha de se laisser aller à des remarques saugrenues dans le seul but de voir jusqu'où celui-ci le suivrait.

« Je crois que je pourrais même le convaincre qu'un nuage ressemble à un chameau, pensa Bobby, et le persuader ensuite qu'il s'agit plutôt d'un faucon. »

Deux semaines s'écoulèrent avant qu'il ne fût tenté de monter son laboratoire qui lui paraissait vaguement relié à son état de confusion mentale; il lui répugnait même d'y penser. Un matin, au déjeuner, il annonça impulsivement qu'il voulait utiliser une pièce du grenier pour en faire un atelier.

Nicholas fut ravi. Bien avant midi, menuisiers, plombiers et électriciens étaient déjà sur place, obéissant aux ordres d'un jeune scientifique qui semblait savoir exactement ce qu'il voulait, les étonnant même par l'étendue de ses connaissances pratiques sur leurs métiers.

Ce soir-là, au dîner, Bobby était presque redevenu lui-même, plus qu'il ne l'avait été depuis son retour.

Sa silhouette familière manqua aux fermiers des environs; ils présumèrent que ses vacances étaient terminées ou qu'il avait réintégré l'hôpital, ou bien encore qu'il était parti « courir les vieux pays ».

Plus que jamais, le vieux Nicholas se fit du souci à son sujet, craignant que sa réclusion solitaire dans le grenier ne lui soit nuisible... Bobby descendait rarement au rez-de-chaussée; il se faisait monter la plupart de ses repas et, plus souvent qu'autrement, le plateau était retourné presque intact.

* * *

On était jeudi vers neuf heures du matin : les lumières du laboratoire avaient brûlé toute la nuit du mercredi. Bobby était hagard, le visage couvert d'une barbe de trois jours. Meggs, voulant entrer, trouva la porte sous clef; après avoir frappé, il se fit répondre de s'en aller.

Tenant de sa main gauche le minuscule couteau relié à un long bout de fil vert, Bobby allongea la main et poussa le levier du cadran du rhéostat.

Le petit scalpel s'anima.

Pendant un long moment il resta assis sur le tabouret du laboratoire, l'instrument dynamique à la main, trop ému pour émettre le moindre son et tremblant de joie extatique.

Puis il coupa le courant, déposa le scalpel sur le banc et, se levant, il étira ses longs bras jusqu'à ce que chaque muscle soit tendu à l'extrême, puis il se mit à rire comme un enfant.

* * *

Le vieux Nicholas fut complètement soufflé de voir apparaître Bobby dans la librairie, avec une tête hirsute de clochard, les yeux cernés, la voix pâteuse à cause du manque de sommeil et déclarant qu'il voulait se servir du téléphone.

« Quelque chose ne va pas, Robert ? » dit-il d'une voix tremblante, se levant brusquement de son siège et le prenant par le bras.

Bobby secoua la tête et sourit; la téléphoniste lui passait la communication.

« Nancy, je voudrais parler au docteur Pyle... Non ! Tout va très bien !... Oui... C'est vous, docteur Pyle ?... J'aimerais bien que vous fassiez un saut jusqu'ici... Oui, très urgent !... C'est bien !... Apportez une valise, nous vous passerons une chambre !... »

« Qu'est-ce qui se passe, fiston ? Tu ne te sens pas bien ? » Nicholas s'était écrasé dans un fauteuil et son visage était secoué de tics.

« Très, très bien, cria Bobby, lui donnant une tape sur l'épaule. Je vais vous raconter ça tout à l'heure, mais avant, je monte me raser. Puis je veux avoir mon déjeûner. Meggs !... Je redescends dans une demi-heure et je veux une épaisse tranche de jambon, deux oeufs sur le plat, une couple de crêpes et un grand pot de café fort. »

* * *

Le docteur Pyle arriva, brûlant de curiosité, mais Nicholas fut incapable de lui dire pourquoi on l'avait fait venir. Il devait se rendre immédiatement au grenier où Robert désirait lui parler.

209

« Vous pouvez venir aussi, grand-père », lança Bobby du haut de l'escalier.

Nicholas monta péniblement derrière Pyle, en respirant bruyamment à chaque marche, et ils entrèrent dans le laboratoire.

Bobby accueillit son invité avec un visage rayonnant. « Bonjour, docteur Pyle, fit-il, j'ai quelque chose à vous montrer : je voulais que vous soyez le premier à le voir. »

Il prit dans ses mains le petit scalpel brillant qui était rattaché à un haut cabinet par des mètres de fil vert.

« Prenez-le dans votre main !... Regardez bien, maintenant ! » Il se dirigea vers le tableau de distribution et abaissa un levier.

« Attention ! cria-t-il comme Pyle prenait le couteau pour le regarder de plus près. Vous allez vous brûler... Vous savez ce que c'est, n'est-ce pas ? »

Les yeux toujours fixés sur la lame brillante, Pyle secoua lentement la tête.

« Hum !... Coupe et cautérise immédiatement, hein ?... Hum ! Hum !... Arrête l'hémorragie à mesure, hein ?... Hum ! Hum !... Eh bien... ça veut dire que nous allons pouvoir faire beaucoup de nouvelles choses en chirurgie du cerveau, si je ne me trompe ! »

Il tendit une main velue.

« Je n'ai pas besoin de vous dire la valeur de ce que vous avez fait, Merrick !... Merci de m'avoir fourni l'occasion d'être le premier à vous féliciter !... »

Puis, se tournant vers le vieux Nicholas, qui se tenait à ses côtés, dérouté, le visage plissé par la curiosité, il lui tendit aussi la main.

« Monsieur Merrick, votre petit-fils a inventé un instrument qui va révolutionner la chirurgie du cerveau de fond en comble et en faire une tout autre science. Des opérations que l'on n'a jamais pu réussir auparavant seront désormais possibles et raisonnablement sûres. D'ici un mois, son nom sera aussi célèbre dans les cliniques d'Europe que le vôtre ne l'est chez les fabricants de voitures ! »

Le menton de Nicholas était agité de spasmes et tout ce qu'il put dire fut : « Vraiment !... Vraiment ! »

Il passa son bras autour des larges épaules de son petit-fils et marmonna : « Eh bien, Bobby !... Vraiment ! »

* * *

Pyle ne pouvait pas rester à coucher mais il accepta l'invitation à dîner et pour l'accommoder, on servit le repas plus tôt que de coutume. Après son départ, le vieux Nicholas et Bobby, calés dans les profonds fauteuils de la bibliothèque, se mirent à parler de l'invention.

Bobby fut agréablement surpris de voir son grand-père poser des questions qui prouvaient que son intérêt pour la physique était toujours aussi vif; car à une certaine époque de sa vie, Merrick avait été forcé de s'y connaître pas mal en électricité.

Bobby était si ravi des questions et des commentaires intelligents de son grand-père, qu'il plaça la petite table à café entre leurs deux fauteuils et se mit à dessiner un diagramme détaillé de sa cautérisation coagulante, que Nicholas suivait avec une grande attention.

« Ce sont les tubes à vide qui te bloquaient, hein ?... Et la solution, dis-tu, t'est tombée dessus de façon aussi inattendue qu'un coup de tonnerre dans un ciel bleu... Qu'est-ce que tu veux dire, au juste ? »

« Vous est-il déjà arrivé, grand-père, d'aller vous coucher avec un problème dans l'esprit pour vous apercevoir le matin que vous l'aviez résolu, en quelque sorte, pendant votre sommeil ? »

Nicholas se frottait la mâchoire.

« J'ai entendu parler de choses de ce genre. Je ne peux pas dire que ça me soit jamais arrivé personnellement... C'est ça qui s'est produit dans ton cas ? »

Bobby repoussa la table et rapprocha son fauteuil jusqu'à ce que leurs genoux se touchent.

« Grand-père, dit-il d'un ton sérieux, je vais vous raconter quelque chose que vous aurez peut-être beaucoup de mal à croire. C'est une longue histoire et je vais devoir commencer par le commencement. »

Au cours de l'heure et demie qui suivit, Nicholas ne contribua à la conversation que par quelques « Vraiment !... Incroyable !... Pas possible ! »

Quand Bobby eut finalement achevé son récit, le vieillard resta plongé longtemps dans une profonde méditation.

« Bobby, je ne me serais jamais douté que tu t'intéressais à la religion. »

« Je ne suis pas sûr de m'y intéresser, grand-père. »

« Mais c'est de la religion, ça ! Tu viens de parler de cette « Grande Personnalité » qui fournit un supplément d'énergie à la nôtre, quand nous le demandons et obéissons aux règlements nécessaires pour l'obtenir... Eh bien, c'est Dieu, non ? »

« Sans doute... Une autre façon de le dire, peut-être. »

« Le sujet m'a toujours rebuté, Bobby. Mais j'y ai beaucoup pensé depuis quelque temps. Je suis très préoccupé, ces jours-ci. Mon esprit se révolte contre la mort. Elle me guette, et je n'y peux rien. C'est la mort qui a le dernier mot... Ça me prend un petit peu plus de temps à sortir de mon lit le matin qu'il y a un mois. C'est juste un petit peu plus pénible de monter les escaliers que la semaine dernière. La vieille machine est en train de se délabrer. Je ne veux pas mourir. Je sais que quand un homme doit y faire face, la nature prépare une espèce d'anesthésie qui engourdit ses craintes et fait qu'il trouve ça assez normal; mais cette pensée est une piètre consolation pour moi. Je me suis habitué à faire face à toutes les urgences les yeux grands ouverts, et je ne me réjouis pas beaucoup à la pensée que l'on me droguera pour me rendre apathique et tout engourdi — comme un criminel que l'on mène à l'échafaud — pour affronter celle-là... la dernière... Ça me dérangerait moins s'il y avait quelque chose... après ça... Bobby, crois-tu à l'immortalité ? »

La réponse de Bobby ne se fit pas attendre: « J'aimerais être aussi sûr de certaines questions qui me préoccupent que je le suis de la survivance de la personnalité. Une fois qu'on a vécu un contact vital avec la Grande Personnalité, grand-père, on devient conscient que son pouvoir est tout à fait indépendant des choses matérielles... Dans mon esprit, c'est très clair. La personnalité est tout ce qui compte ! Les roses qui sont dans ce vase n'ont aucune signification l'une pour l'autre, aucun sens pour elles-mêmes. Un tigre ne sait pas qu'il est un tigre. Rien dans l'univers n'a de réalité à moins d'être reconnu comme réel par nos personnalités. Enlevons la personnalité du décor et plus rien n'a de signification. Incluons la personnalité, et tout s'explique automatiquement.

« J'ai beaucoup réfléchi à la question de l'âme, depuis quelque temps, grand-père. J'ai été frappé du fait que tout ce qu'on peut lire sur le sujet est terriblement erroné. On nous demande : ' Que faites-vous de votre âme, pour elle, avec elle ', sur le même ton que l'on dirait ' Quand allez-vous remplacer votre vieille voiture ? ' Je ne peux pas dire « mon » âme comme je dirais « mon chapeau » ou « mon bateau » ou encore « mon foie »... Je *suis* une âme ! J'*ai* un corps ! Mon corps s'use et quand je ne pourrai plus rien en tirer, je le conduirai au dépotoir; mais je ne dois pas me laisser encombrer par lui ! Je suis lié à la Grande Personnalité... comme un rayon de soleil est relié au soleil !... Je ne perdrai pas mon pouvoir à moins qu'elle ne perde aussi le sien !... Si c'est ça la religion, grand-père, je suis religieux ! Mais je préférerais considérer cela comme une science ! »

« Bobby, es-tu chrétien ? »

« C'est ce que j'aimerais savoir moi-même, grand-père... Depuis quelque temps, la personnalité du Christ a beaucoup retenu mon attention. Voici le cas d'un homme qui s'est adapté de façon idéale à sa Grande Personnalité. Il prétendait ne pas connaître la peur. Il croyait qu'il lui suffisait de demander pour obtenir tout ce qu'il voulait... Ce qui m'intéresse surtout dans son histoire, c'est sa calme assurance que n'importe qui pourrait faire la même chose s'il le voulait. Je suis étonné que les gens ne s'intéressent pas en plus grand nombre à cette partie-là... Bon, si c'est ça être chrétien, alors je suis chrétien. »

« Est-ce là ce que les Églises enseignent, Bobby ? »

« Je n'en sais vraiment rien, car je n'y vais jamais. D'après ce que j'en sais, leur approche est plutôt sentimentale. Ils considèrent l'âme comme une sorte de maladie congénitale dont il faut se guérir. L'âme a été transmise d'un transporteur à un autre comme une vieille malle à la serrure tordue et aux gonds brisés, avec l'étiquette « Reçue en mauvaise condition »... Et quant à ce que les journaux nous racontent sur les Églises, eh bien : soit qu'elles organisent des campagnes de souscription pour construire quelque chose, soit qu'elles contribuent à l'élection d'un nouveau procureur général, ou bien qu'elles arrêtent un combat de championnat, ou encore qu'elles critiquent les croyances d'une autre secte, quand elles ne se crêpent pas le chignon entre elles à l'intérieur de leur propre fief... Peut-être que nous devrions fonder une Église, tous les deux; qu'est-ce que vous en dites, grand-père ? »

« Formidable, approuva Nicholas en riant. Je la ferai construire et toi tu en seras le curé. »

« Elle serait comme toutes les autres, alors... Personne ne voudrait prendre le temps ou se donner la peine d'établir ses propres communications avec sa Grande Personnalité... On préférerait chanter des cantiques sur le pouvoir... Vous voyez ça ! Des cantiques sur le pouvoir ! Ce n'est pas ce que Watt a fait ! Et Faraday n'a pas fabriqué la dynamo en récitant : ' Je crois en Volta, fabricant de la pile sèche et Père de la bouteille de Leyde et en son successeur, Ampère, qui a mis au point la formule de l'électrodynamique et en Ben Franklin qui faisait ses expériences à l'aide de cerfs-volants. ' Non monsieur ! Jamais dans cent ans. Non !... Faraday a réussi son oeuvre, tout fin seul dans son grenier, et l'estomac vide en plus ! »

Il se leva, bâilla à s'en décrocher les mâchoires et se dirigea vers la porte.

« Je vais aller à Brightwood très tôt demain matin. Je crois que je ferais mieux de m'y montrer. »

Le vieux Nicholas se leva avec effort.

« Bobby, je n'ai pas la force nécessaire pour me mettre à la recherche d'occasions de mettre ta théorie en pratique. Mais garde les yeux ouverts et fais-moi signe si je peux faire quelque chose. Tu arrangeras tout et je fournirai les fonds. »

« Ça ne vous mènerait pas bien loin... Ce n'est pas avec un carnet de chèques que l'on fait ça... Dites donc, saviez-vous que le vieux Jed Turner, un peu plus loin sur la route, a dû faire abattre dix-sept de ses vaches Holstein la semaine dernière ? Le vétérinaire du gouvernement les avait déclarées tuberculeuses... Jed en est catastrophé. »

« Je me demande s'il a le téléphone. »

« Oh, vous pouvez très bien lui demander de passer vous voir ici ! »

Les yeux de Nicholas brillaient. Il se frotta les mains.

« Merci de m'avoir prévenu, Bobby. Je t'en donnerai des nouvelles. »

« Surtout pas ! Je ne veux jamais plus en entendre parler ! »

« Tu pensais peut-être le faire toi-même, fit Nicholas. Si oui, je ne vais pas m'en occuper. »

« Non, les Holstein ne sont pas tellement de mon ressort. C'est votre domaine à vous. Et grand-père, pendant que vous serez dans les environs... j'ai remarqué l'autre jour que le petit garçon de Jim Abbott, celui qui a une dizaine d'années, traîne la jambe dans un appareil orthopédique qui ne m'a pas paru très bien ajusté... Pourquoi ne sautez-vous pas dans votre voiture, demain, et ne demandez-vous pas à Stephen de vous conduire un peu dans la région ? Vous serez étonné de ce que ça peut rapporter, d'entrer en communication avec des gens qui ont besoin de nous !... Oh ! je sais bien que vous avez déjà accompli énormément. C'était énorme quand vous avez remis cent mille dollars à l'hôpital d'Axion; mais vous ne pouviez pas le faire sans avoir aussi votre nom sur une plaque de bronze dans la grande salle. Allez chez Jim Abbott et informez-vous du garçon. Si l'on vous invite pour le repas du midi — du corned beef et du chou — vous acceptez ! Je sais que vous ne pouvez pas manger de chou bouilli à la maison, parce que ça n'est pas bon pour vous; mais vous serez capable de le manger chez Abbott, et ça ne vous fera aucun mal. Je vous le garantis sur mon honneur de médecin ! »

« Allez, vas te coucher ! » Nicholas lui donna une tape vigoureuse dans le dos. « Je suis content qu'on ait eu cette conversation ! Je suis content que tes problèmes soient réglés ! Tu peux maintenant être heureux de nouveau ! »

« Je ne cherche pas le bonheur, grand-père. Je sais qu'elle n'est pas à ma portée ! »

« Depuis quand le bonheur est-il « elle » ? »

« Le mien l'est ! »

« Tu vas me raconter tout ça aussi ? »

« Un de ces jours, peut-être... Bonne nuit, grand-père. »

XV

L'*Aquitania* avait remonté la rivière ce matin-là avec une prudence exaspérante. On était la veille de Noël. Les plus impatients se racontaient leurs expériences désagréables à la douane tout en espérant que les agents, touchés par l'esprit de Noël, feraient preuve de bonne volonté, et se demandaient, au cas où ils auraient raté le train de treize heures vingt, s'il leur serait possible d'avoir une place sur celui de quatorze heures quarante-cinq.

Comme le bateau passait devant le Battery, Helen Hudson, bien emmitouflée dans ses fourrures, s'approcha du garde-fou verglacé du pont B et trouva le vent glacial pénible à supporter. Elle avait échappé à trois hivers consécutifs et la rapide traversée de Nice à New York n'avait pas été de tout repos.

C'est un mot de Joyce, griffonné à la hâte, qui l'avait décidée à revenir aussi soudainement. Elle avait lu la lettre sur un banc de pierre près de la digue, à deux pas de la jetée du Casino, il y avait eu une semaine le matin même... Voilà quel genre de voyage c'était.

« Mes valises sont faites et j'attends le taxi, commençait la lettre de Joyce. Je retourne à Détroit. Pourquoi Détroit, je n'en sais rien à vrai dire, à moins que ça ne soit parce que cette ville semble m'offrir quelque chose comme un point d'ancrage. Je vais tenter de m'y trouver du travail — n'importe quoi pour m'occuper l'esprit... Le mois qui vient de s'écouler a été un véritable cauchemar pour moi ! Tout à fait insupportable ! Hier soir, Tom m'a donné un terrible coup de poing au sein... il en était tout contrit après... gémissait de remords comme un petit enfant... Mais je lui ai dit que j'en avais eu assez... C'est fini !... Il a quitté la maison tôt ce matin, honteux et tout penaud. Même si je lui ai dit bien assez clairement que je m'en allais, il croit que je serai encore ici ce soir, à son retour... Dis-moi, chérie, serait-ce trop te demander que de revenir passer quelques semaines avec moi ? J'ai tellement besoin de bons conseils et je suis affreusement seule... C'est vraiment dommage de te ramener à Détroit en plein milieu de l'hiver... mais accepterais-tu de le faire ? À part toi, je n'ai personne sur qui compter. J'ai désespérément besoin de toi !... Envoie-moi un câble au Statler... Si tu me dis que tu viens, je serai folle de joie ! »

Il ne lui avait fallu qu'une heure pour prendre sa décision. Un peu intriguée, elle avait replié la lettre, puis avait quitté son banc et s'était promenée distraitement sur la Promenade des Anglais pendant près d'un kilomètre; elle était ensuite revenue sur ses pas, passant devant le Negresco et le Ruhl, si absorbée dans ses pensées qu'elle voyait à peine la foule de promeneurs cosmopolites autour d'elle. Quand elle atteignit le petit parc en face de la jetée, Helen était prête à concéder la victoire à Joyce.

Elle avait fait le tour des solutions possibles à part son retour. Pourquoi ne pas câbler à Joyce de venir la rejoindre ici ? Non... Joyce avait décidé de se trouver du travail, et elle n'en trouverait pas sur la Riviera. Joyce voulait commencer une nouvelle vie, et ce n'était pas en se prélassant à Nice qu'elle y arriverait. Joyce était affreusement seule. Eh bien, Nice n'y changerait pas grand-chose... Et après tout, c'était de son devoir de s'occuper de Joyce. Elle devait y aller !... Elle fut aussi bousculée cet après-midi-là que lorsqu'elle avait décidé brusquement d'émigrer de Bellagio.

Lentement, le gros paquebot se glissa dans sa cale; quelque part dans ses entrailles on enroula les haussières pleines de sel et de neige fondue autour d'énormes bobines grondantes; on hissa les passerelles couvertes et le flot d'impatients qui rentraient au pays s'élança aussitôt à l'assaut. Presque chacun avait repéré un visage connu dans la foule qui battait la semelle dans le froid et se pressait aux portes des hangars sur le quai.

Helen se sentait vraiment seule. Elle échangea des saluts timides avec les quelques amis qu'elle s'était faits pendant la traversée; sans doute les croiserait-elle encore aux douanes.

Déjà un petit groupe nerveux s'était formé sous le gros H, au milieu de l'entrepôt plein de courants d'air où une pile de valises s'accumulaient rapidement. Quelques-uns étaient assis sur leurs malles avec le désespoir résigné des naufragés sur une île déserte, d'autres — ayant moins d'expérience de ce genre de choses — étaient accroupis devant leurs valises entr'ouvertes, envisageant des amendements de dernière minute à leurs feuilles de déclaration.

La jeune madame Hudson avait limité ses achats pendant son séjour en Europe, mais était quand même étonnée du nombre d'objets que l'on peut accumuler sans s'en rendre compte, pendant à peine trois ans de voyages à l'étranger. Comme elle s'approchait de sa lettre, elle croisa deux agents qui s'en allaient aussi dans cette direction; elle leur confia qu'elle espérait bien pouvoir passer au moins une partie de la journée de Noël avec sa famille à Détroit. Elle les conduisit vers ses effets et leur indiqua sur quels bagages ils devaient apposer les étiquettes. Ce matin-là, elle aurait pu faire passer même les bijoux de la Couronne.

À son grand plaisir, le train de quinze heures n'était pas bondé ! Mais pourquoi l'aurait-il été ? C'était la veille de Noël ! Le commun des mortels était chez lui; cette pensée la déprima. Pendant un moment, tandis que le train ronflait dans le tunnel, elle ressentit, comme jamais auparavant, l'absence d'un foyer bien à elle.

Ce retour à Détroit était quand même très excitant. Joyce et elle avaient été très près l'une de l'autre. Quel que soit le malaise qu'avait connu leur amitié au cours de ce dernier hiver éprouvant où elle avait tenté, sans grand succès, d'empêcher la jeune fille d'aller à sa perte, tout cela avait été rejeté dans l'oubli du fait que Joyce avait un besoin urgent de l'avoir à ses côtés.

Et il y avait aussi beaucoup d'autres amis à Détroit qu'elle serait heureuse de revoir... Les Byrnes... Devrait-elle aller rendre visite à madame Ashford ? Pourquoi pas, en vérité ? Madame Ashford s'était montrée aimable avec elle... On pourrait trouver étrange que la veuve du docteur Hudson retourne à Détroit sans aller à Brightwood... Peut-être serait-il suffisant d'inviter madame Ashford à la rencontrer en ville pour le lunch et une matinée au théâtre... Il n'était pas nécessaire qu'elle se rende à l'hôpital... Le docteur Pyle serait content de la voir, bien sûr; mais elle pourrait toujours aller voir les Pyle chez eux... Et puis, il est embarrassant de rencontrer des gens qu'on ne connaît presque plus tout en devant se rappeler leurs noms... Et quant à ce souffleur de verre, qui se mêlait des affaires des autres et envoyait des espions pour rapporter leurs allées et venues, on pouvait être à peu près sûr de le rencontrer... Mais enfin, pourquoi se mêlait-il de souffler du verre ?... Imaginez ! Un spécialiste de la chirurgie du cerveau qui passait son temps à des balivernes semblables !

Le ciel était couleur de cendres. De gros flocons de neige tombaient sur la glace, s'écrasaient puis glissaient dans un coin au bas de la fenêtre. Où qu'ils atterrissent, quelle que soit la lenteur avec laquelle ils glissaient, tôt ou tard, rapidement ou lentement, ils se retrouvaient tous dans le coin et s'agglutinaient les uns aux autres... Ses pensées étaient comme cela. Où qu'elles se fixassent, elles s'arrangeaient toutes pour tourner autour du même sujet. Cela l'énervait; elle se tira de sa rêverie, retourna à l'article dans sa revue et relut sans aucun intérêt la page qu'elle avait déjà oubliée... Cela valait-il la peine de sortir le coupé du garage ? Il y avait longtemps qu'elle n'avait conduit sur des routes verglacées. Avait-elle perdu la main ? Il était dangereux de déraper... Elle surveilla un flocon de neige qui glissait dans la fenêtre... Ses yeux se perdirent dans les souvenirs, avec tendresse. Elle se mordit la lèvre. Ses joues étaient brûlantes... Puis fâchée contre elle-même, elle changea de position et se remit à sa revue, décidée à la lire.

Joyce avait-elle réellement cessé de boire ? Une fois qu'elle aurait renoué avec ses amis de Détroit, retomberait-elle à nouveau dans ses vieilles habitudes ?... La ramènerait-on encore à des heures indues, larmoyante et hébétée ?... Un flocon exceptionnellement gros se mit à filer à toute allure sur la glace, tentant de se retenir, mais incapable de résister à la loi qui régissait tous les flocons dans cette fenêtre... L'espace d'un instant, elle fut dans ses bras et sentit ses lèvres pressées fortement sur les siennes... Elle lança la revue et appela le garçon pour qu'on lui apporte une table. Une partie de solitaire la distrairait peut-être.

* * *

Quel plaisir de se retrouver dans un wagon-restaurant américain... Et puis, tout bien considéré, il vaudrait mieux inviter madame Ashford à prendre un après-midi de congé et à la rencontrer en ville... Ici, les wagons-restaurants étaient tellement plus agréables qu'en Europe où on organisait les voyageurs en bataillons en leur fixant une limite de temps pour avaler chaque plat... Quel dommage qu'elle se soit cru obligée de vendre ses actions de Brightwood. Cela changerait-il quelque chose à ses relations avec madame Ashford ?

Il faisait un froid de loup ce soir-là tandis que le train avançait le long de la rive ouest de la rivière Hudson, crissant, grinçant, gémissant; il traversa le pont à Albany, son noir museau affrontant une tempête de neige aveuglante. Pourtant le paysage qui défilait sous ses yeux, un peu flou sous la neige, ne lui parut pas aussi sombre et inhospitalier qu'elle ne l'avait craint. Elle s'appuya sur un coude dans sa couchette et, presque heureuse de son retour, souleva le store et contempla les arbres et les clôtures couverts de neige qui défilaient. Elle s'installa confortablement, la joue contre ses fourrures, et se laissa aller à un long débat avec un adversaire invisible, pour savoir si elle n'avait pas une espèce d'obligation de se rendre à Brightwood, ne fût-ce que pour une brève visite.

* * *

Joyce l'attendait à la barrière, sautillant de joie, les bras grands ouverts dès qu'elle vit sa bonne amie apparaître à la sortie du tunnel dans le hall, poursuivie par deux porteurs croulant sous le poids de valises couvertes d'étiquettes de pays étrangers. Elles échangèrent quelques mots doux à voix basse, et quelques instants plus tard, se retrouvèrent sur la route de ceinture, au son joyeux des chaînes battant la chaussée. Pétillante d'énervement, Joyce essayait de raconter une demi-douzaine d'histoires à la fois.

« La première chose que j'ai faite, chérie, en arrivant — il y a une semaine — je suis allée voir Nancy Ahsford. N'est-elle pas une vraie perle ? Mais tu l'as à peine connue. Eh bien — c'est quelqu'un !... Je suis allée à Brightwood et j'ai tout raconté à Nancy; que je ne pouvais supporter ça une minute de plus et que j'avais été forcée de le quitter; et pourrais-je trouver quelque chose à faire, juste pour m'empêcher de devenir folle... Et tu sais quoi ? Ils venaient juste de perdre un commis au classement, et on m'a offert de le remplacer, une semaine ou deux, pour voir comment je m'adapterais à la discipline des heures de bureau; et entretemps, on pourrait tous s'informer pour quelque chose de permanent... Mais ça m'est égal si je ne trouve rien d'autre pour un certain temps. Réellement, tu sais, ce n'est pas un travail ennuyant du tout; et j'aime vraiment ça ! »

« Tu as déjà commencé ? »

« Hum !... L'après-midi même !... J'ai enlevé mon chapeau et je me suis mise à la tâche. Honnêtement, c'est de la rigolade. Bien sûr, je connaissais déjà pas mal de gens — le docteur Pyle et le docteur Carter, et le petit rouquin de Watson qui a ajouté une moustache et des lunettes depuis que je l'ai vu ; et une bonne douzaine des vieilles infirmières... Et, ma chérie, tu devrais voir le gars Merrick !... Ne grimace pas comme ça. Je sais que tu ne l'as jamais beaucoup aimé. »

« Tu veux dire que je ne l'ai jamais connu. »

« Bien sûr ! C'est là qu'était le problème ! Tu ne l'as rencontré qu'une seule fois, ce soir épouvantable ! Ugh !... ce soir-là ! »

Helen lui tapota la main.

« Oublie ça ! On n'en parlera jamais plus ! »

Joyce se consola et reprit son monologue.

« Eh bien, comme je te disais, tout ce que tu savais de lui était qu'il s'était sentimentalement imposé le devoir d'étudier la chirurgie et de tenter de remplacer mon cher papa... Et tu trouvais cela plutôt impudent de sa part, non ?... Écoute-moi bien ! C'est à peu près ce qu'il est en train de faire ! Sais-tu ce que Bobby Merrick a fait ? Il a inventé quelque chose... »

Le taxi se rangea le long du trottoir et le portier s'approchait déjà pour recevoir les bagages.

« Regarde ! N'est-ce pas élégant, s'exclama Joyce à leur arrivée dans le hall d'entrée. Ils ont tout refait !... Allons manger immédiatement. Je meurs de faim !... Tiens, il y a une table, près de la fenêtre... Hum ! Du canard ! C'est dans l'esprit de Noël ! »

« Qu'est-ce que tu racontais à propos de ton travail à l'hôpital, quand je t'ai interrompue ? » demanda Helen après le départ du garçon de table, qui s'éloignait en griffonnant leur commande.

« Qu'est-ce que je disais ?... Oh oui, au sujet de Bobby ! Il a fabriqué un machin électrique qui a fait accourir ici tous les chirurgiens du cerveau. J'ignore ce que c'est au juste — une espèce de couteau chargé — terriblement compliqué... Avec cet instrument, on a fait à Brightwood des opérations qui n'avaient jamais été faites ailleurs auparavant... Ça prévient les hémorragies ou quelque chose du genre. C'est Nancy Ashford qui m'en a parlé mais elle ne pouvait pas me l'expliquer tellement bien. Je l'ai vue : une grosse et grande caisse de bois remplie des appareils les plus compliqués que j'aie jamais vus... »

« Des objets en verre ? »

« Oui, oui ! Comment le savais-tu ? »

« Eh bien, on voit toujours beaucoup de... d'instruments en verre quand on utilise l'électricité, si je ne me trompe, non ? »

« Naturellement... Sers-toi de ce délicieux céleri, ma chérie... Le meilleur céleri au monde, tu sais... Et beau ? Ma parole ! Franchement, je l'ai à peine reconnu ! Et il a toujours été plutôt bien !... Mais le changement est tout simplement extraordinaire ! Il me fait presque peur... Oh ! très professionnel ! Sec ! Pas de blagues avec lui, non monsieur ! Les infirmières en sont folles — et lui ne les voit même pas... C'est lui qui s'occupe de plusieurs des cas les plus importants là-bas, maintenant... Il m'appelle « madame Masterson ». Idiot, non ? Nancy dit que c'est parce que je travaille là... C'est bizarre, tu ne crois pas ? »

Helen trouvait que c'était bizarre — que tout le discours de Joyce était bizarre.

« Réellement ! » Joyce se pencha vers Helen et baissa la voix : « Si je pouvais seulement me le permettre, dans les circonstances, il me ferait perdre la tête — complètement. Tu sais que j'ai toujours eu un faible pour lui ! »

« J'espère que tu ne vas pas être imprudente, Joyce. »

« Oh, je vais être sur mes gardes pour qu'il ne sache pas que je le trouve bien, dit-elle pour rassurer Helen. Mais je n'aimerais pas que tu penses du mal de lui. Tu ne pourras pas éviter de le rencontrer, tu sais. »

« Et pourquoi ? »

« Eh bien, tu vas venir à Brightwood, de temps à autre, maintenant que j'y suis... »

« Je ne vois pas en quoi ton travail à Brightwood nécessiterait ma présence. »

« Mais tu vas quand même sortir un peu, non ?... Honnêtement, tu vas bien être forcée d'être gentille avec lui; par égard pour moi ! »

« Par égard pour *toi* ? »

Helen éprouva un bref sentiment de déception... Au cours de ces trois années passées loin de Joyce, elle l'avait idéalisée en quelque sorte; mais c'était bien la même Joyce qu'aucune gaffe ne pourrait jamais corriger; la même Joyce inchangée qui ne pouvait rien oublier, ni rien apprendre non plus; allant gaiement de Charybde en Scylla.

« Oui, répéta Joyce d'un ton dramatique, par égard pour moi ! »

« Alors, dit Helen lentement, je regrette d'être revenue. »

Elles mangèrent leur canard, mais ne lui trouvèrent pas très bon goût.

* * *

Ce soir-là, elles allèrent voir « L'hypoténuse », une pièce bouffonne montée avec quelques acteurs seulement et des moyens limités. Une jeune veuve et sa belle-fille du même âge passaient tout le premier acte à se dissimuler l'une à l'autre que l'intérêt qu'elles portaient au jeune associé de feu le juge Haskins n'était pas limité aux services qu'il leur rendait comme avocat et conseiller. Au deuxième acte, des situations amusantes se développaient, menées adroitement par l'auteur. L'auditoire était ravi.

Le rideau tomba enfin, après plusieurs rappels en réponse aux applaudissements chaleureux de la salle : les acteurs venaient saluer ensemble, puis à tour de rôle et finalement maman et Polly, main dans la main. Joyce, très animée, se tourna alors pour offrir ses commentaires et surprit un regard préoccupé sur le visage d'Helen. Apparemment, le retour soudain des lumières l'avait prise un peu par surprise.

« Tu es fatiguée, je crois ? », demanda Joyce avec sollicitude.

« Il faut habituellement une journée ou deux, je crois, pour se remettre d'un long voyage. »

« La pièce était très drôle, tu ne trouves pas ? Imagine un tel méli-mélo ! Toi et moi, par exemple ! Au moins, nous serions franches l'une envers l'autre ! Je suppose que nous couperions les cartes pour savoir qui l'aurait. »

« Il fait chaud ici, tu ne trouves pas, fit Helen. Allons nous promener un peu dans le foyer. D'accord ? »

* * *

L'incapacité chronique de Joyce de comprendre le mécanisme de son esprit se manifesta de façon évidente, tôt le lendemain matin, alors qu'elle se préparait à partir pour Brightwood, parlant sans arrêt d'elle-même comme d'une « femme au travail ».

On avait servi le déjeuner dans leurs chambres. Helen, ravissante dans un élégant déshabillé, buvait paresseusement son café en lisant les journaux du matin.

« Je crois que c'est tout simplement merveilleux, s'exclama Joyce devant la glace, d'avoir pu m'adapter aussi rapidement au train-train du bureau, tu ne trouves pas ?... Après toutes ces années où je me suis passée tous mes caprices, me levant tard, traînassant, flânant ! Je n'aurais jamais cru pouvoir être aussi heureuse à nouveau. Je sais maintenant que je ne serai plus jamais satisfaite à moins d'avoir un emploi permanent. »

« Je suis contente que ça te plaise, dit Helen, perdue dans les annonces de spectacles. Qu'est-ce qu'on raconte au sujet de cette nouvelle comédie musicale, *Jasmine* ? »

« Très mélodieux, d'après ce que j'ai entendu dire... Ce chapeau te plaît ? »

« Mignon... Tu crois que madame Ashford aimerait venir en ville demain pour dîner avec nous et aller voir *Jasmine ?* »

« Oh ! je suis sûre qu'elle adorerait ça. Je vais le lui demander. Et, chérie, elle et Bobby Merrick sont tellement bons amis. Tu ne crois pas que ça serait gentil de l'inviter, lui aussi ? »

« Pas gentil du tout ! Je ne le connais pas ! Je ne veux pas le connaître ! » Le ton d'Helen traduisait une réelle impatience.

« Eh bien, tu pourrais peut-être faire sa connaissance. *Moi,* je le connais. Tu ne pourrais pas tenir compte de mes désirs, un peu ? » Joyce enlevait rageusement une poussière imaginaire de son manteau.

« Passe-moi mon portefeuille... là... sur la cheminée ! Merci ! »

Helen l'ouvrit et en sortit une lettre.

« Oh, c'est la lettre que je t'ai écrite !... Eh bien, qu'est-ce qui se passe ? »

« Lis-la... tu verras que tu m'as demandé de faire huit mille kilomètres pour te donner de bons conseils. Maintenant que j'ai pris la peine de te faire plaisir, j'espère que tu ne t'offusqueras pas si je te dis que ton état d'esprit actuel au sujet du docteur Merrick est complètement absurde ! Si tu veux te rendre ridicule par rapport à lui, ne m'ennuie pas avec ça. Je ne vais pas me le laisser imposer de force ! »

« Eh bien, qu'est-ce qui t'arrive ? Je ne savais pas que de vivre en France et en Italie rendait les gens aussi délicats ! Et puis il me semble que toi qui admires tant les gens qui réalisent des choses vraiment importantes — en payant de leur personne — tu pourrais manifester un peu d'intérêt humain pour Bobby Merrick qui travaille comme un esclave alors que, s'il le voulait, il pourrait se prélasser sur un yacht quelque part sur la Méditerranée !... J'ai entendu une des infirmières raconter qu'il avait reçu des actions des Moteurs Axion valant un million de dollars à ses vingt-cinq ans et qu'il en recevrait un autre million à trente ans ! Moi je crois qu'il mérite qu'on reconnaisse ce qu'il fait !... Au revoir !... Ne te fâche pas !... Je te verrai vers dix-sept heures trente. »

La porte claqua. Helen se leva et alla jeter un regard par la fenêtre... Les Moteurs Axion... Un million de dollars d'actions des Moteurs Axion ! *Axion* !

XVI

Monsieur T.P. Randall fut plein de sollicitude pour sa charmante cliente; elle lui avait téléphoné vers dix heures, et ils avaient pris rendez-vous pour treize heures trente afin de parler affaires.

Il était grand, dans la cinquantaine, bien en santé, avec des tempes poivre et sel. Le tailleur qui avait coupé son veston aurait eu du succès comme sculpteur. Pour l'accueillir dans ce haut lieu où le cuir capitonné et l'acajou sombre régnaient, il se leva; il lui tendit ensuite la main d'un air digne, se pencha du haut de sa grandeur, son front arrivant au chapeau gris ajusté d'Helen; il l'aida à se débarrasser de son manteau de fourrure grise porté sur une robe grise aussi, approcha à son intention un fauteuil aussi imposant qu'un trône; après quoi il contourna majestueusement la table, s'assit à son tour dans son fauteuil à bascule, joignit ses larges mains roses et bien soignées sur le bureau nu et réitéra son plaisir de la voir. Mentalement toutefois, il n'était pas très sûr de son assertion; il semblait même passablement préoccupé.

Croyant important pour lui de conduire la conversation sur des terrains pas trop glissants, il parla de Paris où il avait déjà passé une quinzaine de jours, puis de Venise où, déclara-t-il, il aimerait beaucoup vivre; mais il était clair, d'après la nervosité avec laquelle elle lissait le dos de ses gants gris, qu'elle n'était pas venue entendre ses impressions de l'Europe.

Dès qu'il fit une petite pause, elle se pencha vers lui, dans son grand fauteuil.

« Vous avez eu une longue conversation avec monsieur Brent au sujet de mes affaires. »

T.P. — c'est ainsi qu'on l'appelait dans le milieu de la banque — eut un petit sourire inquiet. Mais enfin, pourquoi diable ne l'avait-on pas prévenu qu'il était supposé avoir parlé à ce vaurien de Brent ? Il avait eu l'impression que Brent était censé avoir tout réglé par correspondance.

« Hum », murmura T.P. dans le fond de sa gorge. Il donna à sa pseudo-réponse juste assez d'imprécision pour la faire passer soit pour une affirmation ou bien un simple accusé de réception d'un renseignement qu'il possédait déjà, ou encore une promesse qu'il ferait de plus longs commentaires sur le sujet dès qu'elle-même en aurait terminé de ses remarques.

Mais elle ne se contenterait pas facilement de son « Hum ». Il vit ça d'un seul coup d'oeil.

Madame Hudson sourit d'un air un peu malicieux.

« Voilà un homme qui vous regardait de haut, n'est-il pas vrai ? »

Sa façon de s'exprimer était un petit peu européenne, ce qui faisait qu'il était assez difficile de ne pas répondre... Mon oeil ! Cette innocente enfant aux grands yeux bleus pensait-elle tendre un piège au plus grand spécialiste de l'esquive de tout Détroit ?... Eh bien, il suivrait le courant et puis on verrait bien ce qui se passerait. Tout à coup, il eut l'air de se rappeler, s'anima, et fit un geste de sa main grande ouverte.

« Plutôt, oui !... Exceptionnellement grand !... Votre cousin, je crois. »

« Oui », acquiesça madame Hudson.

T.P. prit une profonde respiration, expira à fond, et se sentit soulagé.

« Il doit bien faire autour d'un mètre quatre-vingt-dix, non ? »

« Il est à peu près de ma taille, dit madame Hudson. Mais c'est bien mon cousin. »

« Oh ! bien sûr. » T.P. rit bruyamment. « Bien sûr ! Vous saviez que je plaisantais, bien sûr ! »

Elle ne semblait pas partager sa gaieté.

« Bizarre que vous l'ayez oublié », dit-elle avec un sous-entendu.

Lorsqu'il ne savait plus quelle voie choisir, T.P. se tournait toujours vers le style didactique. Il pouvait étonner et même émerveiller par l'extraordinaire étendue de son vocabulaire de termes techniques sur les régions éthérées de la haute finance. Il s'y mit sérieusement, s'éloignant à dessein de leurs petites remarques anodines du début et commença à discourir sur les actions. La plupart des industrielles étaient fortes en ce moment, surtout les moteurs; et Axion sans le moindre doute. Elle pouvait être sûre que son argent était placé avec toutes les garanties nécessaires. Elle pouvait aussi dormir sur ses deux oreilles, sachant que la Banque Nationale s'occupait de ses intérêts... Et, à propos, il aimerait bien lui faire visiter ce superbe nouvel immeuble avant son départ, si on en avait le temps... Pas très satisfait de l'expression affichée par sa cliente, il se lança dans un long discours, énonçant de graves opinions sur les tendances économiques, les cycles, la périodicité des fluctuations financières que la Banque Centrale avait maintenant stabilisées, fort heureusement. À la première pause complète qu'il fit, elle dit :

« J'aimerais voir mes actions. »

« Mais certainement, madame Hudson ! Bien sûr ! »

Le ton de T.P. était paternel. Intérieurement, il rigolait. Si cette jeune veuve exceptionnellement jolie nourrissait l'espoir d'apprendre, à l'examen de ses titres, comment elle était devenue propriétaire de ses moteurs Axion, une déception l'attendait sûrement. Elle l'avait pris au dépourvu pour ce qui était de ses relations avec son raté de cousin mais dans ce petit jeu, la prochaine manche lui appartenait. Eh bien, ces titres ne lui apprendraient rien de nouveau sur la question. N'avait-il pas demandé à Riley de retourner au plus vite les actions du docteur Merrick au bureau d'Axion afin de les faire émettre de nouveau au nom de madame Hudson ? Bien sûr !

Même que, pour redoubler de prudence, il se rappelait très clairement avoir écrit à Blair, l'agent chargé des virements à la Société des moteurs Axion, pour l'aviser qu'à compter de maintenant, tous les futurs dividendes sur ce bloc d'actions devaient être adressés à madame Hudson, la nouvelle propriétaire, et que les titres lui seraient bientôt apportés afin de les réémettre. Il s'était sûrement souvenu de mentionner cela à Riley. Pour ne prendre aucun risque, il irait s'informer.

« Je vais demander qu'on les apporte, poursuivit T.P. en souriant aimablement. Veuillez m'excuser. »

Il fut retenu dans le bureau voisin pendant cinq bonnes minutes et quand il revint, il épongeait son large front avec un grand mouchoir à monogramme. Reprenant son siège, il eut un sourire un peu figé et dit :

« Ça sera peut-être assez long. Si nous avions su que vous vouliez les voir, nous les aurions préparées pour vous. Ces choses-là sont gardées bien en sécurité, vous savez. »

« Oui, dit Helen, faisant montre de compréhension. C'est ce que vous auriez fait, bien sûr. »

« C'est vraiment dommage de vous faire attendre si longtemps », dit T.P. d'un ton de regret. Pourquoi diable cette femme ne disait-elle pas : « Oh, laissez faire dans ce cas. »

« J'ai tout mon temps », répliqua-t-elle en se calant confortablement dans son grand fauteuil.

T.P. tambourinait nerveusement sur le bureau.

« Bien sûr, vous savez que nous les avons, sinon vous ne recevriez pas vos dividendes. »

« Oh, certainement. »

« Elles sont comme toutes les autres... Vous avez déjà vu des actions, sans doute ? » Il était encore aimable mais il commençait à désespérer.

« Oui... et j'aimerais bien voir celles-là ! » Elle consulta sa montre.

T.P. ne pouvait rien faire de plus. Il appuya sur un bouton, donna un ordre, essaya de prende un air gai et ensuite un air nonchalant; mais la conversation n'était pas satisfaisante et ni l'un ni l'autre n'y prenaient le moindre intérêt.

On apporta enfin les titres; et il les lui tendit par-dessus le bureau.

Elle glissa l'action du dessus sous la large bande élastique, l'ouvrit toute grande, la retourna, et vit l'endossement par lequel elle avait été transférée de Robert Merrick à Helen Hudson.

« Merci, dit-elle en se levant. Ce sera tout, je crois. Je reviendrai demain pour parler un peu plus longuement avec vous. »

T.P. ne perdit pas de temps; sitôt sa cliente partie, il prit le téléphone et, dans la meilleure tradition bancaire, demanda à la téléphoniste de joindre le docteur Merrick à l'hôpital Brightwood. La communication était à peine établie que T.P. se mit dans tous ses états et, sans cérémonies, rapporta ce qui venait d'arriver. La réponse qu'il reçut consistait de quelques mots à ne pas utiliser au téléphone, où il faut quand même respecter certaines limites de décence.

« Bon, doc, il ne faut pas vous mettre en rogne ! Je vous dis qu'on n'a absolument pas pu l'éviter ! C'était soit ça ou lui dire qu'on n'avait pas les trucs du tout ! Est-ce que cela aurait amélioré la situation, vous croyez ?... Bon sang !... Elle s'en doutait bien ! Vous auriez dû le prévoir ! Cette femme-là n'est pas une nigaude !... Que dites-vous ? Eh bien, je n'en sais diablement rien, doc. Elle est sortie d'ici, rapido; elle est partie comme une flèche, un peu énervée peut-être... Non, je n'en sais rien, je vous dis. Peut-être qu'elle l'était. Si oui, je suppose que vous allez bientôt le savoir !... Eh bien, je le regrette autant que vous, doc; mais vous auriez pu... »

Il y eut un clic métallique qui fit grimacer T.P. Il raccrocha le téléphone, ouvrit le tiroir inférieur gauche de son bureau, en sortit une bouteille et un verre; versa, avala, grésilla, frissonna; replaça la bouteille, referma le tiroir, alluma un cigare et appuya sur un bouton.

« Riley, rangez ces titres-là où vous les avez pris... et si quelqu'un me demande pour une affaire importante, téléphonez-moi au club athlétique. J'ai un mal de tête. »

* * *

Il n'arrivait pas souvent à Helen Hudson d'être victime d'une tempête émotionnelle. Son contrôle de soi n'était ni affecté ni atteint à la suite d'efforts; chez elle, c'était inné.

Cet après-midi-là, elle laissa libre cours au déchaînement de son indignation. Elle se précipita à Brightwood et pas encore assez vite pour satisfaire son impatience.

C'était comme si une énorme marmite d'inquiétudes, de soucis, de pressentiments, de craintes et d'appréhensions qui mijotait et bouillonnait depuis de longs mois eût soudain atteint ce point d'ébullition où le contenu est enfin prêt à servir.

Quand elle sortit de la banque, les yeux remplis de larmes d'humiliation, un taxi attendait devant la porte. Elle y monta rapidement, donna un ordre au chauffeur et resta tendue tout le long du trajet.

Cet abominable Merrick l'avait placée dans une situation impossible... Elle se moquait de ses intentions... Ça l'amusait sans doute de jouer au bon Samaritain... Mais il avait fait d'elle sa dépendante; il l'avait traitée comme une enfant irresponsable; l'avait chargée d'une obligation dont elle ne pourrait probablement pas s'acquitter... Eh bien, il lui restait toujours la possibilité de lui dire qu'elle ne voulait plus rien accepter de lui ! Le capital, elle pouvait le lui rendre immédiatement puis se mettre au travail pour rembourser ce qu'elle avait déjà dépensé.

Ce qu'elle dirait au juste à Bobby Merrick en le voyant, Helen ne le savait pas clairement encore. Mais elle était sûre d'une chose : elle dénoncerait sa façon officieuse de se mêler de ses affaires et lui ferait savoir exactement ce qu'elle pensait de lui... Elle lui rendrait tout son argent !... Oh... Helen appuya ses doigts tremblants sur ses yeux et tenta de rafraîchir ses joues brûlantes du revers de ses mains gantées.

Le trajet se fit sans qu'elle s'en aperçoive, tellement elle était plongée dans ses pensées; dès que le taxi s'arrêta devant l'hôpital, elle sortit, la mort dans l'âme, demanda au chauffeur de l'attendre — elle n'en avait que pour quelques minutes — et s'engagea dans la large allée de ciment, entre les massifs d'arbustes recouverts de neige scintillante.

* * *

Au guichet d'informations dans le hall d'entrée confortable, elle demanda à voir madame Ashford et la préposée l'accompagna au bureau de la directrice. Dès qu'elle la vit, Nancy eut le souffle coupé par sa beauté exotique.

« Ça alors, quelle bonne surprise, s'écria-t-elle en tendant ses deux mains pour l'accueillir. Je savais que vous étiez en ville et j'avais tellement hâte de vous voir. »

« Oui, dit Helen rapidement, en s'efforçant de ne pas laisser voir le tremblement de sa voix. Je tiens vraiment à passer un long moment avec vous — et je vais le faire — bientôt. Mais... pas aujourd'hui... Il se trouve que j'ai un message urgent à communiquer au docteur Merrick. Pourrais-je le voir ?... Est-il ici ? »

Il était là et elle pouvait le voir. Il venait tout juste de terminer une opération, croyait Nancy et il serait libre. Elle le ferait appeler et ils n'avaient qu'à s'installer dans son bureau pour parler.

Nancy sortit, son coeur à elle aussi battant à tout rompre, et elle referma la porte derrière elle. Assise sur le canapé, Helen n'arrivait pas à rester calme : elle fouilla dans son sac, le ferma, le rouvrit, le referma à nouveau, tapa du pied impatiemment sur le tapis jusqu'à ce que, incapable de rester assise un seul instant de plus, elle se leva, se dirigea vers la fenêtre et jeta un regard préoccupé au dehors en jouant machinalement avec son collier de corail.

Enfin, la porte s'ouvrit doucement et se referma tout aussi doucement et elle eut conscience de sa présence dans la pièce. Elle savait qu'il était là, tout près de la porte, attendant qu'elle se tourne vers lui... Pourquoi diable ne le faisait-elle pas ?... Traverserait-il la petite pièce pour venir jusqu'à elle, lui parler ?... Peut-être que non... Mais pourquoi tardait-elle tant à se retourner pour le regarder ?... Elle avait elle-même demandé cette rencontre, n'est-ce pas ?... Elle avait demandé elle-même qu'on l'appelle, non ?... Qu'est-ce qui lui prenait, au juste ?... Le plus difficile était d'avoir tant tardé à se retourner pour le regarder !... Et chaque seconde qui passait ne faisait qu'aggraver la situation...

Après quelques instants, qui lui parurent une éternité, il parla enfin, d'une voix tremblante.

« Vous vouliez me voir ? »

Sa question, posée calmement, la fit se ressaisir. Elle se retourna rapidement et, s'appuyant contre la fenêtre, posa ses mains ouvertes contre le rebord; en voyant son attitude, Bobby, tout triste, l'interpréta comme celle d'une personne acculée au mur, comme un geste de défense mais certainement pas de défi. Elle avait la tête penchée, les yeux baissés. Il n'avait certainement pas souhaité, en faisant quelque chose pour elle, de la voir réagir ainsi.

Helen était troublée de ses propres réactions. Il y a dix minutes à peine, elle était prête à des gestes violents. En se dirigeant vers cette fenêtre, elle avait été consumée d'une envie passionnée de le traiter de toutes sortes de noms, de le blesser d'une manière ou d'une autre, de lui faire goûter un peu de l'humiliation qu'il lui avait imposée... Que lui était-il arrivé ?... Elle avait l'impression que sa propre furie l'avait laissé tomber... Eh bien — elle ne pouvait pas continuer à se taire plus longtemps.

Elle leva un regard abattu sur Bobby.

« Il faut que je vous parle », dit-elle de cette voix de contralto dont il se souvenait si bien, un timbre de voix qui semblait déclencher chez lui toutes sortes de curieuses vibrations.

« Vous ne me serrez pas la main ? », implora-t-il.

« Pas nécessaire », dit-elle, indiquant d'un geste la futilité de la question.

« Dans ce cas, voulez-vous vous asseoir ? »

« Merci, non. Je crois que je peux le dire... assez vite ! »

Bobby s'appuya contre un coin du bureau de Nancy Ashford, croisa les bras et écouta.

« Je viens tout juste de découvrir que tout ce que j'ai au monde est... vous appartient. J'ai vécu depuis quelque temps comme votre dépendante... Je l'ignorais. J'espère que vous me croirez, je n'en savais rien... »

« Bien sûr que vous ne le saviez pas ! Vous n'avez rien à vous reprocher, sur ce point. »

Elle poursuivit comme si elle n'avait pas entendu.

« Même les vêtements que j'ai sur moi... »

Elle baissa la tête et mit sa main devant ses yeux.

Bobby n'en pouvait plus. Le coeur battant furieusement, il s'approcha d'elle rapidement et prit ses mains dans les siennes. L'espace d'un instant, elle ne fit rien contre ce geste de sympathie, puis elle retira ses mains en secouant la tête.

« Non, non ! Je ne suis pas venue ici quémander votre pitié. » Sa voix était plus ferme maintenant et il s'y glissait une note d'impatience grandissante. « Vous m'avez prise en pitié bien assez longtemps ! Je suis venue uniquement pour vous dire ceci : je vais vous rendre tout votre argent qui se trouve à la banque; et aussi vite que je pourrai le gagner, je vais vous rembourser chaque dollar que j'ai déjà dépensé. »

Bobby eut un long soupir de regret, recula et s'appuya à nouveau contre le bureau, avec un regard distrait.

« Je regrette tellement, dit-il lentement. Vous voyez, les circonstances étaient assez spéciales. Je voulais vous épargner, si je le pouvais, un malheur qui risquait de vous causer beaucoup de chagrin. Je suppose que je n'ai pas su comment m'y prendre — mais je n'avais pas de mauvaises intentions. Vous ne voulez pas me croire ? »

* * *

Pendant un instant, ils échangèrent un regard dont chacun se souvint plus tard, quand ils revécurent l'épisode dans tous ses menus détails, alors que le sommeil les fuyait ce soir-là. Bobby se demandait sérieusement si, l'eût-il prise dans ses bras à ce moment-là, toutes leurs difficultés n'auraient pas été réglées. Helen, pleine de remords, se reprochait ce qu'elle craignait être l'aveu de ce sentiment qu'elle avait tenté de faire taire.

« Ce que vous dites est peut-être vrai, admit-elle, échappant à son regard. Mais ça ne rend pas ma position plus tolérable. Je n'ai pas l'intention d'accepter de pension de vous ! Je vais vous rendre tout votre argent — le capital, dès demain — et le montant déjà utilisé, aussitôt que je l'aurai gagné. »

« Vous ne devez pas faire ça ! »

Le ton de Bobby, sévère, ressemblait à un ordre. Bien droit devant elle, il la regardait d'un air décidé.

« C'est beaucoup plus important que vous ne le pensez... beaucoup plus que je n'ose vous le dire ! La vie de nombreuses personnes en serait affectée, c'est certain ! Vous pouvez faire ce que vous voulez avec cet argent, mais vous ne pouvez pas me le rendre ! Je ne vais pas l'accepter ! Je ne peux pas l'accepter... parce que, voyez-vous, *je l'ai déjà tout dépensé moi-même* ! »

Helen le regarda aussitôt, les yeux agrandis de surprise. Sa gorge se serra.

« Quoi ! murmura-t-elle. Qu'est-ce que vous venez de dire ? »

« *Je l'ai tout dépensé* !... Savez-vous ce que ça veut dire ? »

« Non ! Dites-le-moi ! *Qu'est-ce* que ça veut dire ? »

« Assoyez-vous, lui dit-il doucement. Je vais essayer de vous l'expliquer... Ça n'est pas facile, pourtant. »

Un peu hésitante, elle alla jusqu'au petit canapé et s'assit.

«On ne vous a peut-être jamais fait remarquer — Bobby choisissait bien ses mots — qu'il existe parfois un lien étrange entre l'offrande volontaire, secrète, d'un cadeau, sans espoir ni de retour ni de récompense, et certains événements importants qui en résultent dans la vie du donateur... Eh bien, je me demande si l'argent que j'étais si heureux de mettre à votre disposition n'est pas un investissement de cet ordre-là. Peu de temps après que j'aie pris des dispositions pour cela, une chose d'une extrême importance est arrivée — une chose avec laquelle il ne faut pas jouer, vous et moi... C'est presque impossible de tenter de vous en convaincre, je le sais bien... Est-ce que vous ne pouvez pas vous contenter de me croire sur parole et de me faire confiance, chérie ? »

Helen se leva, le visage rouge de colère; ses yeux lançaient des éclairs.

« Non, vous ne jouez pas franc jeu avec moi, rétorqua-t-elle passionnément. Et je ne suis pas votre chérie ! Vous m'avez humiliée ! Il y a plusieurs choses que je cherchais à savoir et vous semblez capable d'éclaircir quelques mystères; mais il est évident que vous n'êtes pas disposé à le faire. Je pars, maintenant. Je vais m'entendre avec la banque pour l'argent. Et le reste — ce que j'en ai dépensé — je vais vous le rembourser ! Vous pouvez y compter ! » Elle était déjà à la porte, la main sur la poignée.

Bobby accourut rapidement près d'elle et mit sa main sur la sienne.

« Écoutez-moi, dit-il d'un air sérieux. C'est très important, autant pour vous que pour moi, de ne pas fournir l'occasion à toutes les mauvaises langues de la place de répandre la rumeur que nous nous sommes rencontrés ici pour nous disputer. Vous êtes prête à sortir d'ici au pas de course, rouge de rage. Ça risque de susciter beaucoup de curiosité et de nous obliger à fournir des explications. »

« Vous les fournirez vous-même, alors ! Je n'ai pas l'impression de devoir des explications à qui que ce soit. Si vous vous croyez obligé d'en offrir, ça vous regarde ! Laissez-moi partir, je vous prie. »

Bobby ne retira pas la main qui l'empêchait de partir.

« Ma chérie, dit-il en murmurant presque, je fais appel à votre esprit sportif ! Je vous l'accorde, vous avez raison d'être indignée. Je vous l'accorde — je vous ai bêtement placée dans une fâcheuse situation. Mais gardons au moins notre mésentente entre nous. Je vous en prie ! Remettez-vous — et nous sortirons affronter ces gens comme s'il n'y avait aucun problème entre nous. Est-ce que ça ne serait pas beaucoup mieux ainsi ? »

Elle hésita un long moment; le fixa d'un regard pénétrant, comme un petit enfant dérouté, et répondit finalement :

« D'accord. »

Il retira sa main. Elle se dirigea vers la fenêtre, sortit un poudrier et consulta sa glace. Bobby la regardait d'un air tout repenti. Il avait vraiment tout gâché — tout !

Elle se tourna et lui fit face calmement, comme s'il eût été un étranger.

« On peut y aller si vous êtes prêt. »

Bobby hésitait.

« Mais réellement... ne croyez-vous pas, dit-il en bégayant timidement, qu'un tout petit sourire pourrait aider à... à... »

« Je m'occuperai de ça quand ce sera nécessaire. »

* * *

Bobby ouvrit la porte et lui fit signe de sortir la première. À cet instant précis, elle devint une tout autre personne, gracieuse et souriante.

Nancy Ashford, qui rôdait dans les environs, curieuse et inquiète, alla à leur rencontre. Elle poussa un long soupir, de soulagement sembla-t-il.

« Je suis si heureuse que vous ayez enfin trouvé l'occasion de vous rencontrer tous les deux », s'exclama-t-elle, scrutant leurs visages.

« Oui, n'est-ce pas ?, répondit Helen, se demandant un peu ce qu'elle devait répliquer. Le docteur Merrick et moi avons discuté de tellement de choses intéressantes, dont quelques-unes assez mystérieuses, je dois l'avouer. »

Ah !... Bon !... C'était donc ça !... Des choses mystérieuses !... Madame Hudson était venue poser des questions... Elle avait dû apprendre, de quelque façon — par un mot échappé par hasard, peut-être — que Bobby Merrick était en mesure d'éclaircir quelques-unes des étranges énigmes que son mari lui avait léguées... Alors c'était pour ça qu'ils s'étaient rencontrés... Très bien !... Nancy était rayonnante.

« J'espère pouvoir vous faire une petite visite bientôt, madame Ashford, continua Helen, plutôt émue. Aujourd'hui, je suis assez bousculée... Des courses importantes. »

En entendant la voix familière d'Helen dans le couloir, Joyce accourut avec des exclamations de surprise et, toute joyeuse, se lança aussitôt dans une série de questions.

« Alors, qu'est-ce qui t'amène ici, chérie ? Pourquoi ne m'as-tu pas prévenue que tu allais venir dès aujourd'hui ? Bon ! toi et le docteur Merrick avez enfin fait connaissance ! C'est parfait ! Dites donc ! On peut maintenant organiser ce petit dîner dont on avait parlé ! Pourquoi pas ce soir ? Nous quatre ! Vous serez mes invités ! Et je vais acheter des billets pour *Jasmine* ! Qu'est-ce que vous en dites ? Pouvez-vous venir, madame Ashford ? »

Nancy jeta un regard à la dérobée vers Helen et crut saisir une légère irritation sur son visage. Fallait-il encourager le projet ? La situation était embarrassante.

Saisie tout à coup de l'idée qu'elle se devait de s'intéresser à l'invitation de Joyce, Helen sourit et regarda Nancy d'un air interrogateur; celle-ci répondit : « J'en serais très heureuse, Joyce. Merci. »

« Et toi, est-ce que tu peux venir aussi, Bobby ? » dit Joyce, tenace.

L'espace d'une seconde, il consulta Helen du regard et son coeur se mit à battre la chamade quand elle leva les yeux vers lui, avec l'air de s'intéresser énormément à sa réponse.

« Je serais très heureux de venir, Joyce. »

Helen consulta sa montre.

« Je dois me sauver, dit-elle d'un air décidé. Je vous reverrai tous ce soir, alors. »

Les trois l'accompagnèrent jusqu'aux grandes portes vitrées, Bobby à ses côtés, se proposant manifestement de l'accompagner jusqu'au taxi qui l'attendait. Ils descendirent ensemble les marches enneigées; la main de Bobby posée sur le bras d'Helen, chacun sachant fort bien que Nancy et Joyce, debout derrière la porte, observaient la scène.

* * *

« Il faut que nous parlions, dit Bobby gaiement. Cette affaire n'est pas encore terminée. »

« C'est vrai, admit Helen en se tournant vers lui avec un sourire qui l'éblouit. Et tout porte à croire que vous nous avez préparé une soirée complète de cette agréable distraction. Qu'est-ce qui vous a poussé à dire que vous viendriez à ce misérable dîner que Joyce a réussi à organiser ? Ça fait aussi partie de votre esprit sportif, je suppose ! »

Bobby était tout contrit, et ça se voyait sur son visage.

« Ne faites pas cette tête-là ! » dit-elle sur un ton de commande qui contrastait bizarrement avec son sourire. « On va croire que nous nous disputons. »

« Eh bien, dit-il l'air maussade, n'est-ce pas ce que nous faisons ? »

Elle se mit à rire.

« Dans le genre mélo, vous êtes plus doué comme producteur que comme acteur ! »

« Mais, réellement, j'allais refuser l'invitation. Et puis, quand je me suis risqué à vous regarder, vous aviez l'air si... si favorable à l'idée... »

« À quoi vous attendiez-vous ? Que je vous fasse la grimace ? C'est vous-même qui avez suggéré que nous donnions l'impression de bien nous entendre. Et maintenant, eh bien vous avez abusé de moi, comme d'habitude. » Elle souriait toujours. Ils avaient atteint le taxi et le chauffeur mettait déjà le moteur en marche.

« Je trouverai bien une excuse, dit Bobby d'une voix faible. Je regrette beaucoup. »

« Non ! Vous ne pouvez pas faire cela. On ne peut pas s'en sortir, il faut y aller et je peux vous promettre que personne ne devinera mes sentiments. » Elle hésita une seconde, puis ajouta : « Pas même vous ! Je vous promets de ne pas gâcher votre dîner. »

Bobby ouvrit la portière et l'aida à monter dans la voiture. Le contact chaleureux de sa main sur son bras l'irrita et... l'enchanta tout à la fois. Bien à l'abri sur la banquette, elle ne se sentit plus tenue à faire preuve d'amabilité. Son sourire avait disparu. Il lui tendit la main et elle, bien qu'ennuyée, fut bien forcée de tendre aussi la sienne. Il la serra très fort.

« Au revoir, chérie, dit-il tendrement. Ne me jugez pas trop sévèrement, je vous en prie. J'ai fait une gaffe terrible, mais, ma chérie, je vous aime vraiment beaucoup ! »

XVII

Quand Merrick rentra à son appartement, peu après minuit, il retira ses habits de soirée, enfila une robe de chambre puis demanda à Matsu de mettre une autre bûche dans la cheminée et d'aller au lit.

Le programme de la soirée avait été une symphonie orageuse, jouée sur tous les tons et dans une infinie variété de rythmes : de brefs passages d'une ineffable tendresse, quelques mesures d'espoir, des intervalles de manigances et de modulations fadement étoffés, assaisonnés à l'occasion de crescendos à couper le souffle, chargés de tension et dont les notes aiguës couvraient toute la gamme chromatique. Malheureusement, ce fut sur une note discordante que le dernier accord fut plaqué. Dans l'ensemble, le ton de la soirée avait été aussi capricieux et flou que la *Valse Triste* de Sibélius.

Il avait espéré y faire face avec le même esprit sportif qu'un athlète le jour d'une épreuve importante. Sa chère adversaire avait promis que personne — pas même lui — ne devinerait son irritation ni son ressentiment et il savait qu'elle tiendrait parole. Si son rôle à elle était difficile, le sien le serait bien davantage. Elle n'avait qu'à feindre la cordialité. Quelle est la personne, ayant la moindre expérience du monde, qui n'a pas appris à dissimuler et à faire semblant d'être aimable lorsque le hasard l'oblige à côtoyer des gens qu'elle déteste ? Quant à lui, le rôle qui lui était dévolu exigeait une froide désinvolture; ni la réserve de la renonciation ni une manifestation d'ascétique indifférence, mais la simple courtoisie d'un homme à l'égard d'une femme qu'il connaît à peine. La tâche consisterait à remplir son rôle de manière convaincante — et ceci, alors que son coeur était violemment épris.

Comme il jetait un dernier coup d'oeil à sa tenue avant de partir, il jura sérieusement à son image dans la glace que son attitude serait digne et chevaleresque envers la femme dont la promesse de se montrer amicale à son égard, pour une soirée, lui serait une véritable torture. Et il avait tenu parole, avec bravoure même — presque jusqu'à la fin.

Et pourtant, aussi rempli de remords qu'il fût au sujet de ce bref mais complet relâchement d'autodiscipline, qui rendrait désormais leurs relations plus difficiles que jamais, tous ses nerfs étaient tendus à l'extrême au souvenir de ces quelques instants de béatitude où, même s'il savait qu'elle ne faisait alors que remplir son contrat, l'attitude amicale d'Helen avait paru sincère.

Comme un avare désireux de se retrouver seul pour caresser son or, il s'empressa de donner congé à Mitsu qui s'affairait autour de lui; après avoir allumé sa pipe il s'installa dans un fauteuil confortable devant les flammes du foyer, bien déterminé à revivre la soirée en détail et à se rappeler les instants les plus troublants.

* * *

Se conformant aux directives de Joyce, il était passé prendre Nancy Ashford. En la voyant, royale et élégante dans sa robe écarlate, avec sa figure jeune, ses cheveux blancs éclatants, sa taille superbe et sa démarche souple, Bobby vit qu'il avait tout à fait raison d'être fier d'elle. Il le lui dit et elle le remercia — pour ça, ainsi que pour les fleurs.

Rien n'échappait à Nancy; elle remarqua, tandis qu'il l'aidait à monter dans la limousine, que Richard avait une casquette et des gants neufs.

« Tu ne lui faisais pas porter l'uniforme auparavant, n'est-ce pas ? demanda-t-elle. Je croyais que c'était à cause de tes principes démocratiques sur le sujet. »

« Oui, c'est exact, reconnut-il, mais j'ai changé d'avis. Avec son uniforme, il fait partie d'une institution et ça l'empêche de faire des bêtises. Du moins, c'est ce que prétend la théorie. Et de plus, ça lui plaît bien. »

Ils bavardèrent ainsi de choses et d'autres et Bobby participait à la conversation avec son entrain habituel; mais Nancy voulait échapper à ce bavardage un peu futile car elle avait fort envie de lui poser quelques questions.

Quand la superbe voiture neuve de Bobby se fut glissée dans le flot de la circulation et eût pris un peu de vitesse, elle se tourna vers lui et lui dit : « Bobby, quelque chose me dit que cette soirée sera assez pénible. »

« Nancy, admit-il, vous avez toujours fait preuve d'un bon sens de l'observation. »

« Il n'était pas nécessaire d'être un grand sage pour voir que l'atmosphère était extrêmement tendue à Brightwood, cet après-midi. »

« Excusez-moi de vous interrompre, mais cette couleur vous va à ravir. Vous êtes vraiment en beauté ce soir, ma chère. »

« Ce que signifie que vous ne voulez pas m'en parler ? »

« Eh bien, peut-être... Quelque chose du genre. »

« Entendu, alors. Je vais me fermer les yeux, les oreilles et la bouche, comme les trois singes de l'histoire. Je vais prétendre que je ne sais pas que vous vous êtes disputés tous les deux. »

« Vous êtes un ange ! »

« Et je vais aussi prétendre que je ne sais pas que les deux nigauds que vous faites, êtes si profondément amoureux l'un de l'autre que vous craignez même de vous regarder de peur que votre secret ne soit découvert. »

« Je suis toujours d'avis que vous êtes très en beauté, Nancy. »

« Mais stupide ! »

« Oh non ! Certainement pas, plutôt tout le contraire, hélas ! »

Sur ce, elle lui avait pardonné, avait serré sa main et l'avait appelé son cher garçon; et durant le reste du trajet, elle avait discuté des affaires de l'hôpital, d'un ton très officiel.

* * *

À leur arrivée au Book-Cadillac, la neige tombait à gros flocons et ils se précipitèrent vers le tambour pour se mettre à l'abri. Joyce et Helen les attendaient à la mezzanine, tel que convenu. Joyce était d'une gaieté presque excessive, bruissante et sinueuse dans une toilette de taffetas vert sur laquelle elle avait épinglé le bouquet de corsage qu'il lui avait envoyé; et, à moins d'erreur de sa part, il lui sembla bien qu'elle avait déjà englouti un cocktail ou deux derrière ses orchidées, car la nervosité tendue de ses gestes, tels ceux d'un canari, et les notes stridentes de sa voix ne pouvaient provenir de rien moins que l'absorption d'environ trois bonnes mesures de gin... Si Helen l'avait remarqué, elle avait apparemment résolu de l'ignorer. Quelle créature adorable elle était... dans une robe de velours noir...

avec des perles... et ses orchidées. Ainsi donc, elle avait bien voulu consentir à les porter !... Il marquait un point contre son ennemie bien-aimée !

* * *

Dès le début de la soirée, Joyce, assez curieusement, avait paru disposée à les précipiter l'un vers l'autre, avec violence presque... C'était peut-être le gin... ou peut-être son instinct lui laissait-il entendre qu'il y avait comme un lien inavoué entre eux qu'elle croyait de son devoir de rendre clair... Évidemment, il était toujours difficile avec Joyce de deviner ce qu'elle pensait, comment, et même si elle pensait vraiment... Mais, quel que fût son motif, si tant est qu'elle en eût un, elle n'essayait aucunement de déguiser son intention de faire de cette petite réunion l'occasion d'un développement rapide de leur relation naissante... comme s'il s'agissait de quelque champignon devant parvenir à maturité alors ou jamais.

De fait, elle avait même été très brutale. Quand on apporta la salade, elle avait rempli un vide momentané dans la conversation, en se murmurant, dans un style exagérément affecté : « Ma-da-me Hudson !... Doc-teur Merrick !... Pour l'amour ! »... — suivis d'un haussement d'épaule et d'un soupir — « J'ai cru qu'ils pourraient en être à Bobby et Helen, à cette heure-ci ! » À quoi Helen, en se penchant vers elle, avait répliqué, avec un ton maternel et comme pour l'excuser : « Bois ton lait, mon tout petit. Ça c'est une gentille fille »... Ils avaient tous éclaté de rire, leur gaieté faisant office d'applaudissements.

* * *

L'hôtel était bondé et on y suffoquait. Il s'y tenait un de ces gros congrès commercial et les salons et foyers regorgeaient de gros hommes affairés, le front couvert de sueurs et affichant sur le revers de leurs vestons de gros macarons bleu et or. On en voyait des douzaines partout, courant de-ci de-là, se frayant un chemin à contre-courant comme des crabes, s'excusant à gauche et à droite, sur le ton de « Dégagez ! » Leurs fronts, aussi plissés que du papier ondulé, témoignaient du fait qu'à moins de réussir à se faufiler, toute l'entreprise, malgré tous ces efforts et ces dépenses, ne servirait à rien.

Leurs épouses lassées sombraient dans tous les fauteuils à leur portée, essayaient de dissimuler leurs genoux bien enveloppés, et de leurs doigts nerveux picoraient des petites bouchées de crudités. Quelques-unes, les plus intrépides, tentaient de simuler une indifférence langoureuse à l'égard de leurs cigarettes, dont elles avaient peu l'habitude; mais elles les tenaient à bout de bras, les regardant précautionneusement comme des gamins imprudents tiendraient des pétards crépitants : avec nonchalance mais un brin d'inquiétude cachée dans le coin de l'oeil.

Joyce avait pris impétueusement le bras de Nancy et battait la marche.

« Suivez-nous, vous deux, fit-t-elle d'une voix criarde en se retournant, et ne vous perdez pas. Il faut nous dépêcher, sinon nous arriverons en retard au théâtre ! » Et sur ce, elle avait entraîné Nancy dans la foule grouillante.

Bobby avait offert son bras à Helen et elle l'avait accepté, non pas pour la forme, mais comme si elle eut réellement désiré le faire... Elle n'avait vraiment pas à agir ainsi... ni Joyce ni Nancy ne pouvaient les voir... Elle aurait très bien pu ne pas tenir compte de son geste... À ce moment-là, il n'était pas nécessaire pour elle de jouer son rôle.

Comme la foule les bousculait, il l'avait tirée plus près de lui et elle avait répondu à son geste... Non — ce n'était pas seulement qu'elle avait été bousculée contre lui... Elle avait répondu... Il y avait une nuance... Il l'avait tirée plus près de lui et elle avait répondu à son geste.

Il alluma sa pipe de nouveau, machinalement, et garda distraitement l'allumette à la main jusqu'à ce que la flamme lui lèche les doigts.

Elle avait répondu avec tant de ferveur qu'il avait senti les courbes chaudes et douces de son corps contre son bras... Elle n'avait pas besoin de faire cela... Ça ne figurait pas dans le texte de son rôle... Pourtant, c'était exactement ce qu'elle aurait fait s'il n'y avait pas eu de froid entre eux; l'aurait-elle fait vraiment ?... Probablement que non... Il était difficile de savoir quoi penser dans cette affaire.

Jusque-là, ils n'avaient échangé aucune parole à part les brèves salutations du début, et le babillage de Joyce avait éclipsé même cela. Il crut devoir engager la conversation; il détestait les lieux communs insipides mais il ne pouvait pas laisser le silence se prolonger plus longtemps.

Soudainement, il était devenu audacieux.

Il fut surpris de s'entendre dire : « Je vous ai déjà conduite de cette façon, dans un sentier très sombre. »

«Oh, c'est vrai ? » Elle riait. « Je croyais que nous avions marché la main dans la main. Je me sentais comme une petite fille que l'on conduit à la maternelle pour la première fois. »

« Tiens — vous vous en souvenez donc ! »

« Et comment ! Je ne sais vraiment pas ce que j'aurais fait sans vous, ce soir là. » Elle leva les yeux vers lui et sourit. Il se demandait si elle pouvait entendre les battements de son coeur... Ils entraient dans la salle à manger... D'une table au milieu de la pièce, Joyce leur fit signe de la main.

« Puisque nous en parlons, dites-moi quelque chose, continua Helen sur un ton de confidence. Pourquoi ne m'avez-vous pas laissé vous conduire jusque chez vous, ce soir-là, ou tout au moins vous déposer, quand nous avons dépassé votre portail ? »

« Parce que je préférais que vous ne sachiez pas qui j'étais. Je croyais que si vous l'aviez su, vous auriez pu... » Il s'interrompit gauchement, cherchant ses mots.

« C'était une façon tout à fait appropriée de commencer une amitié comme la nôtre, dit-elle d'un ton cassant, attendu qu'elle était destinée à être remplie de petites cachotteries et d'énigmes. »

« Je suis désolé », dit-il. Il dut sembler l'être de façon excessive.

« Eh bien, ne le soyez pas, alors ! » ordonna-t-elle vivement, en tirant brusquement sur son bras. « Vous ressemblez à Hamlet ! Souriez, vous dis-je ! Votre Nancy Ashford sait parfaitement que nous nous sommes disputés. Je l'ai bien vu sur son visage, cet après-midi. Je ne vais quand même pas jouer cette farce toute seule. »

Il avait regardé ses grands yeux bleus, étonné de cet éclat si manifestement en désaccord avec l'expression sereine de son visage, et avait éclaté de rire. Y repensant, plus tard, il rit à nouveau. C'avait été absurde... incroyablement absurde !

* * *

« De quoi riez-vous », demanda Joyce tandis que les garçons de table approchaient leurs chaises.

« C'est une longue histoire, résuma Helen, et le pauvre homme l'a déjà entendue une fois. Je ne vais pas la lui imposer une deuxième fois. »

Nancy avait l'air intrigué. Intérieurement, Bobby était assez content de la chose et amusé de constater que le petit incident opérait une brèche dans son omniscience.

« Vous n'avez pas de choix de cours, disait Joyce, tandis que les garçons de table s'éloignaient déjà, sauf pour le dessert, qui est un cours libre. Autrement, vous prenez ce que l'institution croit bon pour vous. Non chérie, ajouta-t-elle, en se tournant vers Helen, ce n'est pas du veau. Je me suis rappelé que tu n'avais plus besoin de crédits pour ce sujet puisque tu as fait un majeur en veau. »

« Racontez-nous quelques-unes de vos expériences à l'étranger, demanda Nancy. J'aimerais bien aller y passer un été et j'adore les récits de voyages. »

Avec quelle bonne grâce elle s'y était prêtée ! Et quelle façon charmante de faire part de ses impressions ! Il connaissait la plupart des grandes capitales aussi bien que sa propre ville, mais elle avait exploré certains coins qui lui avaient échappé — des excursions plus poussées dans les rues étroites et des boutiques pittoresques où, semblait-il, il lui était souvent arrivé de faire la connaissance d'une famille complète... Quelle tendresse dans sa voix quand elle parlait des petits enfants !...

* * *

« À Assises, un jour, je me suis fait des amis formidables de cette façon, dans une petite boutique, avait-elle raconté. Au début, c'était surtout pour améliorer mon italien que je rendais visite aux Bordini. Bien sûr, j'apportais toujours un petit rien pour payer mes cours, ou alors quelque chose pour les enfants; mais au bout d'un moment je me suis rendu compte que j'y allais parce qu'ils me plaisaient et que j'avais vraiment besoin de leur amitié. Et puis un jour, la petite Maria, qui avait autour de trois ans, est tombée gravement malade. Pendant trois semaines, elle a été entre la vie et la mort. Ils étaient tous si terriblement inquiets. Et comme je n'avais rien de bien important à faire, j'y allais très souvent durant toute cette période. »

Elle interrompit son récit pour détacher une petite croix d'argent qu'elle portait au cou, à l'intérieur de sa robe.

« À mon départ d'Assises, la mère de Maria a insisté pour m'offrir ceci. »

Le colifichet fut passé de main en main. Quand son tour était arrivé, il l'avait examiné avec un sentiment de vénération. Ce bijou était sacré; pour plusieurs excellentes raisons.

« Je ne voulais pas l'accepter, poursuivit Helen, car j'étais sûre que c'était la chose la plus précieuse qu'elle possédait. Elle avait été bénite par le Saint-Père lui-même, au moment d'un pèlerinage qu'elle avait fait à Rome dans sa jeunesse, au début du siècle. »

« C'est donc pour ça que tu portes cette petite croix bon marché, s'exclama Joyce. Est-ce qu'elle te porte chance ? »

Helen sourit.

« Peut-être, répondit-elle. En tout cas, c'est mon bijou préféré. »

« C'est tout naturel », commenta Nancy avec bienveillance.

Joyce écoutait avec beaucoup d'attention.

« Pour accepter de se défaire de cette croix si précieuse, la famille avait dû s'appuyer beaucoup sur toi, durant son épreuve. Raconte-nous le reste de l'histoire. Qu'est-ce que tu as fait pour eux pendant la maladie de Maria ? Tu t'es occupée du magasin ? Tu as fait l'infirmière ? Continue, chérie ! Dis nous tout ça ! »

À ce moment-là, Bobby avait été incapable de se retenir. À sa grande surprise, il avait levé la main en guise de protestation.

« Non, non Joyce ! Il ne faut pas demander à madame Hudson de nous raconter cela. » Et immédiatement, il se sentit gêné d'avoir fait cette remarque.

« C'est drôle, ça ! Pourquoi ne devrait-elle pas nous le raconter ? »

Sur ce, il s'était tourné vers Helen et lui avait demandé, d'un air sérieux : « Avez-vous déjà raconté cette histoire à quelqu'un ? »

« Non ! Maintenant que vous me le demandez, je ne crois pas l'avoir jamais fait. »

« Dans ce cas, je ne le ferais pas, si j'étais à votre place. C'est un souvenir de très grande valeur et son charme principal tient à ce que personne d'autre que vous ne sait tout ce que vous avez fait pour le mériter. »

« C'est tout à fait ridicule, Bobby, s'écria Joyce. Saviez-vous qu'il était aussi superstitieux, Nancy ? »

« Je m'en suis douté, une fois ou deux. »

Helen l'avait regardé avec des yeux écarquillés par la perplexité quand il avait remis le petit fétiche dans sa main d'un geste qui ressemblait dangereusement à une caresse, car il avait prolongé le contact, du bout des doigts.

« J'ai pensé quelquefois à la lui retourner. Vous semblez avoir quelque opinion sur le sujet, docteur Merrick. Vous pourriez peut-être me conseiller : devrais-je le faire ? »

« Pas du tout. Si elle l'acceptait, ça n'aurait plus aucune valeur pour elle. Elle ne peut réellement plus le reprendre maintenant, vous savez, parce que... parce que... »

Les lèvres entr'ouvertes, Helen était un peu émue tandis qu'elle l'incitait à poursuivre, avec insistance « Oui ? Parce que... parce que quoi ? »

« Eh bien... parce que... à cette heure-ci, c'est possible... probable... qu'elle l'a déjà tout dépensé elle-même. »

Elle le regarda fixement pendant un long moment, comme si elle avait vu un fantôme. Puis, en appuyant à peine, elle murmura de façon qu'il fût le seul à entendre : « Alors c'est donc ça que ça veut dire ! »

« Oui exactement ! C'est ça que ça veut dire ! »

Quand elle remit la petite croix à son cou, derrière le col de sa robe, ses yeux étaient embués de larmes et ses doigts tremblaient.

« Je suis contente que vous me l'ayez dit, murmura-t-elle, je m'étais si souvent posé la question. »

* * *

Joyce plaqua ses deux mains sur la table dans un geste d'impatience soudaine.

« De quoi diable parlez-vous, vous deux ?... Le savez-vous, Nancy ? »

« Oh, vaguement, je pense, répliqua-t-elle... Je crois que vous avez aimé surtout les petites villes, n'est-ce pas, Helen ? Racontez-nous ça un peu. Vous êtes allée à Bellagio, non ? Comment était-ce ? »

« Oh ! oui, insista Joyce. Tu m'as écrit des lettres si intéressantes de cet endroit-là. Comment s'appelait ce petit hôtel déjà... sur le haut de la colline. »

« La villa Serbelloni ? » Helen devint songeuse. « Oui, je m'y plaisais bien au début; mais je me suis sentie bien seule, là. Je suis devenue si malheureuse que j'ai quitté l'hôtel, un après-midi, sous l'impulsion du moment, dans une pluie torrentielle. »

« Mais enfin, qu'est-ce qui s'est passé, chérie ? », demanda Joyce avec sollicitude.

« Oh ! la solitude, tout simplement. La saison tirait à sa fin, en fait, et les touristes se faisaient rares. Il y avait bien une jeune femme avec qui je me suis sentie des affinités, mais il s'est trouvé qu'elle écrivait, et quand je me suis rendu compte que c'était le but de son voyage, je n'ai pas voulu m'imposer alors qu'elle avait besoin de tout son temps pour écrire; ce qui fait qu'un jour de tempête, un triste jour, où je me sentais terriblement seule, j'ai quitté l'endroit. »

« Vous avez déjà lu ce qu'elle écrivait ? » demanda Nancy, curieuse.

Helen secoua la tête.

« Tu devrais peut-être t'informer, suggéra Joyce. Peut-être figurais-tu toi-même dans ses récits. Ce doit être assez bizarre de lire une histoire et de découvrir que l'on est soi-même un des personnages. »

Durant toute cette conversation autour de Bellagio, Helen s'était adressée surtout aux autres. En répondant au commentaire de Joyce toutefois, elle tourna lentement son regard dans sa direction.

« C'est fort possible que j'aie été jugée apte à tenir un petit rôle dans son histoire; car je dois avouer qu'avant de découvrir sa profession, je m'étais montrée aussi bavarde qu'une adolescente. »

« Je suis sûr que vous étiez l'héroïne de la pièce, avait-il déclaré avec ferveur. Je serais même prêt à le jurer.

« Vous en semblez aussi certain que si vous le saviez réellement. » Elle s'était penchée légèrement vers lui et elle était si près qu'il pût murmurer, à voix basse : « Je le sais. »

* * *

On avait ensuite parlé de bateaux. Nancy désirait tout savoir sur les voyages : quels vêtements porter, à qui donner des pourboires et quelle somme, combien de temps à l'avance il fallait faire des réservations pour être sûr d'avoir une cabine bien placée.

« Helen a pu avoir sa cabine à un jour d'avis, pour son voyage de retour », rappela Joyce.

« Mais ce n'est pas toujours ainsi, dit Nancy. Je me rappelle toutes les difficultés que nous avions eues à obtenir une place pour un ami de Bobby qui devait se rendre d'urgence à Buenos Aires. »

Rempli d'appréhension, il s'était tourné vers Helen pour s'apercevoir qu'elle avait les yeux fixés sur lui, les sourcils froncés, l'air perplexe. Se ressaisissant aussitôt, elle avait dit :

« S'il y avait si peu de place, c'était peut-être à cause de la saison ? À quel moment était-ce ? »

« Quand était-ce, Bobby ? demanda Nancy. Tu dois t'en souvenir. Tu tenais vraiment beaucoup à ce qu'il parte par ce bateau-là. C'était il y a à peu près un an, peut-être un peu plus ! »

« Quelque chose comme ça », avait-il admis sur un ton d'indifférence.

Les garçons venaient de leur remettre les menus et Joyce et Nancy se consultaient au sujet du choix des parfaits. Helen avait placé son menu de façon à pouvoir parler sans être vue d'elles.

« C'était vraiment très gentil de votre part, dit-elle doucement. Je ne m'en étais jamais douté jusqu'à maintenant. »

« Je ne voulais pas que vous le sachiez. J'espère que vous oublierez tout ça. Je regrette qu'on en ait parlé par inadvertance aujourd'hui. »

Elle resta songeuse un moment, puis s'anima tout à coup, comme saisie d'une inspiration.

« Oh, je comprends », murmura-t-elle.

« Je me demande si vous comprenez vraiment. »

Elle secoua la tête vigoureusement.

« C'est un peu comme... comme mes Bordini; et ma petite croix, c'est bien ça ? »

« Oui, exactement comme ça ! »

Joyce avait mis fin à leur petit jeu de devinettes en leur demandant conseil pour la question du dessert... L'instant avait été chargé de tendresse. En y repensant maintenant et en analysant le tout, il se dit que si à ce moment-là, il avait été appelé d'urgence, il serait actuellement en train de se réjouir dans l'espoir que leur mésentente avait été enfin définitivement réglée.

* * *

Il se leva et arpenta la pièce, se frotta les tempes du bout des doigts, s'arrêta un instant près de la petite table, remit du tabac dans sa pipe, ajouta une bûche dans la cheminée, et se laissa choir à nouveau dans son fauteuil. La petite horloge sur la cheminée sonna paresseusement le premier quart d'heure.

Ces quatre coups ne manquaient jamais d'assombrir son humeur, ne fût-ce que quelques instants, s'il lui arrivait à l'occasion d'y penser. À la demie, ce n'était pas la même chose : la sonnerie semblait alors considérablement plus gaie. Et quand arrivaient les trois quarts d'heure, le son était tout à fait rassurant. Mais toujours, en entendant cette sonnerie blasée, résignée et moqueuse du premier quart d'heure, il était frappé par la vacuité de son occupation du moment et la futilité de tous ses projets. C'était exactement comme si l'Éternelle Destinée étirait ses longs bras dans un bâillement d'insurmontable ennui; le sens exact du message lui échappait et parfois les quatre coups ne semblaient que les quatre degrés de l'énorme soupir d'une inénarrable fatigue.

Il entendait encore les vibrations de la sonnerie et, levant les yeux, vit qu'il était deux heures quinze... Il se remit à ses réflexions, pensivement, sachant très bien qu'à partir de cet instant, ses souvenirs de la soirée n'auraient rien d'agréable.

* * *

Le court trajet jusqu'au théâtre, à quelques rues de là, se fit sans incidents, dans sa propre voiture, et tandis que Richard se garait près du trottoir, il avait entendu Helen dire à Nancy, en s'exclamant : « Quelle superbe voiture ! Quelle marque est-ce ? » La réponse de Nancy lui avait échappé mais il savait qu'elle était au courant.

Le petit groupe s'était attardé au repas et ils étaient très en retard... L'ouvreuse les précéda avec sa lampe de poche et, se sentant un peu coupables, ils se glissèrent vite dans leurs sièges qui, heureusement, se trouvaient au bord de l'allée.

Une troupe de danseuses défilaient sur la scène en minaudant, l'une derrière l'autre, semblables à quelque vilaine chenille désarticulée; elles prirent quelques poses aguichantes, lancèrent des cris à percer les tympans, rompirent les rangs et aussitôt un contingent de danseurs apparut des coulisses pour se joindre à elles. La chanson thème fut reprise avec entrain, il y eut un dernier éclat assourdissant, tous et toutes levèrent les bras et les lumières revinrent dans la salle tandis que le rideau retombait.

Joyce, qui avait insisté pour passer la première se pencha vers la gauche devant Nancy et Helen pour lui remettre les billets... Avec quelle clarté le plus banal incident ressortait maintenant, comme gravé en relief... Le mouvement qu'il fit pour prendre les billets le rapprocha de l'épaule nue d'Helen et sa main frôla légèrement son bras. Chaque contact imprévu le faisait suffoquer sous une vague d'émotions et ce n'est qu'au prix d'efforts inouïs qu'il résistait à la tentation de la toucher.

Il n'arrivait pas à se rappeler de quoi ils avaient bavardé au cours de ce premier entr'acte mais Joyce semblait alimenter la conversation en racontant un incident amusant qui s'était produit lors de la première de *Jasmine*, à New York. Nancy était sa meilleure auditrice, Helen souriait, n'écoutant que d'une oreille, l'air préoccupé.

L'orchestre revint dans la fosse, on accorda les violons; le chef d'orchestre leva ses deux bras, balaya ses troupes du regard pour une dernière inspection et les musiciens se lancèrent à l'attaque au grand galop tandis que l'obscurité se faisait dans la salle.

Il aurait souhaité ne pas être aussi vivement conscient de sa présence à ses côtés car il craignait qu'elle ne devine l'élan de tout son être qui le portait vers elle. La sage remarque de Nancy lui revint à l'esprit. Il lui avait raconté avec quelle acuité il avait été conscient de la jeune fille près de lui dans la voiture, lors de l'incident à la campagne; comme il semblait croire que Helen ignorait tout de ce qu'il ressentait, Nancy avait fait fi de sa naïveté.

« Sottises, avait dit Nancy, moqueuse, croyez-vous réellement que vous auriez pu éprouver cette sensation si elle-même ne l'avait pas partagée aussi ?... C'est bien mal connaître les femmes ! »

C'est vers la fin du deuxième acte que la catastrophe s'était produite.

Il n'avait pas suivi d'assez près le déroulement de l'intrigue ridicule pour pouvoir deviner où elle voulait en venir, si tant est qu'il y eût un but. Tout son esprit était concentré sur l'attirante personne à ses côtés, en dehors de ses rêves éveillés où il imaginait quel bonheur il aurait de lui offrir toutes les gâteries qu'elle méritait. Ce n'est qu'après avoir commis son irréparable bourde qu'il se rendit compte de l'avoir insultée.

La scène se passait lors d'une réception à la campagne et l'ingénue pleine d'allant était revenue — dans une luxueuse limousine. Le fait qu'elle était sans le sou; que la voiture appartenait au courtier entreprenant qui l'avait poursuivie tout au long de la pièce de ses cadeaux et de ses attentions dans l'espoir manifeste de porter cela à son crédit; qu'elle lui devait même ses vêtements, importés — tout cela n'avait aucune signification pour lui... À ce moment toute son attention était centrée sur la superbe limousine.

Cédant à son impulsion, il s'était tourné vers Helen — leurs têtes s'étaient frôlées, l'espace d'un instant — et il avait murmuré : « Je vous ai entendu dire que ma nouvelle voiture vous plaisait. Je ne m'en sers pas beaucoup. J'aimerais vous la prêter pendant votre séjour ici. »

Peut-être que, même à ce moment, l'irréparable aurait pu être évité si elle avait refusé de façon catégorique... Ne soupçonnant pas que son silence ne signifiait rien de plus que sa stupéfaction devant son geste d'une rare audace, et encouragé par cette erreur d'interprétation, il avait cherché à saisir, coeur battant, la main très blanche qui reposait, il le savait, sur le velours noir de sa robe.

Peut-être avait-elle intuitivement deviné son intention... Peut-être le léger mouvement de son bras l'en avait-il prévenue... Ou bien, avait-elle choisi cet instant précis pour porter la main à son collier de perles... Il ne saurait probablement jamais comment c'était arrivé... Il ne perçut qu'un mouvement d'impatience sous sa brève caresse.

On baissa le rideau et la salle fut inondée de lumières. Il jeta un regard d'appréhension vers elle. Ses joues étaient rouges et son petit poing, qui serrait un mouchoir, était appuyé fortement sur sa bouche.

* * *

À la suggestion de Joyce ils allèrent se promener dans le foyer. En remontant l'allée, Helen avait pris le bras de Nancy et Joyce, ayant remarqué le geste, avait ralenti le pas jusqu'à ce qu'il l'eût rejointe. Elle fit elle-même les frais de leur conversation, à bâtons rompus; il s'en réjouit car les impressions se bousculaient dans sa tête.

Quand la sonnerie retentit pour le dernier acte, ils regagnèrent la salle dans l'ordre de leur sortie et une fois à leurs places Helen se glissa la première, le laissant à côté de Joyce.

Elle devait le prendre pour un affreux goujat... Mais sûrement que son bon sens lui dirait qu'il n'avait pas prémédité son geste... Pas de cette façon !

Il n'avait pas la moindre idée de ce qui s'était passé au dernier acte; il l'avait regardé en endurant toutes les tortures imaginables. Enfin, le supplice prit fin après ce qui lui parut un siècle d'attente.

Ils se dirent au revoir rapidement, de façon machinale, sans aucun regard de compréhension ni de l'un ni de l'autre.

Il irait la voir le lendemain matin et tenterait de s'expliquer... L'horloge sonna le dernier quart d'heure puis les trois coups... Il devait se rendre à l'hôpital à neuf heures pour une opération.

Très las, il se dévêtit et se mit au lit. Tandis qu'il se détendait sur son oreiller, la mort dans l'âme, la sonnerie de l'horloge lui sembla un commentaire cynique sur la façon adroite dont il avait réglé les problèmes compliqués de la soirée.

* * *

Dès son arrivée à l'hôpital le lendemain matin, on lui remit un message lui demandant de communiquer avec monsieur Randall de la Banque Nationale. Il n'y prêta aucune attention.

Sitôt son opération terminée, il téléphona au Statler et demanda à parler à madame Hudson. Elle avait quitté l'hôtel.

XVIII

Les Bruce McLaren recevaient à déjeuner, en l'honneur du docteur Robert Merrick, dans leur élégant appartement. C'était dimanche et les trois venaient tout juste de rentrer de la Grace Church; la présence du distingué jeune chirurgien dans le banc du pasteur en compagnie de madame McLaren avait suscité un réel sentiment de fierté et de satisfaction chez les assistants.

La spectaculaire contribution apportée récemment par Bobby Merrick à la chirurgie du cerveau avait été amplement commentée par la presse, à sa grande déception car, comme tous les hommes de science dévoués à leur tâche, il fuyait la publicité. Il avait été très embarrassé de voir son invention décrite dans le jargon commun aux balivernes journalistiques et il n'appréciait pas plus qu'il ne fallait les commentaires élogieux des éditoriaux des quotidiens ni les âneries sentimentales dont on embellissait sa biographie dans les revues et magazines.

Bien sûr il s'agissait d'une histoire sensationnelle, méritant bien ses deux colonnes à la une. Les scribes n'avaient rien laissé dans l'ombre. On avait insisté jusqu'au point de saturation sur le fait que le jeune docteur Merrick avait totalement renoncé à la vie d'oisiveté qui aurait pu être la sienne de par sa grande fortune, pour se consacrer sans réserves à la spécialité la plus difficile et la plus ingrate de toute la chirurgie. Et la situation aurait été encore plus grave s'il ne s'était littéralement barricadé contre les assauts de la horde de chroniqueurs qui avait déferlé sur lui.

« Vous devez bien cela à votre public », avait seriné l'une d'elles comme si elle s'adressait à quelque gagnante de concours de beauté, en mal de se lancer dans le cinéma.

On rappelait aussi que la vie du docteur Merrick avait été sauvée, il y a quelques années, au moment même où un autre éminent chirurgien du cerveau, le docteur Wayne Hudson, se noyait dans le lac Saginack. Une petite feuille (rose celle-là) s'était posée la question à savoir si la décision immédiate du jeune et richissime Merrick de commencer des études de médecine en vue de se spécialiser dans la chirurgie du cerveau, pouvait avoir été influencée, et peut-être même occasionnée directement par cette tragédie; mais, les détails lui manquant et s'étant vue incapable de les soutirer du malheureux héros ou de ses relations, la feuille de chou s'était contentée de lancer ses lecteurs sur la piste, quitte à tirer eux-mêmes leurs propres conclusions.

Moins de vingt-quatre heures après l'annonce de la nouvelle, Bobby avait décidé que si le passif de la publicité en première page était mesuré par rapport à l'actif qui en découlait, son compte avec la renommée se trouverait déjà largement déficitaire. Il lui parut évident que toute nouvelle vedette de l'actualité avait intérêt à faire montre de discrétion. Des quémandeurs de tout plumage le harcelaient de lettres : demandes d'aide à des causes soi-disant philanthropiques allant de fondations pour assurer la bonne entente entre nations jusqu'aux entreprises altruistes les plus farfelues pour la protection des rouges-gorges maltraités. Il reçut une montagne de poèmes maison proclamant ses mérites, d'hymnes attendrissants chantant sa gloire dans l'espoir qu'il en assume lui-même les frais de publication, de lettres d'amour à l'eau de rose, dont plusieurs accompagnées de photos. Il fut assailli d'invitations à prendre la parole à des déjeuners. Il devint un fugitif, courant d'un refuge à l'autre.

Même à Windymere où il chercha à s'isoler pour un week-end, peu après le début des hostilités, il fut exaspéré de trouver un jour son grand-père accueillant avec fierté et ce qui était pour lui de la volubilité, une jeune femme vêtue d'un tailleur sévère qui cherchait à découvrir des détails personnels sur l'enfance de Bobby en vue d'agrémenter un article de magazine.

« Ah... Robert, quelle surprise de te voir, s'exclama le vieux Nicholas. Nous parlions justement de toi. Cette jeune femme... »

« Oui je vois, avait répondu Bobby d'un ton glacial. J'ose croire qu'elle nous excusera si nous changeons de sujet. »

« Certainement pas », répondit la visiteuse en riant nerveusement.

Nicholas sembla dépassé par la situation jusqu'à ce que Bobby vienne à son secours en appelant Meggs.

« Dites à Stephen de conduire madame à la gare, Meggs. Elle tient absolument à prendre le train de seize heures seize.

* * *

Et quant à ses collègues médecins, leur gratitude et leurs chaleureuses félicitations avaient causé beaucoup de plaisir à Bobby. Chaque jour lui apportait des éloges impressionnants de célébrités dans sa propre spécialité, le remerciant de la façon généreuse dont il avait immédiatement fait connaître sa découverte à ses confrères; des lettres provenaient de tous les coins civilisés de la planète.

Après quelque temps, sa renommée soudaine se stabilisa et il se risqua à sortir de sa retraite pour reprendre ses activités et sorties normales. Il n'était pas encore habitué toutefois aux regards, chuchotements et remarques qui accompagnaient chacune de ses apparitions en public; mais, constatant qu'il ne pouvait continuer à jouer à cache-cache comme un homme poursuivi, il masqua sa timidité du mieux qu'il pût et accepta sa punition avec un air nonchalant. Aujourd'hui, il s'était même risqué à se rendre à l'église.

* * *

Le docteur McLaren avait prêché un savant sermon devant un large auditoire de personnes élégantes — dont au moins la moitié avait moins de quarante ans — sur un sujet qui, il l'espérait, intéresserait vivement son invité de marque.

En fait, les réactions du docteur Merrick au sermon avaient tenu une si large place dans les préoccupations du populaire jeune pasteur, au moment de préparer son discours, qu'il avait eu du mal à résister à la tentation d'utiliser des termes scientifiques dépassant de beaucoup la compétence de ses ouailles; bien que, comparée à celle des paroissiens moyens, leur capacité intellectuelle ait certes mérité un A-plus, ce qu'ils étaient les premiers à admettre. Grace Church était pleinement consciente de son esprit résolument moderne.

« Vraiment la plus progressiste, sinon la seule église progressiste de la ville. » Voilà ce que madame Sealback avait déclaré pour appuyer sa suggestion : le docteur McLaren, dit-elle, était la personne la mieux qualifiée pour implorer les bénédictions du ciel sur la session du congrès social où l'on se proposait de discuter du contrôle des naissances.

« À quel point de vue ? » avait demandé sèchement la présidente du congrès social, madame Cordelia Kunz de Grand Rapids, en tapant sur ses notes avec une mignonne petite lorgnette. « Progressiste sur les questions économiques, les problèmes sociaux, les aspects politiques ou se présentant simplement comme le dernier bastion de l'orthodoxie ? »

Madame Sealback, un peu décontenancée et passablement irritée, avait répliqué qu'elle n'était pas très sûre de savoir exactement jusqu'où ni dans quelle direction Grace Church était un précurseur de la liberté; elle fit claquer son sac plusieurs fois avec un grand bruit, pour souligner qu'elle n'était vraiment pas intéressée à poursuivre la discussion plus avant — inconsciente du fait que sa brusque consoeur de l'intérieur de l'État, qui aimait tant brandir le marteau de la présidence, avait en effet touché là à un sujet brûlant.

Comprenant qu'il devait quand même prendre certaines précautions, le docteur McLaren avait opéré quelques substitutions de dernière minute à quelques termes un peu trop savants dont il craignait qu'ils ne dépassent ses paroissiens. Mais même avec ces changements consentis à contrecoeur, dans le but de rendre son sermon plus clair, celui-ci ressemblait au discours d'un homme de science à un autre et les fidèles qui l'écoutèrent furent à la fois flattés et un peu déroutés par son incompréhensibilité charmante. Eux aussi, tout en étant extrêmement fiers de leur jeune et sage pasteur, se demandaient ce que le docteur Merrick en pensait.

Leur fierté était tout à fait justifiée. Le révérend Bruce McLaren, Ph. D., n'était pas de ces poseurs intellectuels ou de ces pompeux débiteurs de sottises, dévorés de la passion des grands mots et du désir de se faire une réputation de savant. Il avait de solides connaissances et le sermon ce matin-là le prouvait.

Le diacre Chester, serrant chaleureusement la main de son pasteur, s'écria au milieu de la confusion criarde entourant la fin de l'office : « Je devine qu'il s'agit là du sermon le plus profond jamais prononcé à Grace Church ! » L'énoncé était tout à fait juste; et le mot « deviner », utilisé dans ce contexte, n'était pas qu'une simple expression familière. Monsieur Chester eut-il été un puriste — il était un prospère boulanger fabriquant des biscuits à la tonne et il ne se gênait pas pour dire qu'il avait quitté l'école à treize ans — il n'aurait pu choisir un mot plus méticuleusement adapté que « deviner » pour désigner sa propre capacité d'évaluer la somme d'érudition contenue dans cette homélie. Si l'on eût exposé une plaque photographique sur les connaissances de Chester sur le sujet traité par le docteur

McLaren, on n'aurait eu ensuite aucune difficulté à l'utiliser à nouveau, presque intacte, pour d'autres fins.

* * *

La chaude amitié qui s'était créée entre le docteur McLaren et le docteur Merrick remontait à une froide soirée de mars où le mince prédicateur aux cheveux roux avait été amené à Brightwood, inconscient, la respiration stertoreuse, avec un vilain et dangereux coup sur le temporal droit squameux. Il était couvert de boue, ensanglanté, inerte. Le pronostic n'était pas très bon ce soir-là et le seul répit que le docteur Merrick s'accorda, entre le moment où il termina l'intervention nécessaire, à vingt et une heures et le lendemain matin à sept heures, avait consisté à faire les cent pas dans le couloir devant la porte de son important patient, fumant nerveusement cigarettes sur cigarettes et acceptant distraitement les sandwiches et le verre de lait qu'une infirmière lui apporta vers trois heures.

Dès le premier instant, McLaren avait plu à Bobby : il avait apprécié la taille et la force de son corps tandis qu'il reposait sur la table d'opérations, menant inconsciemment une vaillante lutte pour sa vie; il avait aimé la forme de son vaste front, la découpe de ses oreilles, le trou dans son menton, la fermeté de son avant-bras droit qui révélait un bon joueur de tennis, la texture de sa peau, la courbe elliptique de son pouce. Tous ces détails avaient une signification. Le docteur Merrick aurait pu, s'il en avait été prié, écrire un essai de deux mille mots sur le caractère du docteur McLaren avant même de lui avoir adressé la parole.

Et le lendemain, son patient lui avait plu pour le sang-froid dont il avait fait preuve lorsque, en reprenant conscience pour la première fois et en devinant où il était, il avait d'abord examiné la situation d'un coup d'oeil puis, considérant apparemment que cela faisait partie du train-train quotidien, il s'était aussitôt rendormi, à la suggestion de l'infirmière, sans même se donner la peine de poser des questions. Il avait plu davantage à Bobby, quelques jours plus tard, pour sa capacité vraiment hors pair d'endurer la douleur — et cela ne manquait pas — sans broncher ni rouspéter. Et finalement, Bobby avait aimé l'état d'esprit du docteur McLaren lorsque, une semaine après l'accident, il avait parlé calmement et sans rancoeur aucune de l'ivrogne sans le sou qui l'avait renversé dans une zone protégée pour piétons.

« Il est déjà bien assez malheureux comme ça », avait remarqué McLaren de sa chaude voix de basse, adoucie d'un grasseyement hérité de ses ancêtres écossais. « De toute façon, je ne vais pas pousser l'affaire plus loin, ni me rendre misérable en ruminant sur le sujet. »

« Voilà une attitude tout à fait raisonnable », avait approuvé Merrick, en se promettant de revoir fréquemment cet homme lorsqu'il irait mieux et porterait autre chose qu'une blouse d'hôpital. Il n'avait jamais eu l'occasion de côtoyer un ministre du culte auparavant. Il n'avait qu'une vague opinion du clergé, basée sur des caricatures, des articles acerbes de chroniqueurs en mal de copie et des satires dirigées vers la profession à la scène ou à l'écran. Récemment, il avait feuilleté avec quelque dédain un roman méprisant où l'on vilipendait les hommes du métier. Sans nourrir, et certainement pas consciemment, de réelle antipathie pour eux, il n'en pensait pas moins, comme tous les gens qui ne fréquentent pas l'église semble-t-il, que les prêtres n'étaient, pour employer un euphémisme, qu'une bande de cruches.

Chaque jour, le jeune chirurgien se sentait de plus en plus attiré par son patient; il appréciait ses remarques amusantes à des moments où cela ne lui était sans doute pas facile de plaisanter; il admirait l'habileté avec laquelle il esquivait les railleries amicales des médecins et des infirmières — des taquineries qu'il s'attirait lui-même par son humour de pince-sans-rire. Presque tout le personnel de Brightwood lui rendit visite à un moment ou l'autre durant sa convalescence; et de l'opinion unanime, on le considérait comme un bonhomme formidable.

Et madame McLaren elle-même, avec ses yeux bruns et ses fossettes, n'avait pas échappé à l'affection de la maisonnée de Brightwood; une demi-heure après l'arrivée de son mari à l'hôpital, elle était à ses côtés, pleine d'angoisse mais admirablement calme. On lui avait dit au téléphone que le docteur McLaren était grièvement blessé, en lui demandant de venir immédiatement. Et quand elle se présenta, il n'y eut pas d'hystérie... Le docteur McLaren se rétablirait-il ? On ne pouvait pas se prononcer; il était encore trop tôt... Il était très très gravement atteint... En la voyant encaisser le coup sans broncher, ils ne purent qu'admirer son courage. On l'invita à passer la nuit à l'hôpital et on la mit au courant de l'état de son mari sous tous ses aspects — aussi bien les bons que les mauvais.

Madame McLaren bénéficia dès le début d'un traitement de faveur à Brightwood. Le lendemain midi, quand le docteur Merrick lui apprit que son mari réagissait de façon très encourageante à son choc et avait au moins cinquante pour cent des chances de s'en tirer, elle ne fit pas de scène; il y eut un rapide battement de paupières, un bref soupir de soulagement, un soupire mouillé et ce fut tout. Elle avait une parfaite maîtrise d'elle-même et elle plut à Bobby à cause de cela. Il aimait bien la savoir là. Parfois, quand son mari dormait, elle faisait la lecture aux autres convalescents et à diverses reprises, elle avait été d'un grand secours à des familles en émois, qui attendaient qu'un être cher sorte de la salle d'opérations. Un jour, le docteur Pyle l'invita même à assister à « une opération vraiment très intéressante », mais, lorsqu'une petite scie se mit à faire d'étranges bruits qui lui chamboulèrent l'estomac, elle se retira rapidement. De l'avis unanime du personnel de Brightwood, les McLaren étaient merveilleux.

* * *

Un après-midi, alors que le docteur Merrick lui rendait visite à sa chambre, non pas dans un but professionnel mais plutôt dans l'espoir d'entendre quelques nouvelles histoires écossaises, le révérend Bruce lui dit : « Mon très cher, je vais bientôt recevoir mon congé, et je m'inquiète un peu de ma facture. Je n'ai que de minces revenus, et mon solde à la banque, si j'en ai un, vous ferait certainement sourire. Naturellement, je sais à combien s'élève la note de l'hôpital et je peux m'arranger pour la payer. Mais j'ai craint jusqu'ici de m'informer de vos honoraires de peur que le choc soit trop fort pour moi. Parlant des Écossais, combien allez-vous me demander ? »

« Eh bien, je vais vous faire une proposition. Vous m'avez donné l'occasion de réparer votre tête; je vais vous fournir l'occasion de faire quelque chose pour mon âme et puis nous serons quittes. Ce sera un échange. Qu'est-ce que vous dites de cela ? »

« C'est très généreux, gronda McLaren, d'un ton au moins trois notes plus graves qu'une voix de basse. Aussitôt que je serai de nouveau dans la course, je vais m'attendre à vous voir à mon église. »

« Oh, faut-il que je me rende à votre église pour ce traitement ? »

« Mais je suis bien venu à votre hôpital, moi, pour le mien, non ? »

« Vous gagnez ! dit Bobby, acceptant la défaite. Comptez sur moi ! »

* * *

Conformément à sa promesse, Bobby s'était donc rendu à la Grace Church, en cette belle matinée de mai, après avoir prévenu les McLaren de sa visite et accepté leur invitation de retourner à leur appartement avec eux après, pour le lunch. Betty McLaren, ravie de pouvoir le présenter à plusieurs de leurs amis et fière de la performance de Bruce en chaire, était rayonnante... Le docteur Merrick désirait-il deux carrés de sucre ou trois; crème ou citron; et n'avait-il pas été étonné du grand nombre de jeunes à l'office, ce matin ?... Le docteur Merrick ne prenait qu'un seul carré de sucre; ni crème ni citron; et y avait-il lieu de s'étonner que les jeunes aillent à l'église ?

« Oh ! tout à fait, répliqua le docteur McLaren en servant une portion d'une délicieuse omelette à son invité. C'est là une grande source de satisfaction pour nous ! Vous savez, les étudiants, les jeunes qui ont une profession ou sont dans les affaires ont dépassé le stade des anciennes traditions et recherchent maintenant, comment dire, une approche plus intellectuelle de la religion. C'est ce que nous avons essayé de leur donner. »

« Je l'ai remarqué, fit Bobby. Votre sermon était très savant et ils l'ont apprécié, j'en suis certain. »

« Eh bien, docteur, si vous n'avez pas d'objection à être tout à fait franc avec moi, dites-moi ce que vous en avez pensé au juste, en tant qu'homme de science ? »

« Oh, je ne suis pas vraiment un homme de science, vous savez; un chirurgien n'a pas besoin de l'être; il suffit qu'il soit un bon mécanicien. »

Betty McLaren protesta avec un large sourire.

« Allons, docteur Merrick ! Quelle idée ! Vous, pas un homme de science ? Nous serions plutôt d'avis contraire ! »

« Quoi qu'il en soit, vous avez une attitude et une approche scientifiques, insista McLaren. Vous avez peut-être remarqué que je me suis efforcé d'éviter les vieux clichés de la théologie. »

« Je crois bien qu'il me serait impossible de les reconnaître, confessa Bobby. Mais qu'y a-t-il à reprocher à la vieille terminologie ? »

« Dépassée ! Trompeuse ! Nous devons créer un nouveau vocabulaire pour la religion afin de la mettre sur le même pied que les autres sujets intéressants. Nous devons la présenter en termes modernes. Vous n'êtes pas de mon avis ? » Le docteur McLaren recherchait vivement l'approbation de son invité.

« Peut-être, admit Bobby timidement. Je ne sais vraiment pas. Les gens apprendraient-ils plus de choses sur la religion si on désignait autrement tous les sujets qui la concernent ? Je n'en suis pas sûr. Il me revient tout à coup, en cherchant un point de comparaison pour établir un parallèle, que le mot « électricité » vient du grec *êlektron,* qui veut dire « ambre jaune ». Tout ce que les anciens savaient de l'électricité était que si on frottait un morceau d'ambre avec de la soie, il pouvait soulever une plume. Maintenant qu'on l'a développée au point qu'on peut même soulever une locomotive, le mot électricité signifie toujours ambre; on ne s'est jamais donné la peine d'en changer le nom. On a peut-être pensé que c'était plus agréable de le garder; mais fort probablement, on n'y a tout simplement jamais pensé du tout, trop occupés qu'on était à l'utiliser, j'imagine. »

« Hum ! C'est un nouveau concept. Vous pensez donc que la phraséologie de la religion n'a pas beaucoup d'importance ? »

« Pas pour moi en tout cas », répliqua Bobby tout en espérant ne pas s'être objecté trop vivement à la théorie préférée de son hôte.

« Eh bien, il semble exister une demande pour une interprétation plus adaptée de la théologie. Nous tentons d'être un peu moins dogmatiques et un peu plus honnêtes dans nos assertions. Par exemple, je crois qu'il est infiniment préférable de dire franchement que Dieu est une hypothèse que d'essayer de présenter des preuves qui s'affaissent sous leur propre poids. »

Bobby ne répondit pas immédiatement et les deux McLaren l'observaient en silence du coin de l'oeil. Il devait sûrement croire au moins en une divinité comme hypothèse !... Il vit qu'ils attendaient sa réponse.

« Je crains fort de ne pas accepter cela », finit-il par dire, un peu gêné.

« Oh, docteur Merrick, gronda Betty, déçue. Voulez-vous dire que vous ne croyez pas en Dieu du tout ? »

« Je veux dire que je ne pense pas à Dieu comme à une hypothèse. »

« Mais mon cher ami, s'exclama McLaren, nous n'avons réellement aucune preuve solide, vous savez ! »

« Vous n'en avez pas ? demanda Bobby calmement. J'en ai, moi. »

Les deux membres de la famille McLaren posèrent simultanément leurs fourchettes sur le bord de leur assiette.

« Euh... qu'entendez-vous par 'preuves' ? » s'enquit son hôte.

* * *

Bobby souhaita avoir tout simplement acquiescé d'un sourire aux théories du pasteur; il n'aimait pas particulièrement la controverse et eût-il été doué pour la discussion, l'endroit ne s'y prêtait pas. De plus, il savait qu'il n'était pas en mesure d'expliquer ce qu'il appelait ses preuves. Il admit gauchement que ce que lui considérait comme une preuve suffisante de l'existence de Dieu pourrait très bien ne satisfaire personne d'autre que lui. Dans son for intérieur, il souhaitait voir la conversation s'engager bientôt sur un sujet plus neutre.

« Vous discutez probablement à partir de preuves des causes finales, suggéra McLaren de façon très livresque.

« Oh, probablement », dit Bobby avec un geste pour mettre fin à la discussion.

« Toute la question de la religion institutionnalisée demande à être réévaluée. » McLaren résumait d'un ton très didactique. « Je suis épouvanté de penser à ce que sera l'avenir de l'Église lorsque toutes les personnes qui sont actuellement dans la cinquantaine seront six pieds sous terre ! La génération montante, les adolescents d'aujourd'hui en d'autres termes, ne se soucie pas le moindrement de la religion organisée. J'oserais dire qu'instinctivement ils sont assez religieux, mais qu'ils ne s'intéressent pas du tout aux différentes sectes. Ils en ont assez de les voir se prendre à la gorge sur des sujets où une opinion en vaut une autre, et où, quel que soit celui qui a raison, on ne peut rien promettre sur les conséquences, soit dans la doctrine, soit dans la conduite. »

« C'est si sérieux que ça ? fit Bobby. Je ne savais pas que les églises perdaient du terrain à ce point. Il semble y en avoir tellement. »

« Oui, beaucoup trop, grommela McLaren, beaucoup trop, et du mauvais genre !... Tenez, prenez un sujet aussi important que la nature et la mission du fondateur même du christianisme. Pour contribuer à nous donner une meilleure perception de Dieu, il faudrait un Christ avec une personnalité qui soit confrontée à des problèmes semblables aux nôtres, et qui les règle avec des connaissances et des moyens auxquels nous avons accès nous aussi; à défaut de quoi, il ne peut pas nous servir d'exemple du tout.

« Mais nous avons à faire à une majorité d'Églises qui tentent de nous intéresser à lui parce qu'il est né de façon surnaturelle, ce qui n'est pas mon cas; parce qu'il a changé l'eau en vin, ce que je ne peux pas faire; parce qu'il a payé ses impôts avec de l'argent trouvé dans la bouche d'un poisson, ce que — malgré toute mon ingéniosité écossaise — je ne peux pas faire; parce qu'il a apaisé une tempête d'un seul mot et d'un seul geste, alors que moi je dois écoper mon bateau; parce qu'il a ressuscité son ami, mort depuis quatre jours, alors que moi je dois me contenter de planter un rosier sur sa tombe et considérer que l'incident est clos ! Ce que nous voulons, c'est un Christ dont l'utilité à nous servir de guide vers Dieu reposerait non pas sur nos dissemblances mais sur nos ressemblances !

« Notre église tente d'offrir un Christ qui ne soit pas un simple prestidigitateur — un magicien qui nourrit une multitude avec le panier à lunch d'un gosse — mais un grand prophète et un ami compréhensif ! Ne croyez-vous pas qu'il soit possible pour un homme d'acquiescer à tout cela tout en restant un bon scientifique ? »

Bobby accepta du feu de la main de son hôtesse et hocha la tête lentement.

« Je sais très peu de choses sur le conflit entre l'évaluation traditionnelle du Christ et les théories les plus récentes. En considérant le tout de façon superficielle, je serais porté à dire qu'aucun de ces systèmes n'a d'attraits réels pour notre époque. Est-ce que l'école moderne ne se contente pas de substituer une nouvelle métaphysique à l'ancienne ? Notre génération pense uniquement en termes de pouvoir, d'énergie, de dynamique, du type qu'on voit non pas dans un livre, mais sur un cadran ! Pourquoi ne pas concéder la réalité d'une aide au-delà des normes, disponible sous certaines conditions, et encourager les gens à essayer de l'obtenir ? »

« Ça semble laisser entendre que vous croyez à la prière, docteur Merrick », fit Betty d'une voix un peu triste.

« Parlez-vous du geste qui consiste à se mettre à genoux dans l'espoir d'obtenir quelque chose ? »

« Oh, il s'agit de plus que cela !... C'est demander à Dieu de vous le donner ! »

« Eh bien, ça dépend de votre crédit. »

« D'accord », acquiesça McLaren.

« Je crains de ne pas très bien comprendre », fit Betty.

« Eh bien, il veut dire qu'à moins de vivre en conformité avec ses plus hauts idéaux, ce n'est pas la peine de quémander l'approbation ni l'aide de Dieu, c'est assez évident. »

« Non, dit Bobby. Ce n'est pas ce que j'ai voulu dire. Si cela vous intéresse, je vais vous raconter une histoire. »

* * *

Pendant les deux heures qui suivirent — ils s'étaient installés dans la bibliothèque, après que Bobby eût laissé entendre qu'ils étaient piégés pour un bon moment — les McLaren osèrent à peine en croire leurs oreilles.

Désireux de leur faire part de toutes les étapes de son cheminement spirituel, dans l'ordre exact où elles s'étaient produites, il fit commencer son récit au studio de Randolph. Avançant précautionneusement, attentif à ne rien dévoiler de ses propres actions pour se conformer à la théorie du Galiléen sur l'utilisation de la prière, il leur présenta les faits en un exposé calme et froid.

Il termina comme il avait commencé. Il pouvait difficilement s'attendre à ce qu'ils le croient, dit-il : lui-même ne l'avait pas cru; avait été rebuté par cela; en avait été choqué intellectuellement; s'était révolté violemment contre cela; mais voilà, c'était ainsi !

McLaren réagit humblement. « Devant de telles possibilités extraordinaires, tout mon programme de prédication semble n'avoir plus aucune valeur ! Mais enfin, nous avons tenté d'enseigner la religion sans... sans savoir de quoi il retournait. »

« Oh ! je n'irais pas aussi loin que cela ! le consola Bobby. Vous avez incité les gens à faire le point sur leur propre vie. Ils ne peuvent pas s'empêcher d'être meilleurs pour chaque réflexion sérieuse que vous leur avez apportée sur la vie et le devoir. Il s'agit là d'éthique et c'est certainement très important. Ce dont je vous ai parlé n'entre pas dans le domaine de l'éthique; ça fait plutôt partie de la science. Nous nous sommes efforcés de construire des appareils et de la machinerie fonctionnant sur l'énergie fournie par la vapeur, l'électricité ou le soleil; mais nous ne nous sommes pas rendu compte à quel point la personnalité humaine peut être rendue aussi réceptive au pouvoir de notre Grande Personnalité. »

« Aujourd'hui, j'ai l'impression de n'avoir jamais rien fait, absolument rien », fit McLaren.

« Mais pas du tout ! En éliminant les vieilles superstitions, les vieilles choses sans importance, vous avez accompli un travail hautement nécessaire. Ça n'est pas du travail perdu, vous pouvez en être assuré ! Seulement, pendant que je vous écoutais ce matin, je n'ai pas pu m'empêcher de souhaiter que cette nouvelle interprétation de la religion que vous êtes si merveilleusement doué pour offrir, pourrait pousser plus loin et montrer jusqu'à quel point la religion est profondément scientifique. Vous nous avez conseillé aujourd'hui d'accepter l'hypothèse de l'évolution. Vous avez dit — si je me rappelle bien — que nous pourrions expliquer tout ce que nous avons et tout ce que nous sommes avec cette théorie... Là, je ne vous suis pas. Peut-être nos corps proviennent-ils d'un type de vie préhominien. Peut-être toute la littérature romantique n'est-elle qu'une élaboration du désir animal de se reproduire soi-même. Peut-être nos cerveaux ne sont-ils qu'un raffinement des ganglions nerveux élémentaires, qui réagissaient automatiquement au besoin de manger et de s'abriter... Rien de cela n'a été prouvé. Vous paraissiez tellement plus sûr de cela, en chaire ce matin, que mon professeur de biologie ne l'était dans sa salle de cours... Mais même en acceptant le principe d'une évolution physique, la biologie ne peut fournir aucune explication de la personnalité humaine. Demandez au vieux bonhomme Harper comment il explique l'aspiration, le repentir, la quête de nos origines, l'inquiétude de l'avenir et il vous dira : ' Je ne suis pas théologien, monsieur ! Je suis biologiste ! ' »

« Et je suppose que vous voulez laisser entendre, dit McLaren avec un large sourire, que ma principale préoccupation devrait consister à expliquer l'aspiration, le repentir, le désir passionné de l'homme d'être un chaînon de l'humanité, et si quelqu'un me demande ce que je pense de la théorie de l'évolution, je devrais répondre : ' Je ne suis pas biologiste, monsieur ! Je suis théologien ! ' »

« Quelque chose comme ça », acquiesça Bobby.

Après un long moment de silence, McLaren ajouta : « Je me demande si nous, modernistes, ne nous trouvons pas dans la même situation que Moïse qui a eu assez d'audace pour libérer les esclaves de leurs chaînes, mais n'a pas eu assez d'ingéniosité pour les conduire vers un pays capable de les faire vivre. Nous les avons émancipés; mais ils errent encore dans la jungle, insatisfaits, affamés, faisant des incursions occasionnelles dans le paganisme, tentant des expériences avec toutes sortes de cultes excentriques, aspirant à quelque équivalent naturel pour les superstitions qu'ils ont répudiées et souhaitant même parfois être de retour dans leurs anciens carcans. »

« Ça vaut le coup de les avoir sortis de là, fit Bobby. Et ça devrait être aussi intéressant de les mener plus loin. Ils ne doivent pas reculer, mais ils le feront, si personne ne les dirige vers quelque chose de plus attirant que la jungle où ils se trouvent, d'après vous. »

* * *

Quand Bobby les quitta, à seize heures, McLaren l'accompagna jusqu'au gros coupé garé près de la maison.

« Merrick, demanda-t-il plutôt gêné, serait-ce trop vous demander de revenir à mon église, dimanche prochain ? J'aurai quelque chose d'un peu plus constructif à offrir et j'aimerais connaître votre réaction. »

« Je le ferais volontiers, mais je serai en pleine mer. Je m'embarque samedi pour la France, en route pour Vienne où je vais rendre visite à un collègue. Je me ferai un plaisir d'y aller à mon retour. »

Il tourna la clé et le puissant moteur ronronna aussitôt.

McLaren le retint par la main.

« Merrick, un instant... Nous, modernistes, avons tenté de montrer comment la religion n'est pas en contradiction avec la science. Ce que nous devons faire maintenant, c'est de montrer comme la religion elle-même *est une science*. C'est bien ça que vous voulez dire ? »

« Exactement ! Rien de moins ni rien d'autre que ça ! Vous l'avez ! Je vous souhaite bonne chance ! Je vous reverrai en septembre ! »

XIX

Maxine Merrick, dans son appartement surchargé de meubles de style, situé boulevard Hausmann, non loin de l'Étoile, servait le café dans sa petite salle à manger inondée de soleil; de temps à autre, elle lançait des regards timides vers son invité de marque, ayant quelque peine à se persuader qu'il s'agissait bien là de son fils.

La bouche de Bobby n'était plus tout à fait la même. Maxine, peu douée pour l'analyse des caractères, était bien incapable de définir le changement; cependant quelque instinct assoupi lui disait qu'il n'était pas uniquement fonctionnel mais plutôt organique, structural.

Ce n'était pas une bouche austère, ni pessimiste; mais elle n'affichait plus le désenchantement de l'adolescence. Cette bouche nouvelle ne menaçait plus, n'attendait ni ne demandait même plus : elle acceptait. Elle n'avait rien de la morgue suffisante découlant d'une intime conviction de sa propre infaillibilité; rien non plus de la protubérance arrogante de l'autorité au repos; mais elle semblait ne plus se préoccuper que des faits et avoir même appris à être très circonspect à leur sujet. S'ils s'étaient avérés être des faits, cette bouche les acceptait : que les faits soient aussi clairs qu'un ciel de mai ou aussi hideux qu'un péché.

Ses yeux aussi étaient quelque peu différents. Ils semblaient plus profondément enfoncés dans leur orbite, non pas tant pour avoir tressailli que pour s'être refusé à voir des scènes trouvées désagréables; des yeux ayant de l'expérience, accoutumés à la vue de la souffrance mais non sans en avoir chèrement payé le prix eux-mêmes. Ni tristesse, ni lassitude dans ces yeux, mais on sentait qu'ils en avaient tellement vu qu'ils ne s'écarquilleraient pas facilement de surprise. Ces yeux ne défiaient pas cyniquement qu'on les étonne, mais on sentait que nul geste, nulle parole ne réussiraient jamais plus à les faire ciller de stupeur.

Et jusqu'à ses mains, où se remarquait une différence; les mêmes doigts, longs et minces d'un artiste, mais ils avaient cessé de tenter d'atteindre les choses. Ses mains avaient acquis une sûreté, une assurance, une confiance, acquises pour rien moins qu'une expérience honnête, sans relâche, judicieuse de la manipulation des faits, même s'ils étaient repoussants à l'extrême.

Bref, c'était là la bouche, les yeux et les mains d'un chirurgien.

La décision de Bobby de se lancer dans une profession n'avait pas réussi à impressionner favorablement Maxine.

Sa résolution l'avait laissée froide si ce n'est qu'elle lui inspirait le sentiment — exprimé tardivement et avec quelque mauvaise humeur — qu'il se créait là un esclavage inutile. À la fin de ses études médicales, elle s'était bornée à lui dire que, maintenant qu'il en avait terminé avec l'école, elle osait croire qu'il pourrait enfin venir passer l'été avec elle. Plus tard, quand il s'était installé dans le train-train d'une profession n'exigeant rien de moins qu'un dévouement presque monacal, elle confia à ses intimes à quel point c'était injuste qu'il consacre sa vie à des étrangers alors que sa propre mère, veuve et seule, avait si désespérément besoin de sa présence. Ses rares missives, rédigées à l'encre rouge avec de grosses lettres étalées, débordaient d'apitoiement sur son propre sort et d'acerbes accusations d'indifférence; mais elle était toujours aussi active et rarement seule sauf dans son lit.

Quand toutefois quelqu'un porta à son attention — elle-même ne lisait jamais ni journaux ni revues — qu'un jeune docteur Merrick de Détroit — se pouvait-il que ce soit son Bobby — était devenu célèbre suite à l'invention d'un instrument chirurgical extraordinaire, sa fierté ne connut plus de bornes. Se rendant compte soudainement qu'elle l'avait offert en sacrifice, il y avait des années de cela, sur l'autel du service humanitaire, et qu'elle avait attendu tout ce temps dans l'espoir du jour où son renoncement désintéressé à ses prétentions maternelles serait enfin reconnu publiquement, Maxine s'était hâtée de récolter les hommages dûs à son vaillant martyre, enduré sans un mot, invitant tous et chacun à contempler le bûcher où elle s'était consumée tout au long de ces jours interminables où son espoir et sa confiance avaient été soumis à rude épreuve.

Pendant une semaine, elle avait fait le tour de ses connaissances, acceptant avec des larmes de joie leurs félicitations, gloussées d'une voix aiguë, puis elle avait câblé un message doucereusement sentimental à son fils, où elle remerciait le ciel avec ferveur d'avoir enfin permis la réalisation de ses rêves les plus chers, message qui lui coûta la modique somme de quatre cent quinze francs.

Ce matin, Maxime n'accusait que dix ans de moins que son âge, mais s'en sentait beaucoup plus près qu'il n'y paraissait. Ne s'épargnant aucun effort, elle avait organisé le brillant déjeuner qu'elle offrait aujourd'hui à quatorze heures, alors que Bobby serait triomphalement exhibé à une brochette d'une demi-douzaine de jeunes femmes — la plupart des Américaines en exil volontaire à Paris qui avaient soit enterré, dépassé ou usé leur famille — et autant de vieux beaux à la mode, avec des moustaches grises et une haleine fleurant le gin. Elle avait déclaré sans ambages qu'ils étaient extraordinairement privilégiés de cette invitation à rencontrer son enfant prodige, tout en espérant en elle-même qu'il soit devenu suffisamment mûr pour être à la hauteur du prestige qui l'entourait. Il ne lui était jamais venu à l'esprit qu'il pût se présenter à elle avec ce genre de bouche, ces yeux, ces mains qui semblaient l'accuser de n'avoir pas un jour de moins que cinquante-six ans.

Accoutumée qu'elle était à jouer des rôles à pied levé et inspirée par ses propres caprices changeants, elle décida de faire face à cette occasion bizarre sur son propre terrain. Elle s'amuserait à être la mère d'un lion, même si le fait que le lion n'était plus un petit l'obligerait à être un peu moins chatte que d'habitude. Elle s'offrait le luxe d'une répétition générale de son nouveau rôle, ce matin, et se conduisait presque en mère de famille.

« Tu vas les adorer, Bobby !... Qu'est-ce qu'ils sont gentils !... Et Bobby... » Elle leva le doigt, en signe de menace, et le secoua avec un air de mystère. « J'ai demandé à mon adorable Patricia Livingstone de venir avec sa mère. Nous avons tellement hâte de vous voir ensemble tous les deux. Tu vas en être ébloui ! »

Bobby eut un sourire aimable et dit qu'il se ferait un plaisir de les rencontrer tous, surtout une personne que sa mère qualifiait d'adorable. Il était clair qu'elle se préparait à cette occasion comme s'il se fût agi d'un couronnement, et il était résolu à lui faire plaisir. Dieu sait qu'il n'avait réussi à faire que fort peu de choses dans ce sens. Aujourd'hui, il compenserait pour tous ses manquements à être ce qu'elle souhaitait qu'il soit; il plongerait donc avec bonne humeur dans cette histoire qui, il en avait bien peur, ne ferait qu'asseoir plus solidement sa réputation d'idiot dans l'esprit de toutes les personnes intelligentes présentes.

Considérant que, dans les circonstances présentes, l'intention était l'équivalent du geste lui-même, il inscrivit plus tard la réception à son crédit; même s'il lui fut impossible d'y assister.

* * *

La décision de Bobby Merrick de demander un congé de quatre mois était basée apparemment sur une correspondance suivie avec le docteur Emil Arnstadt, de Vienne; celui-ci faisait depuis longtemps des recherches sur le projet de cautérisation de la coagulation, bien avant que l'invention de Merrick ne soit rendue publique. Il avait immédiatement demandé plus de détails sur le sujet et on les lui avait fournis avec rapidité et enthousiasme. Des liens très chaleureux s'étaient créés entre eux à la suite de cet échange, si bien que le voeu le plus ardent d'Arnstadt était que le docteur Merrick se rende à Vienne afin qu'ils puissent discuter plus longuement de leurs intérêts communs.

« Nous avons beaucoup à apporter l'un à l'autre, avait écrit Arnstadt. Il serait bon que nous puissions nous rencontrer. »

Un autre argument de poids dans sa décision, à part la fascinante invitation d'Arnstadt, avait été une lettre de Jack Dawson, le suppliant instamment de venir, à genoux presque.

« Ce n'est pas un mince honneur, je te l'assure, que d'être invité en consultation par Arnstadt ! Il faut que tu viennes ! C'est l'équivalent d'un ordre ! Tu dois venir par égards pour moi ! Tu dois te rendre compte que je ne me suis jamais senti à l'aise face à la façon dont je suis venu ici comme gagnant d'un prix que tu m'avais lancé dans les bras. Tu n'aurais pas dû le faire. Bien sûr, de la façon dont les choses se déroulent, tu as plus de réalisations à ton crédit que si tu avais fait cet examen au complet pour le vieil Appleton, et accepté les lauriers que tu méritais drôlement. Tu sais, je ne me suis jamais fait beaucoup d'illusions sur ma mention « très bien », ni sur ce prix. Tu me les as donnés parce que tu croyais que j'en avais besoin plus que toi. Je ne me suis jamais senti à l'aise à ce sujet. Mais maintenant que Arnstadt veut te faire cet honneur, ne refuse surtout pas. Je me sentirai beaucoup mieux, je peux te l'assurer ! »

Mais ces pressantes invitations à se rendre à Vienne n'étaient pas la véritable raison première qui avait poussé Bobby Merrick à décider de passer l'été en Europe. L'attrait véritable, il était prêt à l'admettre, était le fait que Helen Hudson escortait un petit groupe de touristes en Italie et en France. Il espérait la rencontrer. Elle le dérangeait dans son travail, l'empêchait de dormir, le rendait nerveux, distrait, égaré. Quelle que fût l'opinion qu'elle eût de lui, il devait la revoir, ne fût-ce que pour se défaire de l'image qu'il avait garder d'elle, humiliée et blessée de son imprudence involontaire, image qui le torturait. Il devait tenter une réconciliation quelconque. Il avait renoncé aux illusions dont il se berçait et il ne caressait plus l'idée de jamais pouvoir se réhabiliter à ses yeux; mais s'il pouvait la voir, qu'elle soit indignée, indifférente ou méprisante, peu lui importait, son voyage n'aurait pas été vain. Il devait se débarrasser de quelque façon de cette image qui le hantait : Helen blessée et humiliée.

Il s'était tenu au courant de ses déplacements par Joyce qui lui avait confié volontiers les circonstances entourant le départ soudain d'Helen le lendemain de cette exécrable soirée au théâtre. Il était évident que Joyce ne savait rien — et également évident qu'elle aurait bien voulu savoir — des raisons ayant incité sa jeune belle-mère à se rendre impulsivement à Brightwood, en cet après-midi d'hiver. Dans l'esprit de Joyce, il semblait y avoir un lien inévitable entre cette visite et le départ soudain d'Helen pour New York, tôt le lendemain, pour une course inexpliquée.

Joyce avait tenté par tous les moyens, sauf la torture, de découvrir ce que Bobby savait : elle s'était faite persistante, ingénieuse, désespérée; mais elle fut bien mal payée en retour des nouvelles qu'elle offrit comme appâts.

Pour quelles raisons exactes Helen Hudson désirait-elle du travail ou en avait-elle tant besoin qu'elle avait accepté un poste d'agent de réservations au bureau de l'agence de voyages Beamond et Grayson, Joyce n'arrivait pas à l'imaginer. Ça lui ressemblait si peu : elle détestait le train-train, elle n'avait pas l'habitude de prendre des ordres ni de travailler à heures fixes. Elle avait autant de sens pratique qu'un chat persan sur un coussin de satin.

Bobby avait dû écouter toute une litanie de discours de ce genre; étonné de sa propre patience, quoique, lorsqu'il était honnête avec lui-même, il admettait volontiers que si Joyce ne s'était pas montrée si volubile il aurait été bien obligé de tenter de la faire parler.

Il fut des plus reconnaissants de sa loquacité le jour où elle lui dit que Helen s'apprêtait à quitter le bureau de New York pour Cherbourg, à la tête d'un groupe de touristes.

Un après-midi, Nancy lui demanda avec sa franchise désarmante : « Joyce te dérange-t-elle, Bobby ? »

« Oh ! pas du tout ! » avait-il répliqué, se sentant un peu idiot.

« C'est bien ce que je pensais !... On vient juste de lui offrir un poste intéressant comme visiteur à domicile pour la Ligue de protection de la jeunesse. Je vais l'encourager à l'accepter. »

Dûment encouragée, Joyce accepta. Lors de sa première journée de travail à Brightwood, elle le coinça à cinq heures, alors qu'il s'apprêtait à quitter l'hôpital.

« Je crois bien que je ne te reverrai plus, fit-elle. Je pars, tu sais. »

« Mais c'est pourtant vrai, répliqua-t-il, comme s'il y pensait pour la première fois. Tu vas être occupée et tu sais à quel point je suis pris ici. J'espère vraiment que ton nouveau travail te plaira. Tu nous en donneras des nouvelles, Joyce. »

« Tu ne pourrais pas venir me rendre visite de temps à autre ? Je vais être terriblement seule. » Il était évident que c'était pénible pour elle de dire cela. Elle se forçait à le faire.

« Oh, je ne vais nulle part... Je vis en reclus... Ce travail est extrêmement exigeant. J'espère bien avoir plus de temps un de ces jours pour... »

Elle rit nerveusement, sans gaieté.

« N'en dis pas davantage, Bobby. C'est clair que tu ne veux pas... Au revoir ! Je ne te reverrai pas d'ici un bon bout de temps. »

Il prit sa main fraîche et réitéra ses voeux de succès. L'incident le laissa mal à l'aise. La situation avait été carrément embarrassante. Peut-être que si le vieux Tommy voulait se grouiller un peu, Joyce acccepterait de lui donner une autre chance. Ça valait la peine de s'en occuper.

* * *

Dès son arrivée à New York, en ce vendredi matin du 22 mai — il s'embarquait sur le *Majestic* le lendemain à seize heures — Bobby dénicha son vieil ami et fut sidéré du changement survenu chez lui. Tommy, en vêtements élimés, déprimé, mal rasé, avait vraiment mauvaise mine... Pas très étonnant que Joyce ait souhaité un travail autre que de s'occuper de lui à plein temps.

Ils lunchèrent ensemble et firent des efforts héroïques pour retrouver le ton de leur amitié de jadis, mais la tâche n'était pas facile. Trop d'eau avait coulé sous les ponts... Et Tommy en avait absorbé trop peu.

« Quelquefois » — Masterson cacha furtivement une manchette grise dans la manche de son veston et tenta d'arrêter le tremblement de sa cuillère — « quelquefois j'ai eu l'idée d'en finir. Si je n'étais pas si lâche, il y a longtemps que je l'aurais fait. »

Bon — il y avait enfin une proposition sur la table et Bobby décida d'en discuter. Masterson était du type artiste qui a besoin de beaucoup d'encouragement et d'adulation. Mais il ne fallait pas trop insister. Tommy avait toujours eu une capacité quasi infinie d'absorber la gloire, les louanges, les compliments. Sans aucun doute, Joyce aurait pu garder son homme dans le droit chemin si elle lui avait dispensé un peu plus largement ses rations nécessaires de ce nectar. Eh bien, il était grandement temps qu'on lui en serve un peu. Bobby lui servit donc une généreuse portion d'appréciation toute la journée et quand il le quitta à minuit, il en était délicieusement grisé — grisé comme il ne l'avait jamais été avec le whisky. Il allait se remonter et leur montrer, devant l'Éternel, qu'il avait ce qu'il fallait ! Il avait été déprimé, momentanément mais — ainsi que Bobby l'avait dit — c'était une chose naturelle chez un homme doué d'une imagination créatrice aussi sensible. Et puis, il buvait trop; mais il pouvait s'arrêter. Il s'arrêterait ! Et il en donnait sa parole ! Il en avait assez de se faire marcher dessus !... Et ainsi de suite...

Avant de se retirer, Bobby envoya un télégramme à Nancy.

PRÉSENCE DE JOYCE REQUISE DE TOUTE URGENCE À NEW YORK STOP TOMMY ROMPT TOUS LIENS AVEC M. LÈVE-LE-COUDE STOP REMPLI DE REGAIN D'AMBITION STOP EXIGE REPAS RÉGULIERS ENCOURAGEMENTS PRÉSENCE STOP CONSEILLEZ-LUI DE L'AIDER À SE REPRENDRE STOP PRÉSENTEZ-LUI CELA COMME SERVICE SOCIAL IMPORTANT STOP ELLE TRAVAILLERA DANS L'INTÉRÊT DE LA PROTECTION DE LA JEUNESSE

STOP INUTILE LUI DIRE CELA STOP AFFECTUEUSEMENT MONSIEUR RÉPARETOUT PS ET ESPÉRONS AVOIR PLUS DE CHANCE QUE D'HABITUDE DANS L'ORGANISATION DES AFFAIRES DES AUTRES RM

Le dimanche après-midi, il fut dérangé dans sa sieste sur le pont par le steward qui lui apportait un radiogramme. Il eut un sourire de contentement en le lisant:

JOYCE PARTIE POUR NEW YORK À MIDI

* * *

« Patricia peint merveilleusement », continua Maxine, en lui passant sa tasse de café.

« Ah, vraiment ? »

« Des batiks. »

Bobby regarda distraitement les manchettes du jour du journal *Le Matin* posé près de lui.

« Des nouvelles intéressantes ? »

« Non... Mais qu'est-ce que c'est ?... Sept Américains blessés dans un accident de chemin de fer près de... *Oh ! mon Dieu !* »

Il sortit de la pièce en courant et Maxine se précipita derrière lui : il appelait déjà un taxi au téléphone. Pendant les cinq minutes qui suivirent, elle resta à ses côtés, essayant de lui tirer quelques phrases entrecoupées, tandis qu'il lançait nerveusement quelques articles indipensables dans une valise... « Terrible accident... ma meilleure amie... je dois y aller... suis désolé... Non ! Non !... Il faut que j'y aille, immédiatement. »

« Mais Bobby !... Ma réception !... Quand même, tu ne vas pas me faire une chose pareille !... Sois raisonnable !... Tu peux aussi bien partir ce soir !... Oh ! Je trouve que c'est tout simplement trop cruel, trop cruel !... »

Il ne l'entendait pas... Lunch ?... Ridicule !... Il embrassa son visage mouillé et partit au pas de course... Il n'avait pas le temps d'attendre l'ascenseur paresseux. Il descendit l'escalier en courant.

D'ordinaire le grondement assourdissant des moteurs l'exaspérait, lui mettait les nerfs à vif, petit à petit. Aujourd'hui il entendait à peine le vacarme. Il n'avait rien vu du parcours jusqu'au terrain du Bourget, et manifesta la même indifférence à l'égard du paysage qui s'estompait tandis que Pierre Laudée relevait le nez de son appareil et grimpait en ligne droite vers les nuages pour réaliser ce qu'il prétendait avec fierté être l'envolée record Paris-Rome.

Bobby avait toujours le journal à la main; ce n'était pas nécessaire car il en connaissait chaque mot par coeur... tard hier soir... l'express Naples-Rome... déraillement près de Ciampino... erreur d'aiguillage... sept Américains parmi les blessés... madame Helen Hudson, directrice d'un groupe de touristes... mortellement blessée... transportée à l'Hôpital Britannique sur la Via Nomentana, à Rome.

Il se souvenait de l'endroit... un petit hôpital... Ardmore, un homme compétent, médecin en chef... spécialiste de la gorge. Il en avait entendu parler.

La journée s'étirait. Parfois il se détendait, s'allongeait sur les coussins, inerte, et se demandait si son tremblement était dû uniquement aux secousses de l'avion. Puis son inquiétude reprenait le dessus, il avait la gorge sèche, envie de vomir.

Le voyage était interminable. Et le trajet du terrain d'aviation à l'hôpital, accompli au pas de tortue de cinquante kilomètres à l'heure, lui parut tout aussi long.

Arrivé au portail de l'hôpital, le taxi tourna à droite et ralentit pour s'engager dans une allée de gravier bordée de massifs d'arbustes et s'arrêter sous la porte cochère. Bobby ne se souvenait pas que l'endroit fût si lugubre, triste, rébarbatif qu'il apparaissait aujourd'hui. Il se demanda si c'était ainsi que Brightwood paraissait aux gens qui venaient à l'hôpital, le coeur brisé d'inquiétude, s'informer si leurs bien-aimés respiraient encore.

XX

Oui, le docteur Ardmore était là, reconnut-on au bureau de renseignements dans le hall, mais on doutait qu'il veuille le recevoir... Oui — très occupé aujourd'hui... Madame Hudson ?... Elle était encore en vie... Voulait-il prendre la peine de s'asseoir... Le ton était bienveillant.

Bobby griffonna nerveusement un message.

« Apportez cette carte au docteur Ardmore, commanda-t-il, et assurez-vous qu'il la reçoive ! »

Quelques minutes plus tard, un petit homme trappu, grisonnant, dans la quarantaine, descendit le couloir d'un pas rapide et lui tendit la main.

« Oui, je suis Ardmore. Nous parlions justement de vous aujourd'hui, docteur Merrick. C'est vraiment un grand plaisir... Bon, vous êtes venu au sujet de votre compatriote, madame Hudson... Mon ami, j'ai bien peur que nous ne puissions pas la sauver... Non, on n'a rien tenté jusqu'ici... Trop tôt, vous allez comprendre... Commotion cérébrale... Donelli doit attendre un peu... Il croit que ce soir on pourra essayer... Mais il n'a aucun espoir... Consciente ? Oh, par moments; partiellement. Nous l'avons calmée, vous savez... Elle sait qu'elle est complètement aveugle. Je suis sûr de cela. »

« Ça veut dire que la commotion couvre le lobe occipital ! »

« Exactement ! Carrément à l'arrière de la tête ! Lésion très profonde !... Puis il y a des côtes fracturées. C'est mauvais ça aussi, ça amoindrit la résistance... À midi, Donelli a jugé qu'il était inutile de tenter l'opération à la tête, mais maintenant, il va la faire... Il ne voit pas tellement de ces cas... Je souhaiterais, mais, mon Dieu... *Vous* êtes ici. Vous allez la faire ! Donelli sera très reconnaissant ! »

Le coeur de Bobby battait à grands coups.

« Vous croyez réellement qu'il voudrait de moi pour la faire ? »

« Voudrait de vous ? Il dira que c'est le ciel qui vous envoie ! Donelli est un excellent chirurgien, mais il ne se spécialise pas. Vous allez vous gagner sa gratitude éternelle !... Venez, nous allons aller voir votre patiente... Je me charge d'obtenir l'approbation de Donelli... Venez, je vous en prie !... »

« Juste un petit instant, docteur Ardmore, fit Bobby en se dégageant du bras qui le dirigeait vers le corridor. J'ai quelque chose à vous dire avant d'aller voir madame Hudson. Allons dans un endroit où nous pourrons parler en privé. »

Ardmore le précéda vers un petit salon.

« Je crois que vous devez savoir, fit Bobby, que mon intérêt pour la vie de cette jeune femme dépasse le simple point de vue professionnel; plus que l'on pourrait en conclure du fait que nous sommes compatriotes et que nous nous connaissons... J'ai eu l'espoir d'en faire ma femme. »

« Ma parole ! Quelle situation ! »

« Oui, n'est-ce pas ? Bon, je vais maintenant vous dire la suite. Nous avons eu un très sérieux malentendu. C'est-à-dire que... elle m'a mal compris. Puisqu'il en est ainsi, peut-être serait-il préférable, advenant qu'elle ait une période de conscience, qu'elle ne soit pas informée que c'est moi qui suis son chirurgien. »

« Mais, objecta Ardmore, est-ce que ce fait ne pourrait pas lui insuffler un peu plus de résistance ? »

« Pas du genre que nous souhaitons. »

« Eh bien, vous devez le savoir mieux que moi... Je vais prévenir l'infirmière et faire le nécessaire pour garder votre identité secrète. »

* * *

Ce fut sa bouche pendante qui amenèrent les larmes brûlantes aux yeux de Bobby. L'espace d'un instant, il crut ne pas pouvoir le supporter.

Ardmore, voyant à quel point il était affecté, se sentit légèrement inquiet : on n'était pas devant un cas où le chirurgien pouvait laisser transparaître ses émotions. Il serra l'épaule du visiteur comme dans un étau et marmonna : « Du calme ! Vous êtes son médecin; pas son amant ! »

Il fit signe à l'infirmière de le suivre dans le couloir et laissa Bobby seul avec sa patiente. Elle bougea légèrement et émit un court soupir interrompu par la douleur et qui la fit grimacer; elle serra un peu les lèvres et, laissant retomber sa mâchoire, se détendit de nouveau.

Bobby prit la main posée sur le couvre-lit blanc et la serra dans les siennes. Il sentit une très légère pression des doigts. Chère petite fille ! Elle était au moins vaguement consciente d'une poignée de main amicale, quelle qu'en fût la source. C'était déjà ça, au moins !

La porte s'ouvrit et Ardmore revint avec l'infirmière dont les yeux brillaient : elle partageait un secret important.

« Peut-être aimeriez-vous procéder à un examen, docteur », fit Ardmore.

Bobby fit signe que oui. L'infirmière le conduisit à une salle de toilette et lui trouva une blouse et des gants.

On plaça la patiente en position pour faciliter l'examen et on retira les pansements temporaires. Bobby resta cloué sur place en voyant la blessure : comme l'avait dit Ardmore, c'était très profond. En y touchant, il retint sa respiration de façon presque audible... De nouveau la main solide du médecin anglais agrippa les épaules de son jeune collègue et il grogna « Rappelez-vous ! C'est votre *patiente* ! »

« Il n'y a rien à gagner à attendre, dit Bobby. Faites venir le docteur Donelli, je vous prie. Nous allons voir à ceci aussitôt qu'il arrivera. »

* * *

Il était dix-huit heures quand on glissa Helen sur la table d'opérations et dix-neuf heures trente quand on la replaça sur la civière qui l'avait amenée.

Au cours de cette heure et demie, Bobby Merrick, au prix d'un suprême effort de volonté, ne fut plus qu'un chirurgien du cerveau et Helen Hudson n'était qu'une patiente — un cas — de commotion occipitale dangereusement difficile.

Quand on l'avait amenée, il avait craint pendant un moment être incapable de conserver son attitude professionnelle. Avant de faire la première incision, il hésita de la même façon qu'il aurait hésité si le scalpel avait été dirigé vers son propre coeur. Une fois accompli ce premier coup habile, il ne fut plus qu'un chirurgien.

Donelli se tenait à ses côtés, attentif, épongeant doucement le sang; s'émerveillant de l'extrême précision avec laquelle les veines furent coupées avec les forceps presque avant qu'on ait pu deviner leur présence; regardant avec admiration et envie la rapidité et la sûreté de mouvement de ces longs doigts forts et expérimentés.

À deux reprises, Merrick avait levé les yeux avec inquiétude vers l'anesthésiste — ce n'était pas une mince tâche que de diriger de l'éther dans ces poumons abimés — mais apparemment satisfait de ce qu'il y vit, il s'était remis à la tâche avec encore plus de concentration.

La tension était horrible, et le petit groupe dans la salle d'opérations était étrangement silencieux. D'un commun accord, on avait compris qu'un drame émouvant se jouait là, une tragédie peut-être. Chaque souffle risquait d'être son dernier : cela dépendait de la compétence du chirurgien. La vie ou la mort dans ce cas-ci seraient déterminées par la promptitude et la justesse des décisions concernant l'enlèvement des caillots : si on y allait trop profondément, la mort s'ensuivrait; si on n'y allait pas assez profondément, la patiente serait aveugle pour le reste de ses jours !

Quand l'opération fut presque terminée, Donelli s'informa, le regard implorant et la main tendue vers l'aiguille, s'il ne pouvait pas aider aux sutures sur le crâne, mais Merrick secoua la tête.

La petite procession s'engouffra dans la porte. Bobby se dirigea en tremblant dans le vestiaire adjacent; s'assit sur un tabouret blanc en métal émaillé, les épaules affaissées et regarda ses mains... Son sang !... Donelli et une infirmière l'aidèrent à se débarrasser de ses gants de caoutchouc et de sa blouse. Désireux de témoigner sa sympathie, l'impulsif Italien insista pour éponger le visage de son invité avec une serviette humide. Il venait de vivre la plus troublante expérience de sa vie dans une profession pourtant singulièrement exposée aux situations dramatiques.

Un peu plus tard, ils essayèrent de persuader Merrick de manger quelque chose mais son repas se résuma à un verre de brandy avalé aussi goulûment qu'un ivrogne. Il était inutile de discuter avec lui. Il était déterminé à se rendre immédiatement au chevet de sa patiente dans l'attente des résultats.

« Mais il n'y a rien que vous puissiez faire, protesta Ardmore. Il faudra des heures avant que vous puissiez en apprendre plus que ce que vous savez déjà, à moins bien sûr... »

« Exactement ! marmonna Merrick. C'est le *à moins* qui m'inquiète !... Ça et la menace d'une pneumonie foudroyante. »

Donelli et Ardmore allèrent manger. Au moment de se quitter, aux grilles de l'hôpital, l'Italien dit : « C'est vraiment trop espérer. Notre jeune ami va avoir beaucoup de peine. Mais c'était un chef-d'oeuvre d'opération ! »

* * *

La chambre d'Helen était plongée dans une demi-pénombre, mais Merrick, une fois habitué à l'obscurité, put caresser du regard la beauté de ses traits. Il n'avait pas mis de pansement sur ses yeux; ils étaient fermés et ses longs cils noirs — incroyablement longs — projetaient une ombre sur ses joues brûlantes. Son souffle était régulier, calme — presque trop calme par moments et il quittait alors son fauteuil près de la fenêtre pour s'approcher anxieusement du lit, les nerfs tendus à se rompre.

Mais la plupart du temps il resta assis sur son fauteuil, coudes sur les genoux et menton dans les mains, à scruter son visage, se levant de temps à autre lorsqu'une respiration longue et haletante le précipitait à ses côtés, le stéthoscope à la main.

Vers minuit, il alla se promener dans le couloir et en rentrant dans la chambre il murmura à l'oreille de Julie Craig :

« Ses vêtements sont-ils dans ce placard ? »

« Oui docteur... Puis-je vous aider ? »

Il secoua la tête, s'approcha de la garde-robe et après avoir cherché un peu, en sortit une robe bleue, sale et déchirée, fouilla un peu autour du col, puis ayant trouvé ce qu'il cherchait, rangea le vêtement et referma le placard.

Julie Craig le regardait faire avec curiosité tandis qu'il jouait avec le bijou retiré des vêtements de sa patiente. Il s'agissait sans doute d'un cadeau offert par lui. Un précieux secret enveloppait ce geste. Elle aurait aimé savoir ce que c'était.

Au bout de quelques minutes il se leva et murmura en se penchant vers elle :

« Vous pouvez sortir et aller prendre un peu d'exercice. Je vous appellerai si j'ai besoin de vous. »

* * *

L'aube se levait. On entendait le tic-tac de l'horloge sur la commode. Dehors, les oiseaux qui s'éveillaient lançaient déjà des trilles. Les cloches sonnaient les matines.

Julie Craig se pencha vers sa patiente avec sollicitude en l'entendant pousser un soupir de lassitude.

Et alors, de cette voix si chère, ressemblant curieusement à un violoncelle assourdi, entrecoupée de petits sanglots nerveux, la patiente de Bobby murmura :

« Ah ! merci, mon Dieu ! *Je vois* !

XXI

Julie Craig était une petite âme romantique et le drame dans lequel un rôle lui avait été assigné correspondait parfaitement à ses goûts. Il ne s'agissait pas d'un rôle important en soi, mais d'un rôle qui la plaçait au coeur de l'auteur.

Que c'était palpitant de se sentir la principale gardienne d'un si précieux secret. Elle avait résolu de le protéger contre toute menace jusqu'au moment solennel de la révélation.

Quant à l'attitude du docteur Ardmore dans l'affaire, il était si transporté de joie ce matin-là d'apprendre la totale réussite de l'opération du jeune Merrick qu'il se préoccupait peu de la manière dont sa jolie patiente découvrirait l'identité de son bienfaiteur ni du moment où elle l'apprendrait. Ardmore était britannique et il avait l'impression que quel que soit le malentendu qui avait séparé ces deux jeunes Américains fascinants, le rouage de leur réconciliation était maintenant bien en place. S'ils ne pouvaient arriver à une espèce de traité devant ce sauvetage d'allure on ne peut plus théâtrale, ils méritaient bien d'aller chacun leurs chemins sans s'attendre à ce que personne ne s'apitoie sur leur sort.

Donelli, attiré, tant par nationalité que par tempérament, par le caractère « grand opéra » de la situation, était porté à souhaiter que la délicate patiente ne devine pas l'identité de Merrick tant qu'elle ne serait pas suffisamment rétablie pour en recevoir un véritable choc émotionnel; et il espérait sincèrement pouvoir trouver un prétexte suffisant pour justifier sa présence quand cela se produirait.

Julie, elle, souhaitait retarder le grand moment le plus possible. Pour son imagination fertile, il s'agissait d'une situation à déguster avec délices; avec laquelle s'amuser, comme le chat et la souris; à savourer, en la faisant rouler sur sa langue. Maintenant que tous les éléments dramatiques étaient réunis pour un dénouement sensationnel, elle ne pouvait concevoir rien de plus amèrement décevant qu'une prosaïque douche froide comme conclusion ! Elle tremblait à la pensée que Merrick puisse entrer dans la chambre d'Helen au moment où celle-ci serait en proie à des vomissements, comme cela se produirait sûrement une bonne douzaine de fois avant la fin de la journée. Julie décida que toute l'affaire devait être protégée contre toute issue par trop banale et elle se dévoua à cette cause avec autant de ferveur que si elle eût été un des principaux acteurs.

Conformément à cette décision, elle avait laissé un message au bureau demandant à être prévenue dès que le docteur Merrick reviendrait du déjeuner et de la courte sieste qu'il s'était promise. Quand on lui fit part que le jeune chirurgien américain était dans l'hôpital, Julie alla à sa rencontre dans l'escalier. Il la salua avec chaleur, lui dit qu'elle avait été très fidèle, et lui suggéra d'aller prendre quelques heures de sommeil. Il s'occuperait de la faire remplacer immédiatement.

Elle secoua la tête.

« Je n'ai pas sommeil; je vais attendre à cet après-midi. Le docteur Ardmore m'a dit que ma patiente ne devait pas savoir qui la soigne. Alors j'ai remis les pansements sur ses yeux en lui disant qu'ils devaient être protégés de la lumière pour plusieurs heures. J'espère que je n'ai pas mal fait, monsieur. »

« Vous êtes très ingénieuse, fit Bobby, s'efforçant de ne pas sourire. Y a-t-il autre chose, par hasard, que je devrais savoir avant d'entrer ? »

La fierté lui fit monter le rouge aux joues.

« Oui, monsieur. Si vous n'avez pas d'objections, je lui ai dit aussi que, comme elle ne parle pas l'italien couramment, je lui servirais d'interprète pour tout ce qu'elle aurait à vous dire... Et on peut demander au docteur Donelli d'être là, ce matin, quand vous l'examinerez. Cela vous convient-il ? »

« Miss Craig, dit Bobby d'un ton solennel, vous gaspillez vos talents, ici. Je crois que vous devriez faire partie du corps diplomatique. »

« J'espère que vous ne vous moquez pas, monsieur... Le docteur Ardmore a dit qu'elle ne devait pas être mise au courant et je ne voyais pas d'autre façon de le lui cacher. »

« Vous avez très bien agi, commenta Bobby. Je vais me laver les mains et passer une blouse. »

* * *

Depuis sept heures, Helen émergeait lentement des torpeurs de l'éther et les intervalles où elle était pleinement consciente se rapprochaient de plus en plus; elle avait même eu un pâle sourire de gratitude pour les petites attentions de Julie.

« Si contente », avait-elle murmuré quand Julie l'assura qu'elle allait se rétablir complètement.

« Et je vois ! »

Elle leva sa main blanche et tenta faiblement de soulever le pansement sur ses yeux. Julie le replaça aussitôt.

« Demain, peut-être, promit-elle. Pour aujourd'hui, le médecin préfère protéger vos yeux. »

« Très bien, fit-elle, dans un soupir d'obéissance. Je suppose qu'il s'y connaît. »

Julie avait un pauvre petit visage tendu quand le docteur Merrick entra, revêtu d'une blouse de médecin empruntée, accompagné du volubile Donelli qui l'accueillit avec une avalanche de compliments pour avoir contribué autant à cet heureux événement. Elle répondit par une volée de mots, l'avertissant de ne pas révéler accidentellement leur secret. Donelli secoua énergiquement la tête et ricana.

Le docteur Merrick s'approcha aussitôt de la table de chevet, consulta le tableau des températures et se mit à prendre le pouls de sa patiente.

« Veuillez dire au médecin, dit Helen lentement, que le pansement autour de ma poitrine est trop serré. Pourrait-il le rendre un peu plus confortable ? »

Julia relaya fidèlement la demande dans une rapide phrase d'italien composé d'un seul mot de deux cents syllabes — des voyelles pour la plupart.

Comme le pansement chirurgical autour de la poitrine d'Helen avait été fait par le docteur Donelli, il n'était que naturel que le docteur Merrick ait la courtoisie de permettre à son collègue de décider s'il voulait ou non le changer. Se reculant, il fit signe au docteur Donelli que cela le regardait mais celui-ci protesta avec véhémence, de ses mains grandes ouvertes, qu'il n'était que trop content de découvrir la technique de son invité.

L'occasion ne se prêtant pas à un débat, Bobby rabattit le drap, inspecta le large pansement, en retira les épingles, le déplia sur la peau satinée blanche comme l'ivoire, examina avec soin la région des fractures, couvertes d'ecchymoses, et replaça adroitement le pansement.

« Oh, c'est vraiment beaucoup mieux ainsi », dit sa patiente, avec un soupir de gratitude.

Julie fit entendre une cascade de notes italiennes et le docteur y répondit d'un grognement.

« Ses mains sont très douces », murmura Helen d'une voix ensommeillée.

« Dois-je lui dire cela, madame ? » demanda Julie, scrutant son visage, avec un sourire.

« Non... Dites-lui que je lui suis très reconnaissante qu'il m'ait permis de recouvrer la vue. »

Impulsivement, Bobby eut une idée audacieuse. Dans une phrase d'italien maladroit, rappel de son enfance, il marmonna quelque chose à l'effet que tout le plaisir était pour lui puis, étonné de sa propre audace, il s'approcha de la fenêtre pour rédiger une ordonnance.

Julie ne quittait pas des yeux le visage à moitié caché de sa patiente. Elle s'apprêtait à traduire la réponse du médecin lorsqu'elle remarqua que les lèvres pleines s'entr'ouvraient; puis que la lèvre inférieure esquissait un sourire, découvrant des dents blanches et parfaites, tandis que les fossettes s'accentuaient légèrement et que ses joues rosissaient.

Nerveusement, Julie attacha la robe de nuit, pendant que son petit coeur sentimental battait à se rompre... Elle sait, se dit Julie... et en se penchant vers elle, elle dit doucement :

« Mais peut-être avez-vous compris ce que le médecin vient de dire. Est-ce que je me trompe ? »

Il n'y eut pas de réponse. Elle s'était assoupie de nouveau. Mais le sourire était toujours sur ses lèvres, et le rose sur ses joues.

En sortant, le docteur Merrick fit signe à Julie de s'approcher et dit, à mi-voix :

« Vous pouvez retirer le pansement sur ses yeux quand elle dort. Elle sera plus à l'aise. »

* * *

Deux heures plus tard, elle s'éveilla de nouveau. Après avoir regardé Julie d'un air sérieux quelques instants, elle fouilla au cou de sa robe de nuit et en sortit la petite croix d'argent. La serrant précieusement entre ses doigts, elle la pressa sur son coeur et demanda :

« Comment avez-vous su que je voulais l'avoir ? »

« Je ne le savais pas, madame, ou vous l'auriez eue dès le début. »

Il y eut un long silence.

« Quand me l'avez-vous mise au cou ? Je viens juste de m'en apercevoir. »

« Je ne vous l'ai pas mise, madame. »

Il y eut un autre silence prolongé.

Remarquant que sa patiente s'essuyait les yeux d'une main maladroite avec un coin de drap, Julie lui remit rapidement un mouchoir, puis elle se retourna et se dirigea pensivement vers la fenêtre.

« L'avez-vous vu le faire ? »

Julie ne se retourna pas et répondit, la voix tremblante :

« Non, madame. Il m'avait demandé de sortir de la chambre. »

« Le pauvre chéri. »

À vingt et une heures ce soir-là, Marion Dawson arriva et Bobby alla à sa rencontre à la gare.

Dès que la nouvelle de l'accident lui était parvenue, Marion avait eu la chance de s'assurer une place sur le train qui pouvait l'amener le plus rapidement vers l'ouest ce jour-là. Dans tous ses états, elle avait expédié un cable à l'hôpital, demandant plus de détails; on le remit à Bobby qui se chargea de lui faire transmettre un message à son train pour la rassurer. Elle l'avait reçu à dix heures. Elle ne fut pas tellement surprise de recevoir un télégramme de sa part, sachant qu'il avait probablement lu la dépêche relatant l'accident dans les journaux de Paris.

« Oh ! Bobby, c'est formidable ! », s'exclama-t-elle à travers ses larmes quand il lui dit que tout laissait prévoir un complet rétablissement. « Puis-je aller la voir ? »

« Il vaut mieux que tu n'y ailles pas ce soir. Elle sera plus en forme demain matin. »

« Et je suppose que vous deux, comme deux tourtereaux, avez découvert que vous ne pouvez plus vous passer l'un de l'autre ? C'est bien ça ? »

« Eh bien, pas encore, dit-il en hésitant. Tu vois, j'ai un drôle d'avantage sur elle. J'ai fait l'opération moi-même et je ne veux pas tirer profit du fait qu'elle se sent obligée envers moi. En fait, elle ne sait même pas que je suis ici. »

Marion était rouge d'indignation. Le chauffeur de taxi attendait, la portière ouverte, qu'ils sortent de la voiture mais elle n'en tint pas compte et s'emporta de colère contre son compatriote.

« Bobby Merrick, je trouve ça tout simplement honteux. Tu as toujours gardé cette chère fille dans l'ignorance et tu l'as traitée comme une irresponsable. Et voilà que tu recommences avec tes damnées cachotteries ! Eh bien ! nous allons voir si tu vas encore te servir d'elle cette fois-ci ! En lui rendant visite demain matin, j'ai bien l'intention de la mettre au courant ! Ne pense surtout pas que je vais tremper encore une fois dans un autre de ces jeux-mystères ! »

Il était persuadé de sa sincérité. Durant ce court trajet jusqu'au Quirinal où il avait réservé une chambre pour elle, il lui fournit le plus d'explications possible sur l'opération, dans l'espoir de la distraire de son mécontentement.

« Je pars pour Vienne, demain dans la matinée, » dit-il, après s'être assuré que l'on s'occupait bien d'elle à la réception de l'hôtel. « Le docteur Donelli peut se charger des pansements aussi bien que moi. Elle ne court plus aucun risque maintenant et il n'y a aucune raison pour que je reste ici, surtout que tu sembles décidée à la renseigner. »

« C'est la seule chose convenable à faire, rétorqua Marion avec obstination. Elle a le droit de savoir... Eh bien, transmets toute mon affection à Jack et dis-lui que je serai de retour dès qu'Helen pourra se passer de moi. Je me demande si elle va me pardonner ! »

« Je l'espère, ma chère ! Mais je ne serais pas prêt à parier beaucoup sur la chose... Au revoir ! »

* * *

Plus tard dans la soirée il eut une consultation avec Donelli; il savait qu'il laissait sa patiente entre des mains compétentes. Il entra dans la chambre d'Helen, vit qu'elle dormait, prit sa main dans la sienne et la serra longtemps, puis il sortit après avoir salué l'infirmière qui avait remplacé Julie. Il laissa une note pour elle au bureau, la remerciant de « son exceptionnel dévouement et de son ingéniosité », ajoutant un témoignage substantiel de sa gratitude (dont elle utilisa une partie pour s'offrir trois mois de vacances en Suisse).

Lorsque Marion se présenta le lendemain matin, la réconciliation fut rapide et silencieuse. Elles s'embrassèrent et versèrent quelques larmes. Julie s'excusa et les laissa seules.

« Helen, ma chérie, murmura Marion dès que la porte fut refermée, tu ne devineras jamais qui a fait ton opération. »

« Oh ! oui je le peux ! », dit Helen d'une voix traînante, avec un large sourire.

« Parfait ! Il croyait que c'était tout un secret ! Quand l'as-tu deviné ? »

Elle rit en faisant une petite grimace de douleur.

« Il m'a parlé en italien, hier. »

« Et tu as reconnu sa voix ? »

« Immédiatement. »

« Il ne le sait pas; j'en suis persuadée. »

« Eh bien, il le saura probablement avant la fin de la journée. »

Avant que Marion ait eu la chance de répliquer, le docteur Donelli entra en coup de vent dans la chambre, suivi de Julie, et s'approcha du lit en souriant.

Helen les regarda d'un air interrogateur.

« Le docteur Merrick ne vient pas ce matin, miss Craig ? »

Julie secoua la tête.

« Il est parti pour Vienne à sept heures ce matin, ma chérie, fit Marion. Je l'ai prévenu que j'avais l'intention de te faire part de sa présence ici, alors il est parti ! »

« Ça lui ressemble bien ! », dit Helen avec un sourire.

XXII

Au cours de ses rencontres avec le docteur Arnstadt, la capacité extraordinaire du docteur Merrick de se concentrer à fond sur les questions de recherche scientifique ne fut pas tout à fait à la hauteur. Le chirurgien viennois, de son côté, semblait hautement satisfait et se réjouissait de cette étroite collaboration avec son jeune collège américain; mais Bobby était trop nerveux et distrait pour mettre vraiment à profit cette occasion.

Jack Dawson avait tout de suite saisi l'état d'esprit de son ami.

Un soir du début d'août, alors qu'ils achevaient leur repas dans la vaste salle à manger du Hangel, il lui dit : « Bobby, je ne veux pas m'ingérer dans tes affaires, mais je crois que tu devrais vraiment te rendre à Rome et régler ton problème. Sans vouloir te blesser, tu n'es plus un compagnon tellement intéressant, tu sais ! Et je crois que tu as un gros poids sur la conscience. »

Bobby acquiesça d'un air sérieux.

« Tu as raison !... Je vais y aller... demain ! »

* * *

Marion avait prolongé son séjour à Rome et ses lettres quotidiennes à Jack avaient permis à Bobby de se tenir au courant de la convalescence prolongée d'Helen.

Lorsqu'on apprit qu'elle s'était levée pendant une demi-heure, ce fut un grand jour à Vienne et on célébra l'événement le soir même.

Aujourd'hui, on l'avait sortie sur la terrasse ombragée... Aujourd'hui, elle avait fait une courte promenade... Et maintenant elles étaient installées toutes les deux au Quirinal et Helen passait tous ses après-midi dans le jardin, sur la terrasse de l'hôtel... Elle faisait maintenant de petites randonnées, le soir... La cicatrice était à peine visible... Helen était si heureuse.

* * *

Le 6 août, dans la matinée, Jack et le docteur Arnstadt accompagnèrent Bobby à la gare. Tout de suite après le départ du train, Jack se rendit au comptoir des télégrammes et adressa un cable à Marion. Il ne lui dit pas que l'arrivée de Bobby était un secret et de toute façon, elle ne l'aurait pas gardé. Elle en avait fini avec les devinettes.

« Sais-tu qui sera bientôt là ? » s'écria-t-elle en arrivant dans la chambre d'Helen, tout essoufflée, le télégramme à la main.

« Quand arrive-t-il ? »

« Demain après-midi, vers six heures !... N'est-ce pas merveilleux ? »

« Je m'en vais, ma chérie ! Je ne crois pas pouvoir supporter cela ! »

« Mais enfin... quelle drôle d'idée !... Tu ne peux pas faire cela !... Juste au moment où tu sais qu'il va arriver ?... Il va être cruellement déçu ! »

« Mais je ne sais pas qu'il s'en vient; du moins pas officiellement... Il ne veut probablement pas que je le sache, sinon il m'en aurait fait part. »

Il était impossible de l'en dissuader. Elle s'en allait ! Ce soir-là, elles firent une visite d'adieu à l'hôpital. Julie Craig s'informa timidement auprès de madame Dawson si le docteur Merrick était toujours en Europe et fut stupéfaite d'apprendre qu'il arrivait à Rome le lendemain.

« Mais vous serez partie, madame », s'exclama Julie, regardant sa patiente d'un air de reproche... Assurément, quelqu'un s'occupait très mal de cette affaire.

* * *

Tout ce dont le concierge au Quirinal sembla se rappeler au début, au sujet des allées et venues des deux jeunes Américaines, fut qu'elles étaient parties le jour même, à midi, pour Paris. Après mûre réflexion et peut-être en guise d'appréciation de la couleur du billet que le docteur Merrick tordait entre ses doigts, il se rappela que les grosses valises de madame Hudson avaient été expédiées par express directement au Havre. Il s'en était occupé lui-même. Oui, elle s'embarquait jeudi sur *l'Île de France*; ses malles, du moins...

Pendant une heure, Bobby fit les cent pas sur le dallage du jardin au Quirinal, à préparer sa prochaine démarche. Ce petit jeu de cache-cache ne pouvait pas, ne devait pas, se prolonger plus long-temps. Il décida de mettre Helen au pied du mur et de la prendre par la force.

Il adressa un long télégramme à Jack Dawson, lui confiant tous les détails du geste outrageusement audacieux qu'il avait décidé de poser. Il avait bâti sa réputation auprès d'elle au moyen de divers gestes audacieux. Celui-ci serait le couronnement auprès duquel tous les autres ne sembleraient que jeux d'enfant. Il tremblait de nervosité en s'y préparant.

Une fois sa décision prise, les événements se précipitèrent. Il réserva un avion et s'envola pour Paris : le vacarme des trois moteurs joint aux furieux battements de son coeur fit que le voyage lui sembla plutôt bruyant. Il passa une petite demi-heure rapide avec sa mère, au cours de laquelle il la persuada de lui pardonner sur la foi de sa promesse de revenir passer Noël avec elle.

Au bureau de la compagnie de navigation, il réserva les cabines les plus luxueuses de l'*Île de France*. Le lendemain matin, il s'envola pour Le Havre, où il arriva une heure avant l'entrée en gare du train de Paris assurant la correspondance avec le bateau.

Très tendu, il trouva l'heure interminable. Il n'avait jamais été aussi emporté par ses propres émotions.

Après avoir vérifié que ses quelques valises étaient bien dans sa cabine, il se promena dans les pièces spacieuses s'assurant que tout était prêt à recevoir les occupants, — il avait eu quand même assez de présence d'esprit pour demander qu'on place des fleurs partout. Il se rendit ensuite à la cabine du capitaine, renoua connaissance et lui demanda un service.

* * *

Le train se glissa lentement dans le hangar, de l'autre côté, et les passagers s'assemblèrent en petits groupes pour récupérer leurs bagages à main... Puis la longue procession se dirigea vers le bateau.

Bobby la vit venir, élégante et marchant d'un pas léger, suivie de près par deux porteurs.

Mauve, cette fois-ci. Un petit chapeau cloche serré, insolent et mauve... Un tailleur mauve qui faisait ressortir chaque courbe de son corps comme une sculpture.

Elle le vit qui l'attendait. Il savait qu'elle l'avait vu. Puis, quand leurs regards se rencontrèrent, elle écarquilla les yeux et entr'ouvrit la bouche. Elle s'avançait vers lui sans broncher, d'une allure presque martiale.

Elle s'approchait et elle crut qu'il allait lui tendre la main, mais il ne le fit pas. Il ouvrit ses deux bras et à son inexprimable bonheur, elle vint s'y blottir avec confiance, posa timidement ses longs doigts sur les revers de son veston, leva les yeux vers lui et lui sourit.

« Placez les valises de madame dans la suite B », dit Bobby aux porteurs, d'un ton de propriétaire.

« Vous voyagez avec moi, expliqua-t-il d'une voix tremblante. Le capitaine va nous marier cet après-midi. »

« Oui, chéri, dit-elle timidement. Je sais. »

Bobby resserra son étreinte.

« Comment le savais-tu ? », demanda-t-il avec un sourire gamin.

« Eh bien, voyons. Tu l'as câblé au docteur Dawson, et il l'a câblé à Marion et elle me l'a câblé... Façon terriblement détournée d'apprendre que l'on va se marier, tu ne trouves pas ? »

« Mais... mais... tu es bien d'accord, j'espère ? » supplia-t-il, cherchant à lire dans son regard.

Elle sourit.

« Nous devrions peut-être monter à bord, Bobby. Nous gênons la circulation. »